GÉNÉRATION 1970

DU MÊME AUTEUR

La Souris et le Rat, roman, Gatineau, Vents d'Ouest, 2004.
L'été de 1939, avant l'orage, roman, Montréal, Hurtubise, 2006, compact, 2008.
La Rose et l'Irlande, roman, Montréal, Hurtubise, 2007.
Haute-Ville, Basse-Ville, roman, Montréal, Hurtubise, 2009, compact, 2012 (réédition de *Un viol sans importance*).
Un homme sans allégeance, roman, Montréal, Hurtubise, 2012 (réédition de *Un pays pour un autre*).
Père et mère tu honoreras, roman, Montréal, Hurtubise, 2016.
Eva Braun, tome 1, *Un jour mon prince viendra*, roman, Montréal, Hurtubise, 2017.
Eva Braun, tome 2, *Une cage dorée*, roman, Montréal, Hurtubise, 2018.
Un seul Dieu tu adoreras, roman, Montréal, Hurtubise, 2018.
Impudique point ne seras, roman, Montréal, Hurtubise, 2019.
Après, roman, Montréal, Hurtubise, 2021.

CYCLE LES PICARD
Les Portes de Québec, tome 1, *Faubourg Saint-Roch*, roman, Montréal, Hurtubise, 2007, compact, 2011.
Les Portes de Québec, tome 2, *La Belle Époque*, roman, Montréal, Hurtubise, 2008, compact, 2011.
Les Portes de Québec, tome 3, *Le prix du sang*, roman, Montréal, Hurtubise, 2008, compact, 2011.
Les Portes de Québec, tome 4, *La mort bleue*, roman, Montréal, Hurtubise, 2009, compact, 2011.
Les Folles Années, tome 1, *Les héritiers*, roman, Montréal, Hurtubise, 2010, compact, 2011.
Les Folles Années, tome 2, *Mathieu et l'affaire Aurore*, roman, Montréal, Hurtubise, 2010, compact, 2011.
Les Folles Années, tome 3, *Thalie et les âmes d'élite*, roman, Montréal, Hurtubise, 2011, compact, 2011.
Les Folles Années, tome 4, *Eugénie et l'enfant retrouvé*, roman, Montréal, Hurtubise, 2011, compact, 2011.
Les Années de plomb, tome 1, *La déchéance d'Édouard*, roman, Montréal, Hurtubise, 2013.
Les Années de plomb, tome 2, *Jour de colère*, roman, Montréal, Hurtubise, 2014.
Les Années de plomb, tome 3, *Le choix de Thalie*, roman, Montréal, Hurtubise, 2014.
Les Années de plomb, tome 4, *Amours de guerre*, roman, Montréal, Hurtubise, 2014.
Le Clan Picard, tome 1, *Vies rapiécées*, roman, Montréal, Hurtubise, 2018.
Le Clan Picard, tome 2, *L'enfant trop sage*, roman, Montréal, Hurtubise, 2018.
Le Clan Picard, tome 3, *Les ambitions d'Aglaé*, roman, Montréal, Hurtubise, 2019.

SAGA FÉLICITÉ
Tome 1, *Le pasteur et la brebis*, roman, Montréal, Hurtubise, 2011, compact, 2014.
Tome 2, *La grande ville*, roman, Montréal, Hurtubise, 2012, compact, 2014.
Tome 3, *Le salaire du péché*, roman, Montréal, Hurtubise, 2012, compact, 2014.
Tome 4, *Une vie nouvelle*, roman, Montréal, Hurtubise, 2013, compact, 2014.

SAGA 1967
Tome 1, *L'âme sœur*, roman, Montréal, Hurtubise, 2015.
Tome 2, *Une ingénue à l'Expo*, roman, Montréal, Hurtubise, 2015.
Tome 3, *L'impatience*, roman, Montréal, Hurtubise, 2015.

SAGA SUR LES BERGES DU RICHELIEU
Tome 1, *La tentation d'Aldée*, roman, Montréal, Hurtubise, 2016.
Tome 2, *La faute de monsieur le curé*, roman, Montréal, Hurtubise, 2016.
Tome 3, *Amours contrariées*, roman, Montréal, Hurtubise, 2017.

SAGA ODILE ET XAVIER
Tome 1, *Le vieil amour*, roman, Montréal, Hurtubise, 2019.
Tome 2, *Le parc La Fontaine*, roman, Montréal, Hurtubise, 2020.
Tome 3, *Quittance finale*, roman, Montréal, Hurtubise, 2020.

SAGA LA PENSION CARON
Tome 1, *Mademoiselle Précile*, roman, Montréal, Hurtubise, 2020.
Tome 2, *Des femmes déchues*, roman, Montréal, Hurtubise, 2021.
Tome 3, *Grands drames, petits bonheurs*, roman, Montréal, Hurtubise, 2021.

SAGA GÉNÉRATION 1970
Tome 1, *Une arrivée en ville*, roman, Montréal, Hurtubise, 2021.
Tome 2, *Swinging Seventies*, roman, Montréal, Hurtubise, 2021.

Jean-Pierre Charland

GÉNÉRATION 1970

tome 3

Seul ou avec les autres

Roman historique

Hurtubise

Catalogage avant publication de Bibliothèque et Archives nationales du Québec et Bibliothèque et Archives Canada

Titre : Génération 1970 / Jean-Pierre Charland.
Noms : Charland, Jean-Pierre, 1954- auteur. | Charland, Jean-Pierre, 1954-
Seul ou avec les autres.
Description : Mention de collection : Roman historique | Sommaire incomplet :
tome 3. Seul ou avec les autres.
Identifiants : Canadiana 20210053585 | ISBN 9782897817008 (vol. 3)
Classification : LCC PS8555.H415 G46 2021 | CDD C843/.54—dc23

Les Éditions Hurtubise bénéficient du soutien financier du gouvernement du Québec par l'entremise du programme de crédit d'impôt pour l'édition de livres et de la Société de développement des entreprises culturelles du Québec (SODEC). L'éditeur remercie également le Conseil des arts du Canada de l'aide accordée à son programme de publication.

Financé par le gouvernement du Canada | Canada

Conception graphique : Sabrina Soto
Illustration de la couverture : Alain Massicotte
Maquette intérieure et mise en pages : Folio infographie

Copyright © 2022, Éditions Hurtubise inc.

ISBN 978-2-89781-700-8 (version imprimée)
ISBN 978-2-89781-701-5 (version numérique PDF)
ISBN 978-2-89781-702-2 (version numérique ePub)

Dépôt légal : 1er trimestre 2022
Bibliothèque et Archives nationales du Québec
Bibliothèque et Archives Canada

Diffusion-distribution au Canada :   Diffusion-distribution en Europe :
Distribution HMH   Librairie du Québec/DNM
1815, avenue De Lorimier   30, rue Gay-Lussac
Montréal (Québec) H2K 3W6   75005 Paris
www.distributionhmh.com   www.librairieduquebec.fr

Imprimé au Canada
www.editionshurtubise.com

Les personnages

Aubut, Pierre : Professeur d'histoire canadienne à l'Université Laval, né en 1944. Il donne aussi des cours de méthodologie.

Charon, Aline : Épouse de Paul Charon, mère de Lucien, Solange et Jacques. Elle a soixante-cinq ans en 1977. Son époux, Paul, est décédé en 1975.

Charon, Jacques : Né en 1954, il a amorcé des études en histoire à l'Université Laval en 1974.

Charon, Lucien : Fils aîné de Paul et Aline Charon, né en 1944, il travaille à Ottawa. Marié à Jeanine, il a trois enfants.

Charon, Solange : Née en 1946, c'est la fille de Paul et Aline. Travailleuse sociale à Trois-Rivières, elle a un fils âgé de onze ans en 1977, Alain.

Charpentier, Monique : Née en 1945, elle a été secrétaire avant d'entreprendre des études universitaires en histoire en 1974. Elle a épousé un travailleur social, Benoît Charpentier.

Chénier, Diane : Née en 1944, elle a été secrétaire avant d'entreprendre des études universitaires en histoire en 1974. Elle a épousé un médecin, Robert Chénier.

Doyle, Nadine : Recrutée en 1974 par l'Université Laval, elle a trente et un ans en 1977. Elle enseigne l'histoire des Temps modernes.

Duquette, Michèle : Étudiante en ethnologie, née en 1956. À l'été 1978, elle travaille pour le compte du Musée de l'Homme.

Groslouis, Gilles : Étudiant en histoire né en 1956. À l'été 1978, il travaille pour le compte du Musée de l'Homme, sous la direction de Jacques Charon.

Lemay, Marie : Étudiante en anthropologie née en 1956. À l'été 1978, elle travaille pour le compte du Musée de l'Homme, sous la direction de Jacques Charon.

Morin, Charlotte : Étudiante en architecture, fille de l'ancien doyen de la Faculté de droit, elle travaille pour le compte du musée de l'Homme à l'été 1978, sous la direction de Jacques Charon. Elle est née en 1957.

Nadeau, Jean-Philippe : Étudiant au département d'histoire depuis 1974. Originaire de Charlevoix, il est né en 1954.

Robert, Jacques : Né en 1937, il est directeur du département d'histoire de l'Université Laval de 1974 à 1977.

Robitaille, Alfred : Né en 1936, il enseigne l'histoire des États-Unis à l'Université Laval. Son épouse se prénomme Francine. Il a trois fils.

Robson, Terry : Âgé d'une trentaine d'années, il est chercheur au Musée de l'Homme, à Ottawa. À ce titre, il emploie Jacques Charon pendant les étés 1978 et 1979.

Trottier, Suzanne : Née en 1951, elle est l'ancienne épouse de Louis Gervais. En 1977, elle est étudiante en droit.

Van Doesberg, Jean : Né en Belgique en 1942, il enseigne l'histoire médiévale à l'Université Laval. Il devient directeur du département d'histoire en 1977. Son épouse se prénomme Marielle.

Chapitre 1

Le samedi saint du 9 avril 1977, fidèle à une habitude maintenant vieille de deux ans, Jacques Charon avait fait le trajet en autocar de Québec à Trois-Rivières. Le lendemain, il se rendait à Manseau avec sa sœur Solange.

— Je trouve infiniment plus facile de la visiter ailleurs que dans la maison familiale, déclara le jeune homme alors qu'ils arrivaient au village.

— Moi aussi. Ça tient certainement au fait que les murs ne sont pas imprégnés de mauvais souvenirs.

Maintenant, madame veuve Paul Charon, Aline pour ses proches, n'habitait plus au chemin du Petit-Montréal. Des bourgeois de Québec avaient acheté la vieille maison paysanne pour juste un peu plus qu'une bouchée de pain. Évidemment, elle avait rouspété: «Acheter une maison juste pour passer les fins de semaine! Ces gens savent pas quoi faire avec leur argent.» Toutefois, elle avait encaissé la traite bancaire et déménagé ses pénates.

Deux de ses trois enfants venaient partager le dîner de Pâques avec elle. Au moment où Solange se garait près du trottoir, Jacques dit à sa sœur:

— Tu es prête à parier? Poulet ou jambon?

— Poulet.

— Ah! Dans ce cas, aucun pari possible. C'est mon choix aussi.

Chez les Charon, les repas du dimanche et ceux des jours de fête mettaient habituellement à contribution un gallinacé.

— Moi, je vais dire jambon, intervint Alain en s'extrayant de la banquette arrière de la Gremlin.

— Vois ça comme une occasion d'apprendre à perdre.

Cette perspective n'eut pas l'heur de réjouir le garçon. À onze ans, il souhaitait encore parfois qu'on le laisse gagner.

— Ce sera utile quand tu auras le droit de vote, insista son oncle. Que paries-tu ?

Le garçon entendit être prudent :

— Dix cents.

Solange regarda son frère avec un air un peu sévère. Voilà que le seul modèle masculin de son fils se révélait pris du démon du jeu. Le petit groupe se tenait maintenant sur le trottoir, juste en face d'une maison de deux étages. C'était l'une des rares dans la municipalité à avoir été construite spécifiquement pour abriter deux logis.

La bâtisse avait la forme d'un cube, avec un escalier en façade pour atteindre l'étage. Située à trois cents verges environ de l'église paroissiale, elle présentait deux avantages : elle était assez proche pour s'y rendre facilement à pied, mais assez loin pour que les cortèges funèbres ne passent pas nécessairement sous ses fenêtres. À plus de soixante ans, ce spectacle minait le moral d'Aline.

Quand ils entrèrent dans l'appartement, Alain lança un « Ha ! ha ! » vainqueur. Une odeur de jambon flottait dans la pièce. Jacques extirpa une pièce de sa poche pour la donner au garçon.

— Ne va pas faire de folies avec ça, comme t'acheter une belle Mustang rouge.

Aline s'avançait avec sa gaucherie habituelle pour poser ses lèvres sur la joue de sa fille. Jacques, de son côté, trouva étrange que la voiture de Diane Chénier lui vienne à l'esprit à cet instant.

— J'aime mieux une Corvette, dit le garçon.

Aline interrompit cet échange pour faire la bise à son fils et à son petit-fils.

— Tu es revenue depuis longtemps d'Ottawa ? demanda Jacques.

Au plus fort de l'hiver, l'aîné des enfants, Lucien, avait eu la gentillesse de la recevoir chez lui pendant quelques semaines.

— Ça fait bien un mois. On voit que tu me visites pas souvent.

— Ça me prend tellement de temps, apprendre à raconter des histoires.

Solange n'allait pas les laisser s'engager sur ce terrain.

— À l'odeur, je devine que nous allons bientôt passer à table.

— Dans dix minutes, si la sœur s'est pas mêlée.

Le livre *Les recettes de sœur Berthe, Cuisine du printemps*, reçu lors du Noël précédent, était ouvert sur le comptoir de la cuisine. Voilà qui expliquait les changements à l'ordinaire à la table des Charon.

— Alors je vais mettre le couvert.

Les hommes se dirigèrent vers le salon pour s'asseoir devant la télévision. Il y eut une brève discussion pour savoir si leur attention irait vers *Bon dimanche* ou vers *La semaine verte*. Finalement, un reportage sur l'assolement des terres les retint. C'est dire combien les derniers potins sur les chanteurs à succès ne leur disaient rien.

Comme d'habitude, prenant prétexte de l'heure à laquelle Jacques devait prendre l'autocar à Trois-Rivières pour retourner à Québec, Solange donna le signal du départ au milieu de l'après-midi. Dans la Gremlin, il y eut quelques commentaires sur la performance du jour : le jambon était réussi.

Ensuite, la jeune femme remarqua :

— Que penses-tu de l'idée de ton recteur d'améliorer le programme de prêts et bourses, au lieu d'abolir les frais de scolarité à l'université ?

La suggestion avait été formulée dans le cadre d'une entrevue donnée à un journaliste du *Soleil*.

— C'est de la frime. La grève menée à l'automne par les professeurs empêche dix-sept mille étudiants de travailler, cet été. Tous les cours seront décalés. L'association étudiante demande d'oublier la facture que nous devrons régler mardi prochain. Comme notre bon recteur tient à recevoir ses chèques, il lance l'idée d'améliorer les prêts et bourses à la place, ce qui ne lui coûte rien. Il envoie la patate chaude à Jacques-Yvan Morin.

Depuis le mois de novembre précédent, il s'agissait du ministre de l'Éducation, nommé à la suite de l'accession au pouvoir du Parti québécois. Le nouveau ministre avait déjà commencé à patiner pour justifier son refus.

— Je ne comprends toujours pas pourquoi on a laissé traîner une grève de professeurs pendant quatre mois, dit Solange.

Très précisément, du début septembre jusque tard en décembre.

— À cause de la sottise de l'équipe de direction, de la lâcheté du gouvernement Bourassa qui craignait de perdre des votes au moment de l'élection de l'automne dernier, et de l'habileté du syndicat des professeurs.

— Mais personne n'a pensé aux milliers d'étudiants?

— Je te rappelle qu'il y a eu des grèves à tous les niveaux scolaires, et même dans les hôpitaux.

L'époque prêtait à ces grands conflits menés sous le couvert de la lutte des classes, alors qu'ils visaient simplement à obtenir des avantages matériels à une bourgeoisie tentaculaire. Dans un affrontement aussi épique, personne ne se souciait des intérêts des « usagers », qu'ils soient étudiants ou malades.

— Oui, mais pas pendant quatre mois.

— Nous n'avions pas assez l'air de pauvres victimes. Les associations étudiantes ont appuyé cette grève.

Une initiative que Jacques percevait toujours comme le comble de la bêtise. Solange en vint à exprimer son inquiétude :

— Est-ce que ça menace la poursuite de tes études? À la limite, si on se serrait un peu, tu aurais de la place chez moi.

C'était une invitation à s'inscrire à l'Université du Québec à Trois-Rivières, et à habiter chez elle.

— Tu es très généreuse, mais je ne suis pas en mauvaise posture. Dans le traitement des demandes de prêts et bourses, le ministère ne pénalisera pas les étudiants qui ne travailleront pas cet été. Ça signifie que ma bourse sera doublée, ou à peu près. Le seul véritable inconvénient, c'est que je fréquenterai l'université quatre sessions d'affilée, et je perdrai une occasion de prendre un peu d'expérience. Heureusement, je serai à la maîtrise en septembre, ce ne sera pas la même routine.

Autrement dit, il serait aux études jusqu'en avril 1978 sans interruption, sauf pendant le mois d'août 1977.

— C'est quoi, la maîtrise? dit une voix venue de la banquette arrière.

Alain ne se passionnait pas vraiment pour les grades universitaires, mais il n'aimait pas demeurer trop longtemps sans participer à la conversation. La longueur de l'explication lui fit regretter son intervention. Surtout que Jacques termina son petit exposé en demandant :

— Bon, à ton tour : explique-moi ce que c'est, une maîtrise.

Il lui demandait de redire tout ça dans ses mots, pour montrer qu'il avait compris. Tout de même, au moment de se séparer devant la gare d'autocars de la rue des Forges, les « À bientôt » parurent sincères de part et d'autre.

❁

À cause de la grève à l'Université Laval, la session d'automne 1976 avait débuté en janvier 1977 pour se terminer le 8 avril. Et l'inscription à la session d'hiver 1977 devait avoir lieu le mardi 12 avril. Cette année-là, rien ne serait facile pour les étudiants.

— À la radio ce matin, on disait que des lignes de piquetage ont été érigées à l'entrée du PEPS, dit Jean-Philippe Nadeau en rejoignant Jacques dans le hall du pavillon Parent.

Afin de boycotter l'inscription à la prochaine session. La stratégie devait permettre d'éviter aux étudiants de verser le montant des droits de scolarité.

— J'écoutais aussi CKRL, alors je suis au courant.

Il s'agissait de la station de radio de l'Université Laval. Le regroupement des étudiants de premier cycle, le REP, pouvait toujours y trouver un micro pour faire entendre ses mots d'ordre.

— Ça t'a enlevé le goût de faire une marche jusqu'au pavillon d'éducation physique ? demanda Jacques.

— Non. De toute façon, nous avons un rendez-vous, toi et moi. Tu te souviens ?

Ils devaient rejoindre Diane et Monique, avec qui ils faisaient front commun depuis le début de leurs études universitaires. Tous les deux piquèrent à travers la grande pelouse en face du Parent. Des sentiers multiples représentaient autant de raccourcis vers différents pavillons. En arrivant devant l'école de commerce, ils virent la présence des troupes de choc du mouvement étudiant interdisant l'accès au pavillon d'éducation physique.

— Voilà la preuve que le service d'information de CKRL effectue un travail efficace, ricana Jacques.

Ce qui ne l'empêcha pas de marcher directement vers les porteurs de pancartes. Les militants les plus engagés venaient des départements de sciences humaines – sociologie, sciences politiques, anthropologie et, bien sûr, histoire –, il les connaissait tous.

— Tu ne vas pas passer la ligne de piquetage ? demanda l'un d'eux en le voyant approcher.

C'était Fernand Petit. Il l'avait connu au moment de l'initiation des nouveaux en septembre 1974. Maintenant inscrit à la maîtrise, il s'agissait d'un grand escogriffe chevelu, barbu et moustachu, comme il convenait pour l'avant-garde du prolétariat. Jacques se contentait de porter des cheveux couvrant les oreilles et la nuque, et un bouc. Élégant, cet ornement pileux demandait quand même un certain entretien.

— Évidemment non, dit-il en s'arrêtant. Des plans pour passer pour un méchant réactionnaire. Par contre, je veux certains éclaircissements. Là, vous boycottez l'inscription pour priver l'université des droits de scolarité, avec l'espoir de forcer le gouvernement du Québec à compenser les étudiants pour le manque à gagner causé par la grève des profs ?

Petit toisa Jacques, méfiant.

— Tu sais bien que cet été, aucun des étudiants de Laval ne pourra travailler.

— Comme je fais partie de ceux-ci, pas besoin de m'expliquer longtemps leurs malheurs. Mais cette situation vient de la grève des profs, non ? Pourquoi demander au gouvernement de dédommager les étudiants ?

Cette fois, le sourire disparut totalement du visage de son interlocuteur.

— Où veux-tu en venir ?

— Dans cette histoire, les responsables sont faciles à identifier. Le syndicat des profs et l'administration de l'université au premier chef, pour s'être entêtés si longuement, et accessoirement l'association étudiante qui a appuyé le syndicat des professeurs. Je vais m'informer sur la possibilité de poursuivre ces trois entités pour me faire rembourser le salaire perdu.

— Tu me niaises…

Petit brandissait bien haut sa pancarte comme s'il entendait la rabattre sur la tête de Jacques. D'ailleurs, un groupe de gros bras avait été attiré par ce conciliabule.

— Pas du tout ! Je me souviens d'avoir été hué dans une assemblée étudiante quand je me suis opposé à l'appui du REP à la grève des professeurs. Déjà, nous nous faisions enculer par eux, et vous proposiez de leur dire merci en plus de les encourager à continuer. Aujourd'hui, mille profs sont plus riches et dix-sept mille étudiants sont plus pauvres.

— Ça, c'est la démocratie.

— Tu défends la démocratie bourgeoise, maintenant ? Ce n'est pas plutôt l'action de l'avant-garde du prolétariat qui guide les masses populaires aliénées ?

Le glossaire des militants québécois, depuis les centrales syndicales jusqu'aux divers mouvements étudiants, n'était pas bien difficile à maîtriser. Il se composait de trente mots, tout au plus. Il y eut un silence, puis Jacques reprit, moqueur :

— Tu te souviens de notre première rencontre ? Le jour où j'ai dit à Christine Veilleux que c'était ridicule d'obliger des milliers de personnes à faire la file pour l'inscription, alors que ça pouvait se faire par la poste ? Là, je te fais une prédiction : il y aura un seul effet positif à ce boycott. L'inscription se fera par la poste. Bonne journée, mon avocat m'attend.

Jacques regagna le trottoir, des regards mauvais fixés sur son dos. Les idiots utiles souffraient toujours d'être mis face à leur sottise. Quand ils furent sur le trottoir, Jean-Philippe commenta :

— Même si tu as raison, ce n'est pas la meilleure façon de te faire des amis.

— Je sais. Je supporte mal les gens qui affirment parler en mon nom, sans jamais respecter mon avis. On attend Diane et Monique ici ou on va à la cafétéria ?

Comme il serait difficile de se retrouver dans la cohue grandissante, la seconde éventualité l'emporta.

❁

Compte tenu de la situation très particulière de ce début de session, la cafétéria du pavillon De Koninck grouillait d'activité. Les deux garçons avaient acheté une boisson dans l'une ou l'autre des machines distributrices : un café pour l'un, un Coke pour l'autre. Ensuite, ils occupèrent une table un peu à l'écart.

Les deux femmes apparurent bientôt dans l'entrée de la grande salle. Jacques leva la main très haut pour attirer leur attention. En s'asseyant, Diane observa :

— Si l'histoire ne se répète pas, elle bégaie, avec des lignes de piquetage comme en septembre dernier. Seuls les acteurs changent.

— Ou ce sont les mêmes, dit Jacques. L'an dernier, c'était le prolétariat de l'enseignement universitaire, et aujourd'hui c'est le prolétariat étudiant.

Ces marxistes de salon lui tombaient décidément sur les nerfs. Des gens qui n'avaient jamais fourni une journée de travail manuel, que ce soit dans une ferme ou en usine, péroraient sur la lutte des classes.

— Nous, on a fait partie du prolétariat du travail de bureau, remarqua Monique… Diane, veux-tu que je te rapporte un verre de cet affreux café ?

La brune le voulut bien. Ensuite – c'était devenu un automatisme au fil des mois –, Diane occupa une chaise près de celle de Jacques. En attendant le retour du quatrième mousquetaire, les trois autres échangèrent quelques banalités. Trop peu de jours avaient séparé les deux sessions pour permettre un échange de véritables nouvelles.

Monique revint avec les boissons, et l'expression d'une inquiétude commune :

— Ils vont nous niaiser comme ça longtemps ? Moi, je n'ai pas hérité d'une fortune personnelle. Je n'ai pas les moyens de retarder ma diplomation d'une année.

— Moi, on peut dire que j'ai remporté le gros lot – Diane faisait allusion à la prospérité de son mari –, mais je n'ai pas plus envie que vous de mettre encore mon existence sur la glace.

La question de l'inégalité des conditions gâchait un peu la bonne entente entre celles-là. Pendant toute la grève de l'automne précédent, Monique avait désespérément cherché des boulots mal payés, alors que Diane explorait le Texas.

— Je ne pense pas que le cours de nos études soit menacé, observa Jacques. Nos vaillants représentants vont donner un petit spectacle, mais s'ils retardent ne serait-ce que d'une journée le déroulement de la session, ils vont se faire assommer par les personnes qui s'attendent à avoir un emploi au terme de leurs études.

Il parlait des étudiants en droit, en génie, en sciences et en administration. Pour eux, ajourner la fin du programme, c'était perdre un salaire. Pour les militants de l'association étudiante, la fin des études représentait bien souvent le chômage ou des emplois étrangers à leur formation. La valeur d'un diplôme en philosophie – ou en histoire – ne pesait pas bien lourd sur le marché du travail.

— Ils nous empêchent de nous inscrire! intervint Diane.

— Ils nous empêchent surtout de faire un chèque à cette noble institution. Mais à moins d'être suicidaires, ils ne bloqueront pas l'accès aux cours.

— Pour ne pas se faire assommer, justement, renchérit Jean-Philippe.

Dans des circonstances normales, suspendre les cours procurait un joli congé. Si l'interruption ne durait pas trop longtemps, les heures perdues n'étaient même pas reprises. Mais dans le cadre de sessions déjà écourtées à cause de la grève de l'automne précédent, ce serait intolérable.

— Mais comment on fait, demain? demanda Monique.

— Je compte m'asseoir au troisième ou quatrième rang de la classe de la charmante madame Doyle, affirma Jacques.

— En la dévorant des yeux? se moqua Diane.

— En tout cas, en souriant à chacun de ses traits d'humour. Un jour prochain, il me faudra bien aller quêter des lettres de recommandation.

Et à ce moment, il espérait qu'elle se souviendrait de sa remarque si encourageante écrite sur les pages de son travail, en première année.

— Mais nous ne serons pas inscrits !

La situation inquiétait vraiment Monique.

— Nous avons choisi les cours pour toute l'année en janvier, les horaires et les locaux sont affichés. Les génies dans la tour de l'administration finiront bien par comprendre qu'on peut mettre un chèque à la poste pour payer les droits de scolarité.

Jacques paraissait tellement sûr de son fait que les autres se sentaient déjà un peu plus confiants. Au point où Monique alluma une cigarette pour célébrer.

— Vous avez pensé à la suite des choses pour septembre ? continua-t-il.

— Je veux travailler sur la Nouvelle-France, dit Monique.

— Je suis certain que Dumont pourra te diriger pour cette période. Aucun de ses collègues ne mettra en doute sa compétence.

Maurice Dumont demeurait le professeur ayant la plus solide réputation au département d'histoire.

— J'avais pensé à Jacques Robert, répondit-elle.

— Il est tout aussi compétent. Moi, je m'inscrirai avec Dumont parce qu'il reçoit de généreuses subventions de recherche et qu'il a plusieurs anciens étudiants devenus professeurs ou responsables de services de recherche dans diverses institutions, des gens à qui il peut demander des retours d'ascenseur pour ses nouveaux étudiants.

Jacques ne prenait aucune décision sans penser à moyen ou à long terme. Si dans l'immédiat l'enjeu était de s'inscrire à la maîtrise, ensuite ce serait le doctorat, puis la recherche d'un emploi. Il entendait choisir le professeur le plus susceptible de l'appuyer lors de ces étapes.

— Je m'adresserai aussi à Dumont, dit Diane. La condition sociale des travailleurs de la construction, c'est dans ses cordes.

Jean-Philippe se rallia sans hésiter. Finalement, Monique fit la même chose, mais avec moins d'enthousiasme.

— Quand devrions-nous aller le voir ? demanda-t-elle.

— Normalement, je dirais "le mois dernier". Mais mieux vaut attendre que les relevés de notes aient été émis, dit Jacques.

Cela permettrait au professeur de regarder leurs résultats sur cinq sessions. Comme les trois autres avaient également performé de mieux en mieux en avançant dans le programme, ils convinrent que ce serait la stratégie la plus efficace.

❀

Le lendemain matin, alors que les deux jeunes hommes marchaient en direction du pavillon De Koninck afin d'aller assister à leur premier cours de la session, Jacques confia :

— Maintenant, j'espère avoir eu raison… Si nous nous retrouvons face à face avec les fiers-à-bras de l'association, j'aurai l'air d'un parfait idiot.

— Je suis content de te l'entendre dire. Parce que parfois, tu affiches tellement de certitude. Comme si Dieu te parlait à l'oreille.

— Oh ! Cette voix que j'entends, tu ne penses pas que c'est Dieu ? dit Jacques en s'arrêtant de marcher, feignant la surprise.

Puis il reprit d'un ton plus normal, et un sourire chargé d'autodérision sur les lèvres :

— Je m'entraîne pour le rôle de professeur. Celui qui raconte n'importe quelle sottise tout en ayant l'air de tout savoir.

En s'approchant de la salle de classe, il fut rassuré : aucun manifestant armé d'une pancarte ne montait la garde. Les deux jeunes gens occupèrent leurs places habituelles, du côté droit, pas trop loin de l'estrade du professeur. Comme le rituel durait depuis presque trois ans, personne ne leur disputait ce coin de la pièce.

Quand Diane et Monique les rejoignirent, elles se réjouirent aussi de pouvoir poursuivre leur programme. Un peu plus tard, Nadine Doyle arriva à son tour. En marchant vers l'estrade, elle s'arrêta brièvement dans l'allée pour demander :

— Jacques, serez-vous encore avec nous en septembre ?

À cet instant, ce dernier jugea pouvoir compter sur une lettre de recommandation de sa part. Il lui adressa un sourire, mais laissa quelqu'un d'autre répondre.

— Oui, dit Diane. Nous comptons demander à Dumont de nous diriger.

— Ah ! L'histoire canadienne. Personne ne s'intéresse aux Temps modernes ?

C'était la période de prédilection de cette professeure. Jean-Philippe se chargea de répondre :

— Ça nous passionne, mais les archives ont le défaut de se trouver en Europe, et d'être souvent écrites en latin. En comparaison, l'anglais paraît plus facile, et peut-être plus utile dans la vie de tous les jours.

Nadine Doyle hocha la tête pour signifier sa compréhension. Apprendre le latin allongeait la formation d'une bonne année.

— Vous serez tous les quatre avec Dumont ?

— Oui, puisque la bande des quatre, c'est nous.

Les étudiants et les professeurs avaient pris l'habitude de les désigner ainsi. Comme la bande des quatre Chinois responsables de la révolution culturelle, jetés en prison l'année précédente moins d'un mois après la mort de Mao.

— Je vous posais la question parce que compte tenu des derniers événements, plusieurs étudiants songeaient à aller dans d'autres établissements.

— On dit comment ? glissa Jacques. *Deo favente haud pluribus impar* ?

Il s'agissait de la devise de l'Université Laval. «Avec la grâce de Dieu, à nul autre comparable».

— Vous connaissez déjà le latin.

— Seulement ça, et quelques locutions des pages roses du *Petit Larousse*. Mais puisque vous êtes là, j'en profite pour vous poser une question : dorénavant, les sessions seront étalées sur douze semaines au lieu de quinze ?

Comme la professeure fronça les sourcils, il expliqua :

— Ce n'est pas ce que prétendent les grosses légumes de l'université ? Cette année, les professeurs mettent le contenu de leur cours dans une période de trente-six heures, plutôt que quarante-cinq. Il serait ridicule de revenir à quinze semaines par la suite, non ?

— Tu viendras expliquer ça au conseil de la faculté...

Ensuite, Doyle continua son chemin vers l'estrade. Quand elle se fut éloignée, Diane remarqua :

— Pas très orthodoxe, ta façon de draguer, mais elle est efficace.

Elle aussi avait remarqué le passage au tutoiement à la dernière réplique.

— Oui, mais dans notre cas, il s'agit seulement de la rencontre de purs esprits. D'ailleurs, tu connais la rumeur.

Il existait au moins douze rumeurs pour chacun des professeurs. L'une d'elles prêtait un amant à cette jolie brunette. Debout sur l'estrade, cette dernière salua les étudiants et présenta le sujet du cours : la Réforme protestante au seizième siècle. Ensuite, elle donna son attention à une main levée.

— Madame, commença Brigitte, nous ne sommes pas inscrits. Ce cours, est-ce qu'il va compter ?

Après son aventure avec Louis Gervais, cette étudiante ne cherchait plus qu'à attirer l'attention des professeures, si peu nombreuses. Parce que finalement, avec les hommes, l'expérience n'avait pas été concluante.

— Vous êtes sur ma liste. La décision du syndicat des professeurs, c'est d'enseigner et de donner des notes aux personnes présentes dans la classe. Que vous ayez ou non remis votre chèque à l'administration ne change rien à mes yeux.

Jacques respira mieux. Croire que c'était la seule façon raisonnable de gérer la situation était une chose. Se l'entendre confirmer par un professeur en était une autre.

Chapitre 2

Finalement, les relevés de notes avaient été envoyés aux étudiants pendant la dernière semaine du mois d'avril. Sans en révéler le détail aux autres, chacun des membres de la bande des quatre s'était déclaré satisfait de ses résultats. Suffisamment pour effectuer la démarche prévue auprès de Maurice Dumont.

Celui-ci avait quitté son local à l'étage de l'atrium pour occuper au second une petite suite de trois bureaux avec une antichambre. En entrant dans celle-ci, Diane remarqua :

— Ils sont bien installés !

Il y avait une grande table de chêne avec, placées autour, huit chaises. Des étagères au mur permettaient de ranger des centaines de livres et de grands classeurs métalliques contenaient des milliers de documents.

— C'est l'espace pour un groupe de recherche en histoire canadienne, murmura Jacques, avec cette table pour les réunions. Comme tu vois, actuellement, deux bureaux sur trois sont occupés.

Sur une porte, il y avait le nom de Maurice Dumont, et sur une autre, celui de Pierre Aubut. La dernière pièce demeurait encore non affectée. Il frappa doucement sur la première, un «Entrez» lui parvint de l'intérieur.

— Monsieur, dit-il en ouvrant, j'ai demandé à vous rencontrer avec mes collègues.

— La bande des quatre! À cinq, on va être un peu à l'étroit ici. Installez-vous à la grande table, je vous rejoins.

Les étudiants occupèrent les chaises d'un même côté. Bientôt, le professeur les rejoignit.

— Seigneur! Vous me rappelez le jour de ma soutenance de thèse, s'amusa-t-il. Ils étaient comme ça, quatre sur une ligne. Tout de même, vous faites moins menaçants, et plus jeunes. Jacques, je sais qui tu es. Veux-tu me présenter tes amis?

Il le connaissait depuis le jour où, un peu désemparé de ses résultats à la fin de sa première session, l'étudiant était allé frapper à sa porte pour se faire rassurer. Celui-ci fit les présentations, et dit ensuite:

— Nous voulons nous inscrire à la maîtrise sous votre direction. Nous aimerions nous pencher sur l'industrie de la construction depuis la Nouvelle-France jusqu'à la Seconde Guerre mondiale. Je m'intéresse à la vie syndicale entre 1850 et 1940. Je laisse mes compagnons vous parler de leurs centres d'intérêt.

Pour Diane, ce serait la condition sociale de ces travailleurs, pour Jean-Philippe, la vie de quelques entreprises. Et pour Monique, les travailleurs du même secteur, mais en Nouvelle-France.

— Si vous étiez deux de plus, il serait possible de couvrir aussi la période 1760-1850, dit Dumont. Pour produire ensuite un ouvrage collectif sur le sujet.

Il avait déjà dirigé des projets de ce genre. Cela fournissait l'occasion d'une première publication pour les étudiants, une excellente entrée en matière au moment de chercher un emploi.

— Sauf qu'à six, ce serait plus difficile de synchroniser nos efforts, avança Jacques.

Le professeur hocha la tête.

— Comment voyez-vous cette collaboration ?

Pour ne pas monopoliser cet échange, Jacques jeta un coup d'œil sur Diane. Le scénario avait été préparé un peu à l'avance, elle enchaîna donc sans mal :

— Depuis la première année, nous collaborons dans nos cours et nous nous soumettons nos travaux pour avoir un premier avis avant de les remettre aux professeurs. Là, en plus, nous pourrons passer ensemble à travers un fonds d'archives…

— … et éviter l'isolement. Le premier motif d'abandon, dans des études de maîtrise ou de doctorat, c'est la solitude, précisa Dumont.

Il continua sur le sujet pendant quelques minutes. Son insistance permettait de deviner que dans le passé, plusieurs candidats avaient renoncé après une année, écœurés par le travail en solitaire. Puis après les avoir conviés à tenir une autre réunion de ce genre début septembre, quand ils seraient inscrits au second cycle, le professeur se leva en leur souhaitant une bonne session.

Jacques se leva en même temps en disant :

— Puis-je prendre une minute encore, en privé ?

Les autres froncèrent les sourcils. Même dans la bande des quatre, chacun travaillait tout de même un peu pour lui-même. Une fois la porte du bureau refermée, l'étudiant continua :

— J'aimerais demander une bourse d'excellence à la Direction générale de l'enseignement supérieur. J'ai obtenu le formulaire aux services aux étudiants. Je pourrai le déposer dans votre casier… Bien sûr, si vous m'appuyez dans cette démarche.

Dumont esquissa un petit sourire.

— C'est toi, le gars qui songeait à retourner à l'agriculture en première année ? Tu avais demandé une révision de note…

Ainsi, malgré tous les étudiants qui passaient dans son bureau, il se souvenait des circonstances exactes de cette première rencontre.

— Oui, c'est moi.

— Les choses se sont donc améliorées.

— Beaucoup. Vous jugerez si c'est assez.

— Ah ! Je prendrai une grosse loupe pour regarder ton document.

Le ton permettait de penser que ce serait sans a priori négatif. Après des remerciements sentis, Jacques retourna dans l'antichambre. Pierre Aubut était sorti de son bureau pour se joindre aux trois autres.

— Et voilà le quatrième, dit-il en tendant la main. Et vous travaillerez tous sur l'industrie de la construction !

Lui aussi paraissait trouver l'idée intéressante. Finalement, cette journée aurait un effet positif durable sur les aspirations des quatre amis. Bientôt, une jeune femme arriva dans l'antichambre.

— J'interromps quelque chose ? demanda-t-elle.

— Un peu de social en t'attendant, dit Aubut.

Puis en se tournant vers les étudiants, il dit :

— Suzanne, ma compagne.

Il y eut encore des poignées de main, quelques paroles, puis le professeur quitta la pièce en tenant Suzanne par la taille. Quand le groupe s'engagea à son tour dans le couloir, Jean-Philippe déclara, après s'être assuré que le couple ne pouvait l'entendre :

— Maintenant, je comprends mieux pourquoi Gervais est encore plus assidu auprès des étudiantes. Il essaie de se consoler.

— Comment ça ? demanda Diane.

— Cette charmante personne était madame Gervais. Enfin, je suppose qu'ils étaient passés devant monsieur le curé, et que maintenant ils ne vivent pas à trois.

— Nous les avons rencontrés au cinéma Cartier, précisa Jacques. Gervais nous l'avait présentée comme sa femme.

Jacques se réjouissait que cette rencontre fortuite lui épargne la question « Qu'est-ce que tu voulais à Dumont ? » Les autres savaient bien qu'en parallèle au travail d'équipe, il ne perdait aucune occasion de faire avancer ses propres intérêts. La collaboration ne permettait pas d'ignorer qu'au fond, ils étaient des concurrents. Plutôt que de discuter de ses projets personnels, ils purent convenir sans mal que Pierre et Suzanne paraissaient bien s'entendre.

Alors qu'ils sortaient du De Koninck, Jacques dit encore :

— Vous avez entendu, aux nouvelles ? Depuis ce matin, le REP occupe les bureaux de l'administration universitaire. C'est une décision de l'assemblée générale qui a été tenue hier.

Machinalement, ils s'étaient arrêtés pour regarder en direction de l'une des deux tours du campus. Le rectorat de l'université y logeait au quinzième et au seizième étage.

— Ça leur donnera quoi ? demanda Diane.

— Faire un peu parler d'eux. Voilà un mois qu'ils empêchent la tenue de l'inscription pour faire annuler les droits de scolarité, sans succès.

— Une vraie perte de temps, dit Monique.

C'est sur cette conclusion peu optimiste sur le militantisme étudiant qu'ils se séparèrent.

❁

L'occupation de locaux était devenue une stratégie prisée des organisations syndicales ou étudiantes, tant en Europe qu'en Amérique. Avec des succès mitigés. Dans les sociétés où les gouvernements aimaient les interventions musclées, cela se terminait souvent par des explosions de violence. Sur le campus de l'Université Laval, on faisait preuve de plus de retenue. Au bout du compte, c'était l'indifférence.

Le 11 mai, les étudiants étaient là depuis plus d'une semaine.

— Nous n'avons rien à faire ici ! dit Jean-Philippe une fois devant les ascenseurs de la tour de l'administration.

Tout de même, Jacques n'avait exercé aucune coercition pour l'entraîner avec lui. Quelques mots avaient suffi : « Je suis curieux de voir ce qui se passe. Tu viens ? » Ils sortaient de la bibliothèque à ce moment-là et la tour était de l'autre côté de la rue.

— Tu ne désires pas savoir comment ils dépensent ta cotisation ?

Parce que les associations étaient financées par les cotisations versées par les étudiants. Un peu curieusement, malgré l'occupation – parfois on parlait de *sit-in* –, l'université n'avait pas interrompu le fonctionnement des ascenseurs. Monter quinze étages par les escaliers aurait certainement refroidi même les plus militants. Sans doute que les gens travaillant aux étages supérieurs n'auraient pas accepté cette stratégie.

Les murs du hall disparaissaient sous les affiches des associations étudiantes. Quand la porte de l'un des ascenseurs s'ouvrit, ils découvrirent les parois de la cabine décorées de la même façon.

— Ça ne sent pas les Players, ricana Jean-Philippe.

Plus exactement, le petit espace empestait la marijuana. De quoi faire tourner un peu la tête. Quand les portes s'ouvrirent au quinzième, ils se retrouvèrent devant quelques militants aux mines patibulaires.

— Qu'est-ce que vous voulez ? demanda l'un des plus hostiles.

— Nous porter volontaires pour participer à la lutte prolétarienne.

— On a tout notre monde.

— Mais une occupation, ce n'est pas un club privé. Vous allez empêcher le comité de direction de l'association anarchiste de Manseau de faire sa part ? Où sont vos chefs ?

Le garçon n'avait sans doute jamais entendu parler du festival pop tenu dans la même localité, sinon il les aurait refoulés.

— Dans la salle du conseil.

Là où se réunissaient les dirigeants de l'établissement afin de prendre les décisions importantes. Sans surprise, ils trouvèrent une douzaine de barbus assis dans autant de magnifiques fauteuils recouverts de cuir. Sur un mur, une grande affiche portait la phrase : « On est écœurés de se faire jouer des tours. Maintenant on s'en occupe ! » Le clown triste Sol n'aurait pas fait mieux : une petite gymnastique langagière pour réunir « tour de l'administration » et « occupation » dans la même formulation.

— Bon, t'es venu nous achaler jusqu'ici ! fit une voix impatiente.

Fernand Petit se trouvait au milieu de ses comparses. Il quitta son fauteuil pour s'approcher, comme s'il lui incombait de contrôler les têtes folles de son département d'appartenance.

— Nuance : nous sommes venus vous apporter notre support dans la lutte qui vous oppose aux forces répressives de l'État bourgeois, pour reprendre les mots d'éminents professeurs de l'UQAM.

Très précisément, il faisait allusion au livre *Les travailleurs contre l'État bourgeois*, paru l'année précédente.

— Ok, vous avez vu. Partez.

— Plus sérieusement, je ne sais pas si vous avez accès aux médias ici. Je voulais juste te dire que l'université a décidé hier de procéder à une inscription par la poste. Comme j'avais prédit. Tu te souviens ?

Petit serra les mâchoires et tourna sa langue sept fois dans sa bouche, car au lieu de lancer une volée de bêtises, il dit d'une voix plutôt posée :

— Allez-vous-en, maintenant que vous avez vu ce que vous vouliez voir.

— On a vu et surtout senti. Ça empeste, ici. Quoi, vous faites vos besoins dans les coins ? L'odeur de pot ne couvre pas tout.

Des militants s'approchèrent de Jacques et Jean-Philippe. L'avant-garde du prolétariat du Québec avait autant de mal à tolérer la dissidence que celle de l'Union Soviétique.

— Quand vous allez décoller d'ici, à la radio, à la télé et dans les journaux, on soulignera cette odeur de crasse, de cigarettes pas toutes légales, de merde et de restes de repas. Ce seront alors tous les membres du REP, dont je fais partie grâce à ma cotisation généreusement versée, qui passeront pour des malpropres.

Jacques fit un tour sur lui-même avant de remarquer :

— Et les brûlures de cigarette sur la table de chêne, ce sont les contribuables qui vont payer pour ça.

Puis il se dirigea vers la porte. Fernand Petit lança :

— Jean-Philippe, qu'est-ce que tu fais encore avec cet idiot ?

— Lui, c'est l'Alexandre Soljenitsyne du département. Je témoignerai quand les Soviets l'expédieront au goulag.

Dans l'ascenseur, Jacques remarqua :

— Avec ton sens de la répartie et mon aptitude à me moquer des gens, nous devrions former un duo d'humoriste.

— Non, je ne suis pas intéressé. Mais si tu y tiens, Jérôme Lemay se cherche certainement un nouveau partenaire.

Depuis la séparation des Jérolas, celui-là paraissait orphelin.

❁

Le 12 mai, après s'être levé, Jacques Charon plaça un formulaire dans une enveloppe, ajouta un chèque, puis écrivit l'adresse du service du registraire de l'Université Laval. L'enveloppe alla ensuite dans son sac de postier. Lorsqu'il arriva au pavillon De Koninck pour assister à son cours, Diane lui demanda à voix basse :

— Que vas-tu faire ?

— L'enveloppe est dans mon sac.

— La mienne aussi.

Ils ne jugèrent pas à propos de faire un sondage auprès des personnes présentes dans l'amphithéâtre, mais l'immense majorité des étudiants de troisième année avaient dû faire la même chose. À la pause, le professeur accepta de bonne grâce de laisser l'un des membres dirigeants de l'asso – l'association étudiante – prendre la parole.

— Le syndicat des professeurs a accepté de suspendre les cours de cet après-midi afin de permettre à tous de participer à la manif. J'espère que je peux compter sur votre présence.

Même si personne ne l'avait demandé, Jacques leva la main en disant :

— Nous y serons comme un seul homme. Et là, le masculin comprend le féminin.

Cela lui valut un regard furibond de la part du militant. De nombreux autres étudiants s'engagèrent aussi à être là. Certains, railleurs.

— Tu vas vraiment y aller ? demanda Diane à voix basse.

— Quand je mourrai, il y aura sans doute un tas de choses que je n'aurai pas faites. Cependant, j'aurai participé à une manifestation étudiante au moins une fois.

— Bon, vu comme ça. Pour l'excitation, ça se classera pas mal plus bas que sauter en parachute.

Comme son mari pilotait un Cessna depuis un an, et que le couple avait eu une petite frayeur en traversant un banc de brouillard, le saut en parachute leur avait semblé être un apprentissage utile.

— Tu sais que l'université a obtenu une injonction hier pour mettre fin à l'occupation des locaux ? dit Diane.

Le garçon acquiesça d'un geste de la tête. Un juge y avait apposé sa signature la veille.

— Tu crois qu'ils vont sortir de là ?

— C'est ça, ou la police.

À la fin du cours, la bande des quatre se dirigea vers la cafétéria du Pollack. À une heure, ils se retrouvèrent dans le stationnement du pavillon, parmi les quelques centaines d'étudiants désireux de participer à la marche. Quatre cents personnes, selon le service de sécurité de l'université ; de mille à mille cinq cents, selon le REP.

La petite armée militante s'engagea dans le boulevard Saint-Cyrille, soigneusement encadrée par des policiers de la Ville de Québec. Pendant les vingt premières minutes, chacun voulut bien donner de la voix pour le cri sans cesse répété : « Ce n'est qu'un début, continuons le combat ! » À la longue, toutefois, le front se disloqua un peu. Certains s'esquivèrent en douce pour rentrer chez eux, d'autres se retrouvèrent en petits groupes pour échanger sur divers sujets, où la lutte des classes n'occupait aucune place.

Quand les troupes s'approchèrent de l'intersection de la rue Cartier, Monique déclara :

— Je n'ai pas les bons souliers pour cette marche. On arrête boire quelque chose ?

Les chaussures étaient moins à blâmer que les jambes ou la cigarette, mais les autres se montrèrent tout à fait d'accord. En passant devant une pharmacie, Jacques aperçut une boîte aux lettres.

— Je dépose mon enveloppe ici.

Diane ajouta la sienne également. Les deux autres promirent de faire la même chose dès le matin suivant. Ils se retrouvèrent ensuite au café Krieghoff.

❀

Samedi, à l'heure du souper, Jacques rejoignit la table des vieux garçons à la cafétéria du Pollack. Il avait un exemplaire du *Soleil* sous le bras. La plupart des habitués étaient partis dans leurs familles. Voilà qui le priverait d'un auditoire.

Une fois assis devant Jean-Philippe, il déclara :

— Sais-tu que ça devient épuisant d'avoir toujours raison ? D'abord l'inscription par la poste, et ensuite, ça.

Il aurait dû commencer à se demander si son sens de l'humour était bien compris, car cela lui valut une petite grimace. Il déplia tout de même le journal pour commencer à lire, en page dix :

— Le comité des prêts et bourses du Regroupement des étudiants de premier cycle de l'Université Laval, dont les membres occupaient depuis onze jours les bureaux du rectorat et des trois vice-rectorats, a évacué les lieux sans résistance, hier matin. Bla, bla, bla… Huit étudiants du REP, encore somnolents à cette heure matinale, obtempérèrent à l'injonction, et ayant roulé leur sac de couchage, quittèrent les lieux vers dix heures quarante-cinq, laissant toutefois la salle du rectorat dans un total état de malpropreté. Les étudiants cuisinaient là, sur un poêle électrique, laissant les restes de leur repas.

L'article continuait encore sur quelques colonnes, mais Jacques jugea avoir prouvé ce qu'il avançait.

❀

Maintenir des étudiants en classe contre leur volonté passait encore en mai, surtout si le temps demeurait un peu frais. Toutefois, en juin, les visages s'allongeaient, et plusieurs désiraient exprimer en termes bien sentis leurs états d'âme aux professeurs qui, à cause d'une longue grève, les avaient placés dans cette situation. Ceux-ci pouvaient bien sûr alléger leurs attentes pour se faire pardonner, mais cela ne ramenait pas nécessairement la bonne humeur.

Cependant, dans l'une des tours, quelqu'un avait eu une idée de génie pour égayer les esprits : la Juin de vivre. Il s'agissait de susciter la bonne humeur sur le campus par des moyens simples et peu coûteux. D'abord en créant un beau badge portant les mots « Juin de vivre » et une jolie sauterelle verte. Même les plus blasés, comme Jacques, l'accrochèrent à leurs vêtements.

Encore mieux, le quart du stationnement du Pollack se trouva converti en terrasse. Rien d'élégant : il y avait des tables et des chaises de plastique posées sur l'asphalte, des barbecues et un menu à l'avenant. Le grand succès culinaire de l'été serait le hot dog de douze pouces. Ajoutez la bière pression à un coût très raisonnable, et le tour était joué. La paix revenait sur le campus.

Le 23 juin, Jacques et Jean-Philippe faisaient le trajet entre le Parent et le Pollack pour aller dîner à la terrasse, avec chacun le badge de la Juin de vivre accroché à la poitrine. Puis, sans s'annoncer, une grosse masse duveteuse blanche poussée par le vent leur coupa le chemin.

— Bon, quelqu'un a encore versé du savon dans la fontaine, regimba Jean-Philippe.

Entre le Moraud et le Pollack, il y avait un petit parc, le Jardin géologique. Le surnom utilisé par de nombreux étudiants de sexe masculin, le jardin gynécologique, témoignait plus de la pauvreté de leur vie amoureuse que de leur originalité. En son milieu se dressait une fontaine.

— Ça me fait penser au film *The Blob*, dit Jacques. Ça dévorait les gens.

— C'est tout de même curieux, remarqua Jean-Philippe, pour chaque événement de ton existence, même le plus banal, tu peux citer un film.

— Presque tous les événements, mais pas tous. Au chemin du Petit-Montréal, la seule façon de ne pas périr d'ennui était de m'exiler dans un monde imaginaire. Quand le journal *La Terre de chez nous* arrivait le vendredi, mon premier souci était d'encercler les titres des films de la semaine passant au 7 et au 13. Si on m'avait interdit d'écouter *Cinéma Kraft* ou *Ciné-club*, je crois que je me serais pendu dans la grange.

Jacques avait tellement habitué ses amis à ses boutades et à son humour étrange que ceux-ci ne savaient pas quand il disait la stricte vérité. À ce sujet, c'était le cas. Pendant le reste du trajet vers la terrasse, il fut question de la qualité de la réception d'un téléviseur avec une antenne posée sur le toit d'une maison.

Diane occupait seule une table un peu à l'écart. Les jeunes hommes commandèrent chacun un long hot dog et un soda avant de la rejoindre.

— Toi, tu sais comment prendre soin de ta santé, observa Jacques.

Il y avait un plat de plastique contenant une salade devant elle.

— Si je me nourrissais comme vous deux, je serais comme ça, dit-elle en gonflant ses joues.

— Je suppose que nous paierons le prix de nos excès plus tard.

De la part de quelqu'un qui ne fumait ni ne buvait, ce pessimisme semblait un peu étrange.

— Monique n'est pas là ? demanda Jean-Philippe.

— Je pense qu'elle avait une figuration à l'horaire aujourd'hui, pour une publicité.

Dans une autre vie, pour reprendre son expression habituelle, leur amie avait tâté du théâtre. Diane, de son côté, avait donné des cours de ballet à des petites filles. La vie offrait parfois des détours assez amusants. Jacques se priva d'évoquer à table son expérience de l'épandage du lisier de porc. Il remarqua plutôt :

— C'est étrange, nous avons déjà couvert plus de la moitié de notre session d'hiver.

Du doigt, il pointa la sauterelle épinglée sur sa poitrine.

— Toi, tu soulignes la fin prochaine du premier cycle avec un hot dog, et moi avec de l'eau plate.

Comme festivités, Diane aurait préféré un repas dans un bon restaurant, accompagné d'une excellente bouteille de vin. Fréquenter plus pauvre que soi présentait tout de même des inconvénients. Jean-Philippe les interrompit :

— L'invitons-nous à se joindre à nous ?

Devait-il désigner Suzanne comme l'épouse de Gervais ou la petite amie d'Aubut ? Pourtant, ils devraient bien s'habituer à ces situations ambiguës tellement les divorces se succédaient à un rythme rapide.

— Pourquoi pas, dit Jacques. Elle a l'air charmante.

De loin le plus sociable du petit groupe, ce fut Jean-Philippe qui se chargea de formuler l'invitation.

— Merci de me faire de la place à votre table. J'ai l'habitude des historiens, et pas du tout des arpenteurs géomètres.

Le bruit – le vacarme – d'une conversation tenue à peu de distance leur parvenait. Peut-être à cause de la nature de leur travail en plein air, ces étudiants adoptaient un ton qui convenait certainement quand il s'agissait de s'adresser au gars qui se tenait à cent verges pour tenir la règle d'arpentage. À l'université, ça devenait envahissant.

— Tu les reconnais à l'oreille?

— Comme tout le monde sur le campus, sans doute.

Elle aussi transportait son lunch dans son sac, avec un Perrier. Elle en était à sa première bouchée quand Diane demanda:

— Tu travailles sur le campus?

— Plus maintenant. Je terminerai bientôt la première année du programme de droit. Mais auparavant, j'étais secrétaire du doyen de cette faculté.

— Tiens, ça nous fait une expérience commune en secrétariat.

Il y eut une très brève évocation de leur curriculum vitæ respectif.

— Donc, ton choix de discipline tient à cette expérience?

— Exactement. Je connaissais les travers de chaque professeur, j'avais entendu parler de tous les cours, ça m'a semblé plus rassurant.

— Ça l'est?

— Le premier mois, je me répétais: "Tu es folle, ce n'est pas ta place." Maintenant, c'est plus facile.

Pendant un moment, les deux femmes parlèrent du sentiment d'imposture, et de cette impression d'être entrées dans un club d'hommes pas du tout disposés à partager leur espace avec elles.

— C'est beaucoup à cause de vous, je veux dire à cause de toi et de... Monique ?

Diane acquiesça de la tête.

— Je ne sais pas si vous vous souvenez, mais un soir, nous nous sommes trouvés dans le même restaurant. Au Marie-Antoinette. Je disais à Pierre que j'aimerais reprendre mes études. Il m'a dit : "Si tu en as envie, fais-le." Comme j'hésitais encore, il vous a pris en exemple.

Tous les trois se souvenaient de cette soirée. Grâce à cette anecdote, Aubut gagna un capital de sympathie auprès de la bande des quatre. Ce qui donna envie à Jacques de satisfaire sa curiosité :

— Comment doit-on t'appeler ?

— Comme tu me tutoies, "madame" ferait un peu étrange. Suzanne me paraît mieux convenir.

Puis elle éclata de rire. Cela lui mit de jolis petits plis à la commissure des yeux.

— Bon, je veux bien satisfaire ta curiosité, car je me souviens de t'avoir vu l'autre jour, dans l'antichambre du bureau de Pierre. Il y a deux ans, tu as travaillé pour Louis, et nous nous sommes croisés au cinéma. Je ne suis plus madame Gervais. Grâce à un juge, j'ai renoué avec le patronyme de mon père, Trottier. Et même s'il est beaucoup question que j'emménage avec Pierre à la fin de la session, je ne prendrai pas son nom, pas plus que je ne le lierai au mien avec un trait d'union. Je veux bien être la fille de mon père, mais être la femme de quelqu'un, j'ai déjà donné...

Suzanne ne jugea pas opportun de leur expliquer que cette attitude tenait moins à l'étude du droit qu'à ses derniers mois en tant que madame Gervais. Il n'y avait rien comme se faire tromper pour développer un sentiment d'indépendance.

— Je risque de devoir me livrer bientôt à ce genre de réflexion, murmura Diane.

Jacques n'eut pas le temps de lui demander de clarifier le sens de ces propos. La haute silhouette de Pierre Aubut s'approchait de leur table.

— Je peux me joindre à vous ? demanda-t-il.

— Les amis de Suzanne sont nos amis, dit Jean-Philippe.

L'accueil tira un sourire au professeur. Pour se montrer aimable à son tour, il offrit :

— Je vais me chercher à manger. Quelqu'un veut quelque chose ?

Les autres déclinèrent son offre. Il revint bientôt avec une bière et un hot dog.

— Nous parlions de notre passé commun de secrétaire, commenta Diane.

— Je suppose qu'en additionnant toutes les femmes du Québec qui n'ont pas poursuivi leurs études pour de mauvaises raisons, il y a dix ans, on pourrait remplir une université de la taille de la nôtre.

Perplexe, la brune fronça les sourcils avant de demander :

— Et selon vous, quelles sont ces mauvaises raisons ?

— Il y en a sans doute plusieurs, mais la plus commune est probablement celle où, chaque fois qu'une femme avait le désir de continuer ses cours, elle s'est fait dire : "Non, ce n'est pas ta place."

— Je le disais plus tôt, intervint Suzanne, la bonne réponse quand on se pose la question, c'est : "Si tu en as envie, fais-le."

Son sourire témoignait de son bonheur d'avoir entendu ces mots.

41

— Et en passant, dit encore le professeur, vous ne pensez pas qu'un gars qui mange un hot dog de cette longueur mérite d'être tutoyé ?

Chapitre 3

En juillet, alors que la session d'hiver s'achevait, Jacques Charon découvrit une lettre du ministère de l'Éducation dans son casier. Rendu au De Koninck, il trouva un endroit un peu à l'écart pour la parcourir rapidement. Et ensuite la relire en détachant chaque mot.

La Direction générale de l'enseignement supérieur lui accordait une bourse de deuxième cycle. Au mérite. Autrement dit, parce qu'il faisait partie des meilleurs. Ce n'était pas une fortune : quatre mille dollars par an, pendant deux ans, et pas un sou de prêt. Enfin, il cesserait de s'endetter pour se préparer un avenir. La bourse devait couvrir ses besoins pendant huit mois. S'il gagnait deux mille dollars pendant l'été, cela lui donnerait un peu plus de la moitié du salaire d'un enseignant du secondaire à sa première année.

Quand il entra dans la salle de classe de Doyle, son visage exprimait moins la joie que le soulagement. Pour réaliser ses projets professionnels, il lui fallait enchaîner les trois cycles d'études universitaires. Là, il terminait le premier, et on l'assurait qu'il aurait les moyens de faire le second. Dans deux ans, il serait temps de s'inquiéter du troisième.

— Tu ressembles à un gars qui a trouvé la femme de sa vie, murmura Diane en le voyant.

— Non. Si c'était ça, mes pieds ne toucheraient plus le sol. On vient de me dire que j'aurai les moyens de faire ma maîtrise.

— Heureux homme. Je ne peux pas en dire autant.

Jacques ne sut dissimuler sa surprise. Diane lui dit, un ton encore plus bas :

— Ne répète pas ça.

— Tu vas m'en dire plus ?

— Si nous avons l'occasion d'une conversation à deux, sans doute.

Juste à ce moment, Monique arrivait. C'était un signal pour revenir à des sujets anodins. Comme la différence entre les doctrines de Jean Calvin et Martin Luther. Voilà quatre siècles que la notion de prédestination était chaudement débattue chez les hommes d'Église et les étudiants en histoire.

❀

Début août, Jacques Charon en avait terminé du premier cycle. S'il ne devait commencer le second qu'en septembre, sans attendre, il s'affaira à amasser la documentation relative à son mémoire de maîtrise. Dans un premier temps, cela signifiait faire l'inventaire de tous les imprimés ayant abordé le sujet des travailleurs de la construction, même de façon très anecdotique, pour en faire la lecture. Il s'agissait de livres, de revues, de magazines, de brochures, mais surtout des grands quotidiens ou hebdomadaires publiés à Québec.

Cet empressement tenait à sa hâte d'occuper au plus vite un véritable emploi, et de toucher enfin un salaire. Sa bourse suffisait pour vivre dans une chambre d'environ neuf pieds sur dix en résidence, à condition d'économiser le prix d'un déjeuner, de dîner d'un sandwich et de limiter la plupart de ses sorties aux cinémas de répertoire ou à des concerts aux prix d'entrée exceptionnellement bas consentis aux étudiants et aux vieillards. Car ses ressources, bien comptées, représentaient un peu moins que le revenu de quarante-huit semaines, à raison de quarante heures par semaine, au salaire minimum. Dans ce calcul, il s'accordait un mois de vacances à ses frais.

Assis à la terrasse du pavillon Pollack devant un Coke et un long hot dog relish-moutarde, c'est ce qu'il venait d'expliquer à Diane au cours des dernières minutes.

— Ça te suffira ?

Pour la première fois, elle se faisait une idée des ressources d'une bonne moitié, sinon des deux tiers de la clientèle du département d'histoire.

— Actuellement, je me trouve presque riche. En tout cas, comparé à ma situation en première année. Surtout, je ne m'endetterai plus.

Il n'irait pas jusqu'à préciser que la mort de son père en 1975 avait entraîné une petite embellie de son niveau de vie. Il s'agissait de l'un de leurs rares tête-à-tête des trois dernières années. Ce jour-là, Jean-Philippe était auprès de sa famille dans Charlevoix, et Monique en vacances avec son mari. Aussi, il se crut autorisé à demander :

— L'autre fois, tu as fait une allusion à ta propre situation. Tu veux en parler ?

— Pourquoi pas, dit-elle en haussant les épaules. De toute façon, je livre des bribes d'information ici et là, autant donner le portrait général. Robert et moi, nous allons nous séparer, ça c'est certain. La seule chose que l'on ignore en ce moment, c'est la date exacte.

— Ça se passe quand même bien entre vous deux ?

Dans presque toutes les histoires de séparation dont il entendait parler, l'horreur pointait son nez.

— Même si je trouve ça éprouvant, je dois dire que oui, plutôt bien. Personne n'a trahi personne. Ça permet de garder une certaine sérénité dans les discussions. En plus, nous avons un psychologue pour nous aider.

Parce que son mari alternait entre la colère et la dépression. Il était un époux parfait – fidèle, bon pourvoyeur – affligé d'une femme qui ne voulait pas porter ses enfants.

— Qu'est-ce que ça signifie pour la poursuite de tes études?

La femme leva ses deux mains pour montrer ses doigts croisés et se frappa la tête en disant:

— Je touche du bois. D'abord, il a fait semblant que je lui arrachais le cœur en lui demandant deux mille dollars par mois. Tranquillement, l'idée fait son chemin.

Jacques esquissa un petit sourire. Cela représentait quatre fois son revenu pour chacune des deux années à venir.

— Je sais… après ce que tu viens de me dire, ça paraît beaucoup. Mais ça ne le privera ni de son avion, ni de sa Corvette, ni du reste. Et comme j'ai payé en partie ses études, je trouve naturel qu'il fasse de même. Je suis prête à m'engager à y renoncer le jour où j'occuperai un emploi régulier, ou à la fin de mon doctorat.

Aux yeux de Jacques, cela faisait plus que paraître beaucoup, c'était énorme. Les professeurs d'université en début de carrière touchaient moins que ça.

— Ce sera l'entente finale?

— Actuellement, ça semble faisable pour le temps de la séparation. Une entente de gré à gré écrite et signée devant notaire. Monsieur le juge aura le mot de la fin lors du divorce. Mais comme Robert se montre disposé à s'accuser d'adultère, je ne m'en fais pas trop.

— Un adultère?

— Qui n'a jamais eu lieu. Au Québec, on ne peut pas dire au juge : "Monsieur, nous voulons partir chacun de notre côté." Il faut un crime, et un coupable. L'adultère, la violence physique, la cruauté mentale...

Après une pause, elle continua :

— Il considère que l'aveu ne lui portera jamais préjudice, mais que ce ne serait pas le cas pour moi. Et moi, je ne veux l'accuser de rien. C'est juste que nos chemins se séparent.

Ensuite, il y eut un long silence. Diane paraissait sur le point de se mettre à pleurer, et dans ce cas, Jacques ne saurait vraiment pas quelle attitude adopter. À la fin, il glissa :

— Il a de l'élégance.

C'était la chose à ne pas dire. La jeune femme chercha des papiers-mouchoirs dans son sac, puis se découvrit une envie soudaine de passer au petit coin. À son retour, elle commenta en reprenant sa chaise :

— Oui, tu as raison. Il y a des jours où je regrette qu'il ne soit pas un salaud, ce serait plus facile. Tiens, comme Gervais. Suzanne n'a certainement aucun doute sur sa décision. Et en plus, la cerise sur le sundae : elle a trouvé mieux.

— Je ne pense pas que ce serait plus facile si c'était un salaud. Mais je comprends ce que tu veux dire.

Puis afin de changer complètement le cours de la conversation, il dit avec un sourire :

— Comme ça, tu entends me faire de la concurrence pendant les décennies à venir ? À l'université pendant nos études, et sur le marché du travail ensuite...

— Quand même, je ne ferai pas exprès de poser ma candidature aux mêmes postes que toi. Tu as vu dans la section Carrières et professions du *Soleil* samedi dernier ?

Dans le numéro du 6 août, le département d'histoire de l'Université Laval plaçait une annonce pour recruter deux professeurs en histoire de l'art, et un autre en histoire de l'Europe moderne.

— Oui, j'ai vu. Doyle aura soit un collaborateur, soit un vilain compétiteur.

Car il s'agissait de son champ de spécialisation. Peut-être ressentait-elle une petite crainte pour son propre avenir. Pendant deux ans encore, elle serait «à contrat», c'est-à-dire sans permanence. Mais son excellente réputation la rendait quasi inamovible.

Jacques continua :

— Depuis l'annonce de ma bourse, je regarde aussi dans *La Presse* et *Le Devoir*.

Cette contribution du gouvernement ne faisait pas qu'améliorer son niveau de vie. C'était la confirmation que dans le cadre d'un concours entre de bons étudiants, il pouvait avoir le dessus. L'examen des journaux, pour connaître le marché de l'emploi, serait son rituel du samedi matin pendant de nombreuses années à venir.

— Moi aussi, depuis l'annonce de ta bourse, j'ai pris la même habitude, précisa Diane en lui adressant un sourire narquois.

Décidément, ce serait une fière compétitrice. Jacques s'en accommoderait. Il y en avait d'infiniment moins sympathiques au sein du département.

❁

Dans le programme de maîtrise, la majeure partie des crédits allait à la rédaction d'un mémoire. Selon la discipline, les exigences du professeur et l'enthousiasme des étudiants, il s'agissait d'un texte de cent à trois cents pages. Dans ce dernier cas, cela n'entraînait pas nécessairement une meilleure note. Après tout, ce qui se concevait bien s'énonçait clairement et sans tourner si longuement autour du pot.

Tout de même, il existait aussi une «scolarité» composée essentiellement de séminaires. La bande des quatre se retrouverait donc tous les mardis en soirée pour un séminaire de recherche dirigé par Alfred Robitaille. Chacun devait présenter son projet de recherche et sa stratégie pour fins de discussion avec les autres. Souvent, le travail remis au terme de l'exercice était repris mot pour mot dans l'introduction du mémoire.

En ce 13 septembre, au moment de se présenter dans la classe, Jacques déclara à ses camarades:

— J'aimerais vous montrer quelque chose à la pause.

— Qu'est-ce que c'est? dit Jean-Philippe.

— Si nous en parlons tout de suite, nous risquons de rater un pan du séminaire, et aujourd'hui, Robitaille doit nous entretenir d'hypothèse et de problématique. J'entends boire ses paroles.

Deux concepts qui, trois ans plus tôt, semblaient pourtant devoir couler totalement ses ambitions universitaires. Même si la grimace de Monique trahit son agacement – «Voilà qu'il cherche à se rendre intéressant», songea-t-elle –, elle donna aussi son accord. À huit heures vingt, quand ils se retrouvèrent dans le couloir, le jeune homme leur tendit deux feuillets.

— J'ai pensé que ce serait plus simple que vous le lisiez vous-même. C'était dans une revue d'histoire française.

En haut du premier feuillet, le titre disait «La classe ouvrière et le mouvement social, 19e et 20e siècles». Trois minutes suffisaient pour faire une lecture rapide de cette publicité d'un colloque à venir, fin octobre. Après avoir parcouru le texte, Monique déclara:

— Je ne vois pas en quoi ça nous concerne.

— Comme lecture de chevet, c'est un peu quelconque, convint Jacques. Mais en tant qu'étudiant à la maîtrise, compte tenu de mon sujet de recherche, je trouve que ce serait très intéressant d'y aller. Ça vaut aussi pour toi.

— Je n'ai pas les moyens de faire du tourisme en Europe, dit-elle en lui rendant les deux feuilles.

— Et moi encore moins. Toutefois, comme nous ne sommes plus au premier cycle, peut-être que nous pourrions profiter du budget du département pour des activités de ce genre.

— C'est pour les profs, ça, observa Diane.

— D'après la secrétaire du directeur, pour les profs et les étudiants diplômés. Je lui ai posé la question.

— Jamais ils ne nous aideront, dit Monique.

— Je me disais exactement la même chose il y a trois ans : jamais je ne réussirai ma session. La seule façon d'être certain d'échouer, c'est de ne pas essayer. Alors moi, j'essaierai.

La remarque était bien un peu sentencieuse, mais dans le domaine des études, et plus tard dans sa vie professionnelle, il tenterait de faire une devise de ces quelques mots.

— Nous pourrons en parler demain matin, au musée, dit-il encore. Là, je dois aller me refaire une beauté aux toilettes.

❁

Depuis la fin du mois d'août, les quatre amis avaient adopté une nouvelle routine. Ils se retrouvaient au Musée de la province de Québec sur les plaines d'Abraham, au plus tard à neuf heures, et presque tous les jours. Les Archives nationales étaient dispersées sur plusieurs sites, mais celui-là était probablement le plus important. Ils occupaient une place à une table dans la salle de consultation, située au sous-sol de l'institution. Il s'agissait d'un bel endroit, aux plafonds très hauts, mais malheureusement éclairé de façon artificielle à toute heure du jour et de la nuit, en raison de l'absence de fenêtres.

Ce matin-là, Jacques et Jean-Philippe étaient arrivés les premiers. Les deux femmes entrèrent ensemble un peu plus tard. Comme l'une venait des Jardins Mérici, tout près, et l'autre de Charlesbourg, une lointaine banlieue, il était facile de deviner qu'une rencontre au sommet avait précédé leur arrivée. Les saluts étaient toujours muets, même si le gardien en uniforme chargé de faire respecter la consigne du silence n'était pas bien menaçant.

En arrivant, chacun se dirigeait vers le comptoir situé à gauche à l'entrée de la salle. Ceux qui n'avaient pas fini d'éplucher le contenu de la boîte empruntée la veille – chacune représentait un pied linéaire de documents – la récupéraient et regagnaient leur place. Les autres consultaient le catalogue pour en demander une autre à l'employé de service. Même si le personnel quittait les lieux à cinq heures, il était possible de faire mettre plusieurs boîtes sur un charriot afin de continuer jusqu'à onze heures, pour les plus courageux. La bande des quatre se tapait souvent des journées de quatorze heures – moins les pauses et le temps des repas. C'était le fait de ne pas être seul qui permettait à chacun d'endurer ce rythme. À cet égard, Dumont avait eu raison.

Un peu après dix heures, Monique donnait habituellement le signal de la première pause. Pour fumer une cigarette et boire un mauvais café tiré d'une machine. Les autres la suivaient. Quand ils furent assis à une table dans la petite salle de repos où employés et usagers pouvaient manger, Diane commença :

— Nous avons examiné le programme attentivement. C'est vraiment intéressant. Les présentations couvrent à peu près l'éventail des méthodes et des types de documents que nous comptons utiliser pour nos mémoires. Y compris l'histoire orale.

Pour qui désirait étudier les conditions de vie des travailleurs, les entrevues avec de vieux retraités représentaient une stratégie précieuse.

— Sans compter les rencontres avec d'autres chercheurs, renchérit Jacques. À peu près tout le monde qui s'intéresse à l'histoire ouvrière sera là. En tout cas, je retrouve les noms que j'ai vus au moment de lire sur le syndicalisme révolutionnaire dans le cours de Nelles.

Le programme du premier cycle en histoire présenté à l'Université Laval offrait plus de cours sur la France que sur le Canada. Sans surprise, les principaux auteurs français finissaient par être familiers.

— Tu penses vraiment que le département nous aidera ? demanda Monique.

Le ton était moins abrasif que la veille. Diane lui avait peut-être fait la leçon.

— Ma réponse reste la même. On ne le saura que si on essaie.

Comme elle ne paraissait pas convaincue, il ajouta :

— Remplir une demande nous prendra moins d'une heure. Au préalable, je peux bien me charger de parler avec le directeur pour vérifier si la démarche a une petite chance de succès.

Cela leur apparut une bonne idée, « pour ne pas passer de temps là-dessus pour rien », et personne ne lui contesta le privilège d'aller tendre la main pour quêter. Jean-Philippe fit remarquer :

— Une ville appelée Le Creusot, je ne connais pas.

— C'était mon cas avant que je ne regarde dans le *Guide Michelin*. C'est une petite ville industrielle située au centre-est de la France, spécialisée dans la métallurgie. La plupart des rails et des canons utilisés en France venaient de là.

— Je ne suis pas retournée en France depuis dix ans, dit Monique. J'y étais allée grâce à une bourse du Conseil des arts, pour étudier le théâtre.

Voilà qui se glissait mieux dans une conversation que : « J'ai fait mon cours en secrétariat. » Pourtant, le secrétariat lui avait permis de gagner sa vie. Quant au théâtre, dans une petite ville comme Québec, les perspectives demeuraient modestes.

Projeter de faire un voyage en France à moins de six semaines d'avis, c'était s'y prendre à la dernière minute. Le temps pressait. Aussi, en sortant de la salle de repos, Jacques chercha une pièce dans la poche de son jeans pour la glisser dans la fente du téléphone public situé tout près des ascenseurs. Au numéro général de l'université, quelqu'un voulut bien le mettre en communication avec la direction du département d'histoire. Quand une voix féminine répondit, il commença :

— Madame Choinière, j'aimerais obtenir un rendez-vous avec monsieur le directeur.

Pouvoir nommer son interlocutrice faisait toujours bonne impression. La secrétaire se montra presque miel-leuse. Ce serait à dix heures le lendemain, pour quelques minutes seulement, car il était bien occupé. Jacques lui promit que ce serait bref.

Le lendemain, à l'heure convenue, il se présenta au secrétariat du département. Celui-ci ne donnait plus direc-tement sur l'atrium, mais se trouvait plutôt dans l'aile B, presque juste en face de la porte du bureau de l'ineffable professeur Buczkowski. C'était un endroit plus tranquille que le précédent, mais moins élégant.

— Bonjour madame, commença-t-il, je suis un peu en avance.

Ce qui valait infiniment mieux que d'être un peu en retard. Il n'avait pas besoin de donner son nom : après trois ans, son visage était connu. La secrétaire n'eut pas le temps de répondre, car une voix vint du local attenant :

— Charon, c'est toi ? Entre.

Finalement, Jean Van Doesberg avait doublement fait avancer sa carrière : au début de l'année 1977, il avait obtenu à la fois sa permanence et le poste de directeur. Cela ne tenait pas à la cabale peu orthodoxe menée par sa femme deux ans auparavant, mais plutôt à la conjoncture. Les professeurs s'attendaient à entretenir des rapports assez houleux avec les étudiants après quatre mois de grève. Alors ces fins stratèges avaient jugé qu'un professeur « proche » de ces derniers pourrait mieux gérer les tensions. Comme les ornements pileux du directeur rappelaient ceux de D'Artagnan, les militants un peu hirsutes du REP seraient probablement rassurés.

Tout de même, après avoir fermé la porte, Jacques ne put retenir un sourire. Si la mouche sous la lèvre inférieure évoquait toujours les mousquetaires, au lieu d'atteindre les omoplates, les cheveux couvraient maintenant à peine les oreilles. C'était une concession à l'adage des architectes : la forme suit la fonction. Un directeur devait aussi inspirer confiance à la « haute » administration.

Son hôte lui désigna la chaise devant lui en disant :

— Tu as changé d'idée, je parie : le Moyen Âge t'attire maintenant plus que le Canada contemporain.

Ainsi, il n'hésitait pas à racoler des étudiants à la maîtrise.

— Tout m'attire, mais comme je le disais à madame Doyle il y a peu de temps, c'est l'apprentissage tardif du latin qui me rebute.

— Ah! Dans ce cas, qu'est-ce qui t'amène?

— Un congrès.

Le visiteur sortit les deux feuillets de son sac de postier pour les poser devant le directeur. Pendant que celui-ci commençait à les parcourir, il expliqua:

— Je vais à l'essentiel afin de ne pas vous faire perdre de temps. À l'amorce de nos études supérieures, mes trois siamois et moi pensons qu'une présence à ce colloque nous permettrait de progresser plus vite.

— Ça fait un gros deux semaines que vous venez de commencer la maîtrise, non?

Cela ne s'annonçait pas bien.

— À une âme bien née la valeur n'attend pas le nombre des années.

Van Doesberg ne s'attendait pas à l'entendre citer *Le Cid*; il éclata de rire.

— Et vous iriez tous les quatre?

— Notre soif de savoir est la même.

« Là, il se dit quelque chose comme: quel étrange moineau! », songea Jacques.

— Je présume que vous n'attendez pas un simple "Bon voyage" en guise de réponse.

— Le département offre un support financier pour ce genre d'activité…

— Aux professeurs.

— Et aux étudiants diplômés.

— Quand ils présentent une conférence.

— C'est justement là le problème, nous ne sommes pas prêts. En fait, il nous manque quatre mois de préparation. Sans de regrettables événements indépendants de notre volonté, nous serions à la maîtrise depuis quatre mois et deux semaines. Présentement, nous n'y sommes que depuis deux semaines.

À nouveau, son interlocuteur rit de bon cœur devant l'allusion à la grève. Cet escogriffe lui fournissait l'occasion de montrer combien il était près des étudiants. Mais il fallait tout de même être méritant.

— Que veux-tu faire après la maîtrise ?

— Pendant mon dernier repas en tête-à-tête avec Diane, nous avons parlé des trois postes de professeur annoncés il y a dix jours par le département. Et nous nous disions qu'il en manquait un. Nous avons les mêmes aspirations.

— À quatre ?

— C'est une idée à la mode : nous formons quelque chose comme un collectif intellectuel voué au développement des connaissances historiques.

Malgré le silence qui s'allongeait, Jacques se prit à espérer, car un petit sourire amusé apparaissait sur le visage du directeur.

— Je ne peux rien promettre, c'est l'assemblée départementale qui alloue ces fonds. Toutefois, je veux bien présenter votre demande. Madame Choinière te donnera le formulaire.

Jacques se leva en disant un merci bien senti. Il mettait la main sur la poignée de la porte quand Van Doesberg lança :

— Un collectif intellectuel, rien que ça ?

— Si vous avez une meilleure façon de présenter la chose, je vous écoute. Après tout, nous sommes jeunes et inexpérimentés.

— Non, je pense que ça peut aller.

L'instant d'après, madame Choinière lui donnait le formulaire en affectant une mine curieuse. Pour en savoir plus, elle devrait compter sur une indiscrétion de son patron.

❁

Jacques arriva au musée un peu avant midi. Impatients d'avoir des nouvelles, les autres proposèrent d'avancer l'heure du repas. Pour ne faire languir personne, il dit en s'asseyant à table :

— Il accepte de présenter la demande.

— Sans rien promettre, je suppose, dit Monique.

— Nous avons sans doute les mêmes chances que le Parti québécois de gagner les élections l'an dernier. Et il a gagné.

Jacques se montrait terriblement optimiste. Il ajouta :

— Ceux qui n'ont pas de passeport devraient en demander un.

Ensuite, plus personne n'aborda le sujet, comme si cela risquait de porter malheur. Ce fut dans l'autobus que Jean-Philippe demanda :

— Pour obtenir un passeport, il faut un certificat de baptême de mon curé ?

— Plutôt une preuve d'identité, et pas nécessairement signée par le saint homme. Il y a un bureau d'état civil à Québec. On pourrait y aller demain matin. Ça ira certainement plus vite si on se présente en personne. Après, on se rendra au bureau de poste pour obtenir un formulaire de demande de passeport, et on ira le remettre en main propre à l'édifice fédéral de la ville. Les délais sont trop courts pour l'envoyer par la poste.

— Depuis quand tu sais tout ça, toi ?

— Depuis aujourd'hui. En sortant de chez le directeur, j'ai passé un moment dans une cabine téléphonique avec une gentille fonctionnaire à l'autre bout du fil.

Ce projet pouvait tout aussi bien tomber à l'eau parce qu'ils n'auraient pas le temps de régler les questions administratives. Cependant, personne ne ménagerait ses efforts. Dès le lendemain, ils se retrouveraient à l'université pour remplir la demande de subvention à remettre au département.

Chapitre 4

Ils partiraient pour la France le vendredi 28 octobre. Enfin, si les passeports « étaient en possession des garçons », comme disaient Diane et Monique. Ils vivaient donc la dernière semaine du mois d'octobre avec des émotions contradictoires : une profonde excitation et la crainte que tout ça ne tombe à l'eau à cause d'un retard dans le traitement de leur demande. Pour Jacques, cela signifiait des insomnies encore plus longues que pendant les années précédentes.

Cela dit, malgré ses inquiétudes, certaines situations réussissaient à l'amuser. Le 26 octobre, un peu embarrassée, Diane avait annoncé que son mari passerait les saluer au musée en soirée.

— Aujourd'hui, j'ai dû laisser ma voiture au garage, dit-elle en guise d'explication. Il a accepté de venir me prendre ici.

Une version des faits totalement cousue de fil blanc. Vivant à l'extrémité ouest des plaines d'Abraham, c'était le plus souvent à pied qu'elle faisait le trajet jusqu'au musée.

— Je vais enfin le rencontrer ! s'empressa de dire Jean-Philippe. Connaître un cardiologue, ça peut être utile un jour. Après tout, les hommes ont une chance sur deux de mourir d'un infarctus.

Plus tard, Jacques trouva un prétexte pour s'approcher d'elle et murmurer, moqueur :

— Quel dommage… J'espère que ta jolie Mustang s'en remettra.

— Une histoire de plaquette de frein.

— Je soupçonne que c'est plutôt une opportunité pour ton futur ex-mari de s'assurer que nous sommes bien des petits garçons et non des hommes.

Avec ses index dressés, Jacques s'inventa des cornes sur le front.

— Parce que si ce voyage en France prend des allures d'escapade amoureuse, il ne voudra peut-être plus tenir le rôle du mari infidèle.

— Tu sais que c'est angoissant, un gars qui devine tout ?

— C'est à force de lire des romans et de voir des films. Tu me dis un mot et je pense à une histoire lue ou vue au cours des dernières années.

En soirée, quand le médecin entra dans la grande salle, Diane se dirigea vers lui avec un sourire un peu contraint sur le visage. Jacques entendit distinctement :

— J'espère que je n'arrive pas trop tôt.

— Non, non, pas du tout. Tu veux bien me suivre dans la petite salle de repos ? Je vais te présenter mes camarades d'école, comme tu dis.

Bientôt, il y eut un échange de poignées de main et des présentations formelles. Peu après, ils occupaient une table ronde.

— Comme ça, vous vous embarquez tous à destination de Paris lundi prochain ?

La question ne s'adressait à personne en particulier, mais Jean-Philippe décida de répondre :

— Le trajet le plus long que j'ai parcouru dans ma vie, c'est de Saint-Irénée à Saint-Georges-de-Beauce. Là, je compte sur Monique pour me guider, autrement je me perdrais certainement en chemin.

Comme Robert posait les yeux sur lui, Jacques ajouta :

— Moi, en comparaison, je suis un grand voyageur. Je me suis rendu à Expo 67 avec ma classe. Mais quand même, je vais tenir la main de Jean-Philippe pendant dix jours.

Peut-être à cause du ton d'autodérision, l'homme demanda, en ne le quittant pas des yeux :

— Diane m'a beaucoup parlé de ses motivations pour s'inscrire en histoire, mais quelles sont les tiennes ? Excuse-moi… Je peux te tutoyer ?

— C'est mieux, les gens de mon âge n'ont jamais appris à conjuguer avec le "vous"… Pourquoi l'histoire ? Je pourrais sortir le bla-bla habituel : il faut savoir d'où on vient pour savoir où on va, ou qu'étudier les erreurs du passé permet d'éviter de les commettre à nouveau. Mais je n'ai pas de raison aussi rationnelle que ça. Quand sœur Saint-Gérard a commencé avec l'histoire sainte, en première année de la petite école, j'ai tout de suite aimé ça. Ce n'était pas à cause de Dieu et des prophètes, car j'ai aimé encore plus quand elle a parlé de Jacques Cartier. Si je peux gagner ma vie à enseigner une discipline que j'aime depuis toujours, je ferai brûler un lampion quotidiennement pour saint Jude. Mais je sais qu'aux yeux des gens sérieux, et même à mes propres yeux, l'histoire ne sert à rien.

— Tu n'aimerais pas te sentir utile dans ton métier ?

— Le plaisir d'être utile, c'est un peu surfait, je pense. Tiens, c'est comme pour le papier. À l'usine de l'Anglo, on fait du papier-cul très utile, et du papier pour imprimer des livres d'histoire qui ne servent à rien. C'est certain que quand il n'y a plus de papier-cul, on ressent une impression de manque. Mais si ce sont les rêves qui disparaissent, on devient fou. Lire l'histoire de Lindbergh, c'est rêver que l'on est seul, un petit point insignifiant entre la mer et le ciel. Et totalement libre.

Curieusement, pour la première fois de sa vie, il venait d'expliquer son choix de carrière de façon limpide, en ajoutant même l'allusion à l'aviation pour s'adapter à son interlocuteur. Puis il conclut:

— Je parle trop, je sais.

Pendant quelques minutes encore, il fut question des arrêts figurant à leur programme: Notre-Dame, le Louvre et Aix-en-Provence. Puis le couple quitta les lieux avec Monique, qui profita du *lift* afin de regagner sa propre voiture.

Alors qu'ils attendaient l'autobus numéro 11, Jean-Philippe déclara:

— Je me demande comment ils sont entrés à trois dans une Corvette.

— En tout cas, c'est certain qu'au moins une personne ne portait pas de ceinture de sécurité.

Une fois assis dans l'autobus, Jean-Philippe dit encore:

— C'est quand même dommage ce qui leur arrive. Il m'a semblé être un type bien.

Ainsi, lui aussi avait compris que ce couple allait à vau-l'eau.

❁

Le lendemain, Jacques profita d'un aparté avec Diane pour remarquer:

— Je ne suis pas certain d'avoir paru assez p'tit gars.

— Pas du tout p'tit gars, je dirais. Il m'a dit que tu n'avais pas à t'inquiéter, qu'avec un tel bagou, tu arriveras certainement à gagner ta vie.

— J'espère de tout cœur qu'il a un don de prémonition.

— Il m'a aussi demandé si ça existait, une histoire de Lindbergh.

— Il a écrit son autobiographie et il y a un excellent film avec James Garner.

— Je vais commander la biographie à la librairie des PUL.

Jacques se réjouit de se voir promettre un bel avenir, et aussi de ne pas soulever de soupçons susceptibles de nuire à Diane. D'un autre côté, il regretta un peu de ne susciter aucune jalousie. Comme s'il était improbable de le voir comme un amant potentiel.

❁

Au cours d'une vie, chacun finissait par relever au moins cinquante situations dont il dirait : « Ça, c'était un tournant dans mon existence. » Pour Jacques, son arrivée à l'aéroport de Mirabel le 31 octobre compterait parmi celles-là. Pour la première fois, il avait eu le sentiment de se trouver ailleurs dès son entrée dans le grand bâtiment situé en plein champ.

Évidemment, le rituel du voyage ne lui était pas inconnu. Dans une multitude de films et d'émissions de télévision, des gens prenaient l'avion. De Sean Connery incarnant James Bond à Christina Hart, l'hôtesse de l'air appelée Samantha dans le film *The Stewardess*.

Aussi, au moment de se diriger vers le grand comptoir de la société Air Canada, il resta derrière Diane, nerveux, tenant sa valise dans une main, son billet et son passeport dans l'autre, et son sac de postier accroché à l'épaule. Il se promettait de calquer tous ses gestes. Jean-Philippe, sur les talons de Monique, faisait exactement la même chose. Bientôt, un peu inquiet, Jacques regarda sa valise s'éloigner sur un tapis roulant. Une carte d'embarquement s'était ajoutée aux documents qu'il ne fallait absolument pas perdre.

En s'éloignant du comptoir avec lui, Diane remarqua :

— Je me rends compte que tu n'as pas de bagage de cabine.

— Je n'ai pas voulu m'encombrer.

— Je suis contente de partager une chambre avec Monique. Parce que s'ils perdent ta valise, dix jours dans les mêmes vêtements…

— Ça ne doit pas arriver. Air Canada, c'est une compagnie sérieuse.

Son interlocutrice se contenta de rire de bon cœur.

— Comme nous en avons pour des heures à attendre, dit Monique, autant monter nous asseoir.

Le ton contenait une petite pointe d'impatience. Elle aurait bien aimé que Diane propose de prendre tout le monde dans sa voiture pour faire le trajet depuis Québec, pour mieux synchroniser l'arrivée à l'aéroport avec l'heure de départ du vol. Mais celle-ci avait préféré prendre l'autocar Voyageur offrant l'aller-retour pour vingt dollars.

À l'étage s'alignaient des restaurants, des boutiques et de grands espaces avec des sièges confortables. Quatre d'entre eux formaient un carré, ce serait parfait.

Comme ils avaient eu l'occasion de commenter déjà mille fois l'étonnante générosité du département d'histoire – environ la moitié des frais de l'expédition seraient couverts par la subvention –, l'excitation à l'idée de ce voyage et les attentes mitigées à l'égard de l'activité scientifique au programme, il ne restait plus grand-chose à dire. Diane sortit un gros roman américain de son sac. Chaque fois qu'elle terminait un chapitre, elle le déchirait pour le tendre à Monique, qui le lisait à son tour. Jacques se retint de dire qu'il ne fallait pas détruire ainsi un livre. La réaction d'un pauvre qui, dix ans plus tôt, finissait par lire *L'Almanach du peuple* de la première à la dernière page, faute de mieux. Il sortit de son sac le roman *Germinal* en édition de poche.

Cette histoire de misère ouvrière, d'anarchie et de révolution lui paraissait une excellente mise en train pour une visite du Creusot. Pourtant, il relisait sans cesse les trois mêmes pages tellement l'excitation l'empêchait de se concentrer.

Lors de l'embarquement, l'énormité du Boeing 747 le laissa muet d'étonnement. Il se retrouva avec Jean-Philippe d'un côté de la carlingue, les femmes de l'autre. Quand l'avion s'éleva du sol, il eut l'impression que son cœur remontait à ses lèvres et ses mains serrèrent les accoudoirs avec force. Son compagnon était aussi impressionné que lui. L'émotion partagée lui permit de se sentir un peu moins habitant.

Au repas, il avait retrouvé suffisamment son calme pour déclarer dès la première bouchée :

— Je ne croyais pas ça possible, mais c'est beaucoup, beaucoup plus mauvais qu'à la cafétéria du Pollack. Des plans pour m'enlever le goût de voyager.

Quelques minutes plus tard, Jean-Philippe demanda :

— Il est quelle heure, à Paris ?

— Tu dois en ajouter six. Donc, il est trois heures du matin. La nuit sera courte...

❀

Deux heures plus tard, quand il put enfin se concentrer sur son livre, une main toucha son épaule. Il leva les yeux sur Diane qui lui dit :

— Tu ne dors pas ?

La question ne méritait pas vraiment de réponse, mais peut-être une explication :

— J'ai déjà le sommeil léger à l'université, alors dans un tube d'aluminium filant à quelques centaines de milles à l'heure, aucune chance de m'endormir.

— Jean-Philippe n'a pas ce problème.

— Le sommeil du juste, je suppose.

— Je ne dors pas, fit une voix dans un murmure. Je repose mes yeux pour mieux voir quand nous arriverons.

— Après une nuit blanche, vous allez trouver la journée très longue.

Pourtant, aucune des deux femmes ne dormit non plus.

Plus tard, tout le monde retrouva sa valise sur un tapis roulant. Le passage à la douane s'accompagna d'une petite inquiétude. Personne n'avait envie d'une fouille en règle. Tout se déroula finalement sans anicroche. Quand ils se retrouvèrent dans l'immense aérogare Charles-de-Gaulle, ce fut les yeux sur l'alignement des portes donnant sur l'extérieur qu'ils marchèrent.

Monique les interrompit :

— Voilà les comptoirs de la SNCF. Allons acheter nos billets.

SNCF pour Société nationale des chemins de fer. Ils se retrouvèrent bientôt appuyés sur un comptoir derrière lequel se tenait un employé de vingt ans tout au plus. Comme Monique avait déjà séjourné dans ce pays, elle s'était autoproclamée porte-parole du petit groupe quand il faudrait parler aux indigènes, à cause de l'accent québécois.

— Nous voulons des billets à destination du Creusot.

En réalité, le sien faisait très affecté, mais pas du tout français.

— Creusot, c'est quoi ?

— Une ville où il y a un congrès.

Sceptique, le jeune homme fit tout de même l'effort de prendre un gros livre et de l'ouvrir à la lettre C.

— J'en étais sûr, ça n'existe pas.

— Essayez à la lettre L, intervint Jacques, pour Le Creusot.

L'autre lui décocha un regard plus sceptique encore. Toutefois, il admit :

— Ah! Je vois. C'est dans le département de Saône-et-Loire. C'est un trou, ça.

— Vous avez tout compris, dit Jacques avec une mine désolée. Nous faisons le tour du monde en allant de trou en trou. Douze trous. On veut en faire un film, quelque chose comme *Les trous des bidasses*. Ou *Les bidasses dans le trou*, nous hésitons encore. Le trou suivant, c'est Aix-en-Provence, en passant par Lyon. Ensuite, nous revenons ici pour reprendre l'avion.

L'allusion aux films des Charlots tira un sourire à l'employé, qui se mit à préparer les billets avec entrain. Ils payèrent avec des chèques de voyage American Express. Chez Tourbec, l'agente avait été convaincante : « L'Europe, c'est plein de voleurs, il faut être prudent. »

Quand ce fut terminé, le jeune homme tendit les documents de voyage en disant :

— Allez, bon séjour. J'irai certainement voir ce film.

— Et le car pour Paris ?

Il quitta son comptoir pour leur montrer l'endroit où ils devaient aller. Ils eurent tôt fait de trouver.

Ils occupaient leurs sièges quand Diane se leva à demi pour dire :

— *Les bidasses dans le trou*. T'en as, des projets ! En tout cas, on a eu un bon service, finalement.

— Je pense que dans ce pays, les cousins des colonies sont accueillis avec une tonne de condescendance. Alors autant leur rendre la monnaie de leur pièce. D'autant plus que le film des Charlots, ça ne vaut même pas *Symphorien*.

Déjà, il était prévisible que Jacques ne tenterait pas de prendre l'accent français en dix jours. D'un autre côté, il venait de démontrer qu'il allait voir tous les films, même les plus mauvais.

❊

La traversée des banlieues et le boulevard périphérique donnaient une impression bien grise de la capitale française. Toutefois, quand le car s'arrêta dans le boulevard Saint-Michel, près de la place Edmond-Rostand, c'est au cœur du vrai Paris que descendirent les quatre amis.

— Là, c'est le Jardin du Luxembourg, dit Monique en désignant le parc situé de l'autre côté de la grande artère.

— Et là, le McDonald's, murmura Jacques à l'intention de Jean-Philippe. Si la cuisine du pays nous lasse trop, nous sommes certains de pouvoir revenir en terrain connu.

— À un prix acceptable, j'espère.

Le taux de change ne favorisait pas vraiment le dollar canadien. Les prix affichés en vitrine ne permettaient pas de se leurrer à cet égard.

— Tu sais où est la rue Casimir-Delavigne? demanda Diane à son amie.

— Je ne connais pas vraiment le Quartier latin, répondit Monique.

« J'étais du côté des grands théâtres », compléta mentalement Jacques. Alors que durant trois ans elle s'était montrée particulièrement discrète sur cette période de sa vie, depuis trois semaines, le sujet revenait souvent. Ce voyage, c'était revoir le lieu du grand deuil de ses aspirations de comédienne.

— J'ai fait une copie d'un plan de la ville, dit-il en sortant une feuille de son sac.

Ce furent quatre têtes qui se penchèrent en même temps sur le document.

— Le parc est là, à gauche, nous sommes ici, et l'hôtel se trouve là.

Il posa son index sur un cercle jaune au milieu de la feuille.

— En suivant la rue Monsieur-le-Prince vers le nord, nous arrivons coin Casimir-Delavigne. Nous devrons parcourir vingt ou trente mètres pour arriver au numéro 3.

S'il donnait l'impression de connaître les lieux comme le fond de sa poche, cela tenait simplement à son côté studieux. Il avait pris en note l'échelle : un centimètre sur le papier valait vingt mètres. Pendant leur petit entretien, des passants avaient dû les contourner en leur jetant des regards peu amènes. Aussi, c'est à la file indienne qu'ils marchèrent vers l'hôtel, pour réduire la nuisance. Tout de même, encombrés de leurs bagages, ils prenaient beaucoup de place.

Bientôt ils se retrouvèrent devant une façade élégante, avec des balcons ornés de balustrades de fonte à chaque fenêtre. De là l'appellation Hôtel des balcons. Toutefois, il s'agissait en réalité de loggias et non de balcons : il n'y avait pas d'espace sur lequel se tenir.

— C'est très bien, commenta Monique.

Et très cher, en proportion de leurs moyens. Excepté Diane, ils en auraient pour des mois à se priver pour payer cette extravagance. L'impression favorable s'accrut d'un cran une fois à l'intérieur. Le hall, avec ses bois sculptés, était magnifique. Après avoir récupéré leurs clés, ils tinrent un petit conciliabule.

— On se rejoint ici dans une heure ? proposa Monique.

Tous se déclarèrent d'accord. Galamment, les hommes abandonnèrent le minuscule ascenseur aux femmes pour utiliser plutôt l'escalier. Un geste particulièrement généreux, car elles avaient une grande chambre avec salle de bain au premier, tandis qu'eux auraient droit à chacun un petit réduit au cinquième – probablement des chambres de bonne, au siècle dernier – et partageraient des toilettes avec une demi-douzaine d'autres clients.

Jacques découvrit une pièce minuscule, assez pour lui permettre de toucher les murs de chaque côté du bout des doigts, une fois étendu sur le lit. Il y avait tout de même un lavabo d'une taille raisonnable et un miroir au mur. Après s'être rasé, il décida d'aller s'asseoir dans le hall.

— Ta chambre est confortable ? demanda Diane quand elle vint le rejoindre quelques minutes plus tard.

— Toute petite, mais ça ira.

— La nôtre aussi, puisque nous sommes deux pour l'occuper.

Quand les deux autres arrivèrent, ils sortirent tous les quatre pour explorer un peu le quartier.

※

Marcher sur le boulevard Saint-Michel était une expérience en soi. Les édifices, les platanes, le mobilier urbain, tout attirait le regard. La foule à l'intersection du boulevard Saint-Germain se composait surtout de jeunes gens. Quand Diane le lui fit remarquer, Jacques lui rappela :

— Sur ma carte, il est indiqué que la Sorbonne est sur la gauche.

Parmi la faune d'étudiants, il admira des filles belles comme on pouvait l'être dans les beaux quartiers de Paris à vingt ans. Curieusement, leur allure lui rappela Sylvie-Nicole. Certes, elle ne déparerait pas dans cet environnement.

— Avant de prendre le train pour Le Creusot, j'aimerais aller là, dit Monique en désignant le musée de Cluny, le musée d'histoire médiévale.

L'endroit était d'autant plus attirant que des statues étaient visibles depuis la rue.

— Alors pourquoi nous n'y allons pas tout de suite ? suggéra Jacques.

Comme elle lui adressait un regard surpris, il continua :

— Nous sommes là, il est là. L'occasion ne sera pas plus belle demain.

Des statues, des crucifix, des meubles, des vêtements et de la vaisselle sacrée retinrent leur attention pendant deux bonnes heures, en ce début d'après-midi. Quand ils revinrent boulevard Saint-Michel, ils marchèrent encore un moment vers le nord, pour voir de nombreux cafés sur leur droite.

— Nous pourrions manger un peu, suggéra Diane.

Assurément, dans un endroit touristique comme celui-là, l'addition se révélerait corsée. Ce serait d'ailleurs le cas jusqu'à leur départ de cette ville. Mais les chaises étaient attirantes en ce milieu d'après-midi, alignées pour faire face au flot ininterrompu des passants. Sur une ardoise, on offrait un sandwich jambon beurre et un demi pression pour moins de dix francs. Jacques en fit son dîner. Monique et Jean-Philippe comptaient aussi leurs sous, ils commandèrent la même chose. Diane, évidemment, se montra un peu plus exigeante.

Lorsque le serveur fut parti, elle demanda à Jacques :

— Alors, ton verdict ?

— C'est tellement curieux. Tout m'est étranger : l'architecture, la façon de se vêtir, les voix que l'on entend. Et, en même temps, si familier. J'ai peut-être vu ce boulevard, exactement cette section du boulevard, mille fois dans des films et des séries télévisées, et lu autant de descriptions de l'endroit dans des romans.

— C'est vrai, c'est à la fois familier et nouveau.

— Notre-Dame est juste de l'autre côté du pont, nous pourrions y aller après avoir mangé ?

❀

Cette fois, ce fut l'éblouissement, quelque chose comme une expérience mystique. Pour un athée comme lui, c'était à souligner. Après avoir arpenté le temple, pendant un long moment, il demeura assis sur une chaise, alors que l'organiste faisait sonner son instrument. Il s'agissait seulement d'exercices, mais c'était assez pour lui donner pour la première fois de sa vie une véritable envie d'assister à une messe.

— Tu veux toujours monter dans la tour? demanda Jean-Philippe. C'est trois-cent-quatre-vingt-sept marches.

Plus tard, s'il arriva quand même le premier au sommet, son sourire s'avérait crispé. Son ami le suivait sur les talons, guère en meilleur état. Diane se pointa trois ou quatre minutes plus tard et demeura un moment le front appuyé sur la balustrade avant de retrouver à peu près son souffle.

— Ça, ce n'est plus de mon âge, commenta-t-elle.

— Si tu le faisais tous les jours, ça te paraîtrait un exercice facile.

— Tu veux rire?

Jacques comprit que ça n'arriverait pas.

— Et Monique?

— Vingt marches représentent déjà un problème pour elle. Une histoire d'arthrite rhumatismale…

«Et sans doute d'abus de cigarettes», songea-t-il. Il tourna sur lui-même, comme pour absorber tous les détails de la construction, des gargouilles aux flèches.

— Impressionnant, murmura Diane.

— Tu sais que je ne crois ni en Dieu, ni au diable, ni à l'enfer. En revanche, je pense que les hommes sont diaboliques par le mal qu'ils peuvent faire, et divins quand ils créent toute cette beauté. Le musée d'abord, puis cette cathédrale, la musique, tout à l'heure en bas, les vitraux, les peintures, les sculptures. Et toutes les histoires inventées. Si tu regardes bien, tu vas voir Quasimodo courir sur cette espèce de plate-forme qui couvre des réservoirs, et dans cette maison, en bas – il pointa son index en direction des constructions, à droite –, Phœbus penché à la fenêtre de sa fiancée, Fleur-de-Lys. Tous les deux attendent qu'Esméralda soit pendue sur le parvis. Finalement, Quasimodo la sauvera pour l'entraîner à l'intérieur.

Il y eut un silence, puis il continua avec un demi-sourire :

— Ne répète pas ça à ton mari. S'il le dit à ses amis psychiatres, je vais me retrouver avec une camisole dont les manches s'attachent dans le dos.

— À moins que tu ne mettes ça par écrit. Dans ce cas, tu passeras pour un artiste.

Finalement, Jacques se concentra très longuement sur les chimères, jusqu'à ce que Diane revienne dans sa direction pour demander :

— Tu descends avec nous ?

En marchant vers l'hôtel, le petit groupe s'arrêta au Monoprix afin d'acheter quelque chose pour un souper en solitaire dans les chambres, afin de revisiter en pensée les lieux vus dans la journée.

Chapitre 5

L'Hôtel des balcons offrait le petit-déjeuner. C'est donc devant un panier de croissants – une nouveauté pour Jacques et Jean-Philippe – que le groupe se retrouva le lendemain matin.

— Alors, nous nous en tenons au programme convenu ? demanda Diane en buvant son second café.

— Un premier voyage à Paris sans voir le Louvre ou la tour Eiffel, dit Jacques, c'est comme aller en Gaspésie et rater le rocher. Mais si tu préfères courir les grands magasins, je devrais réussir à trouver mon chemin, continua-t-il.

Diane consulta Monique du regard. Finalement, les femmes jugèrent que se cultiver valait sans doute mieux que d'aller aux Galeries Lafayette. D'autant plus que la seconde devrait se contenter de regarder la première faire des achats. Ce fut donc le musée en matinée, dont de longues minutes à pester devant les touristes agglutinés devant la Joconde.

Ensuite, il y eut la tour Eiffel et la visite du musée de l'Armée avec un moment d'amusement devant Vizir, le cheval empaillé de Napoléon.

— Ça doit être un sommet, ce culte de la personnalité, dit Diane. Empailler le cheval du grand homme ! Mais au moins, il est blanc.

Ce qui prouvait que les blagues d'écoliers avaient un fondement dans la réalité, comme dans la question : « Quelle est la couleur du cheval blanc de Napoléon ? »

— Tu oublies que le cœur du frère André a été conservé dans une urne, volé, puis retrouvé. Alors question culte de la personnalité...

Jeudi après-midi, la bande des quatre monta dans un train allant vers le sud. La présence de compartiments leur permit de demeurer entre eux jusqu'à Beaune. De là, c'est dans un convoi de seulement deux voitures qu'ils allèrent au Creusot. La ville industrielle d'un peu plus de trente mille habitants ne faisait pas partie des itinéraires du tourisme de masse.

Tout de même, il fallait l'arrogance d'un Parisien pour en parler comme d'un trou. Et pour qui venait du chemin du Petit-Montréal, l'endroit prenait des allures de métropole régionale. Grâce aux mines de charbon, l'industrie métallurgique dirigée par la famille Schneider lui avait donné une prospérité durable. D'ailleurs, au début du vingtième siècle, une statue à la gloire d'Henri Schneider avait été érigée en face de l'hôtel de ville. Plus loin, un immense marteau-pilon peint en gris-vert faisait office de monument.

La petitesse relative de la ville et sa situation à l'extérieur des circuits touristiques permettaient de se loger à bien meilleur coût qu'à Paris. Et en partageant une chambre d'hôtel avec Jean-Philippe, Jacques s'en tirerait encore à meilleur compte.

Vendredi matin, le groupe se retrouva à nouveau à table devant un petit-déjeuner composé de croissants et de confiture, accompagné de café au lait pour trois d'entre eux. Quand il demanda du thé, Jacques créa une légère commotion. Cela paraissait si étrange à la serveuse qu'elle remarqua :

— Vous parlez bien français pour un Anglais.

Enfin, l'étrange accent des étudiants trouvait son explication pour ces Français : ils étaient Anglais ! Une certitude qui serait partagée par certains de leurs interlocuteurs au cours des jours à venir. Ils chercheraient les quelques mots d'anglais appris à l'école afin de leur faire plaisir, mais leur prononciation serait souvent incompréhensible.

Peu après, ils retournèrent attendre dans le hall de l'hôtel. Obligeamment, les organisateurs du colloque avaient prévu des cars pour le transport des participants. Intitulée *Mémoire collective ouvrière*, l'activité organisée par l'Écomusée Creusot-Montceau-les-Mines à l'automne 1977 devait se dérouler au château de la Verrerie, sur le site d'une entreprise créée presque deux cents ans plus tôt, la Manufacture des Cristaux de la Reine. Comme celle-ci avait eu une existence assez brève, l'endroit était devenu la résidence des Schneider.

En descendant dans l'immense cour, les quatre amis demeurèrent bouche bée devant un bâtiment aux dimensions démesurées construit en U. Comme d'habitude, quand il se sentait particulièrement impressionné, Jacques eut recours à l'humour facile :

— Même si on me le donnait, je n'en voudrais pas comme résidence secondaire. Ça doit être trop long de faire le ménage là-dedans.

— Tu as raison, renchérit Jean-Philippe, le lavage des fenêtres à lui seul doit s'étaler sur une année entière.

Comme il fallait s'y attendre, l'arrivée du petit groupe d'étudiants québécois créa un certain émoi chez les personnes chargées de l'inscription.

— Vous savez qu'il y a déjà un Canadien parmi nous ? demanda une femme en cherchant leurs noms dans ses fichiers. C'est le père Lacroix.

Comme Jacques fronçait les sourcils, elle ajouta :

— C'est un père dominicain.

— Madame, vous savez, les soutanes et moi c'est un peu comme l'huile et l'eau, ça ne se mélange pas.

— Tu ne le connais pas ? murmura Diane.

— Je pense l'avoir vu à la télévision. C'est un gars mielleux qui répète à qui veut les entendre les propos que lui susurre à l'oreille son ami imaginaire.

Bientôt, la femme arriva devant eux avec un petit homme grisonnant, habillé en laïc – le col romain faisait un peu ostentatoire en 1977. Seule une croix sur le revers de son veston gris témoignait de son état.

— Ah ! Voilà donc les étudiants venus du Québec.

— Nous sommes étudiants et Québécois, alors ça doit être nous, dit Jacques.

Il y eut un échange de poignées de main. La conversation qui suivit fut tout à fait artificielle pour des gens qui n'avaient rien en commun, sauf de venir du même endroit. Finalement, l'un des organisateurs les interpella :

— Les conférences ont lieu dans un des fours, dans la cour. Celui de droite.

Il s'agissait des fours destinés à faire fondre le verre. C'étaient de grandes constructions coniques datant du début du siècle précédent. L'un avait été transformé en chapelle, pour être ensuite converti en salle d'exposition en 1974. L'autre servait à la tenue de colloques, de conférences et de réunions diverses. L'intérieur ne manquait pas d'impressionner avec ses murs circulaires et ses quatre lucarnes à trente pieds de hauteur qui laissaient entrer la lumière. L'endroit faisait penser à un immense tipi.

Il y avait une petite estrade à l'usage des conférenciers, et des sièges étaient disposés au centre pour accueillir une cinquantaine de personnes. Certains participants s'appuyaient contre le mur. Jacques regarda de quel côté de la salle Benoît Lacroix avait choisi de prendre place. Il désigna les chaises à l'autre bout.

— Nous serons bien, ici, dit-il. Suffisamment à l'arrière pour que personne ne nous pose de questions.

En fait, Jacques se doutait bien que la contribution intellectuelle d'étudiants à la maîtrise décevrait dans cet aréopage composé de professeurs d'université. Il s'en tenait à un principe très sage : mieux valait passer pour un benêt en demeurant silencieux que de prouver qu'on était idiot en ouvrant la bouche.

Le colloque portait sur la mémoire ouvrière pour une raison toute simple : l'histoire s'écrivait grâce aux documents laissés par des hommes blancs riches, sans jamais faire de place à tous les autres, soit plus de quatre-vingt-dix-neuf pour cent de la population. Parce que les « gens du peuple », ou selon une formulation plus méprisante encore, les « gens ordinaires », ne savaient pas écrire ; et s'ils écrivaient, personne ne se souciait de conserver les documents. Pour compenser cette lacune, depuis quelques années, les chercheurs se penchaient plus volontiers sur les « histoires de vie ». Une façon de redonner la parole aux paysans, aux travailleurs, aux domestiques des sociétés occidentales, ou aux populations de continents entiers.

Cette journée-là, pendant les pauses et à midi, les jeunes étudiants firent connaissance avec des gens connus par leurs écrits, ou alors grâce à l'émission *Apostrophes* animée par Bernard Pivot depuis 1974.

Revenus à leur hôtel en fin d'après-midi et assis à table pour le souper, c'est avec une certaine appréhension dans la voix que Jacques demanda :

— Alors, ça valait la peine de venir jusqu'ici ?

Après tout, c'est lui qui avait proposé cette expédition, et malgré l'obtention d'une subvention du département, chacun y allait de ses propres deniers.

— Je ne savais pas trop à quoi m'attendre, dit Diane, mais je suis agréablement surprise. C'est certain qu'à mon retour à Québec, je vais chercher les coordonnées de vieux retraités et faire des entrevues.

— Tu les dénicheras comment ? demanda Monique.

— Les syndicats pourront me donner quelques noms. Au pire, je pourrai toujours faire le tour des foyers pour vieillards. Quand j'en aurai trouvé un, il voudra sans doute me mettre en contact avec ses anciens collègues.

En tout cas, un conférencier avait évoqué cet effet boule de neige. Puis elle demanda à Jacques :

— Cette grande femme à qui tu parlais avant de monter dans l'autobus, qui était-ce ?

— Celle avec les grandes dents ? Madeleine Rébérioux. J'ai lu un de ses livres pour un travail dans le cours de Nelles. Je connaissais aussi le nom de l'autre, plus petite, Madeleine Trempé. Elle a publié sur le mouvement ouvrier. Toutes les deux sont professeures, féministes et communistes.

Pendant encore un moment, ils parlèrent d'autres professeurs. Philippe Joutard par exemple, spécialiste de l'histoire orale, et le très coloré Raphael Samuel. C'était un historien communiste britannique, fondateur du *History Workshop*, et propagandiste de l'*history from below*, l'histoire vue d'en bas. Cependant, pour Jacques, l'intérêt de ce voyage était moins de mettre un visage sur un nom que de se faire connaître d'un petit groupe de professeurs d'université et de rêver d'en faire partie un jour.

※

Le dimanche, le colloque se termina à midi afin de permettre à chacun de regagner son domicile. En réalité, au moins la moitié des participants étaient partis dès la veille. Les quatre Québécois reprirent le petit train vers Beaune pour monter dans celui qui couvrait la distance Paris-Marseille. Une fois rendu là, il fallut monter dans un autre vers Aix-en-Provence.

Cependant, ils ne virent pas grand-chose de la ville d'Aix ce soir-là, à cause de la fatigue et de l'obscurité croissante. Quand ils furent descendus du train, c'est dans le hall de la gare que Jacques sortit une nouvelle fois son assortiment de feuillets.

— Nous sommes là, dit-il en pointant le doigt sur un X rouge, et là ce sont des hôtels que j'ai repérés dans le *Guide Michelin*.

— Quel est le plus proche ?

Monique devenait de plus en plus lasse de traîner sa valise. Au point où Jacques proposa :

— Jean-Philippe et moi pouvons aller voir à quoi ça ressemble et revenir vous le dire ensuite.

— Non, non, ça va aller.

À condition de prendre le premier sur leur chemin, devina-t-il. Ils eurent la main heureuse, même si, de prime abord, l'endroit étonnait. Les chambres se trouvaient au-dessus d'une station-service et d'un lave-auto automatique. Toutefois, l'édifice était neuf. Il y avait deux étages au-dessus du rez-de-chaussée avec de grandes chambres à deux lits. Les femmes en auraient une au premier, les garçons une autre au second.

Ces derniers venaient à peine de poser leurs valises lorsque des coups résonnèrent contre la porte. Jacques ouvrit pour découvrir Diane devant lui.

— Vous aimez votre chambre ? demanda-t-elle.

Le mieux était de la laisser se faire sa propre idée en l'invitant à entrer.

— C'est exactement comme en bas. Des murs blancs, un plafond blanc, des lits blancs, une table et des chaises blanches.

— Ça fait propre, blagua Jean-Philippe.

— Et derrière, il y a le jardin, dit-elle en marchant vers la grande fenêtre.

Ils n'en voyaient pas grand-chose, une fois la nuit tombée : au-delà d'un petit espace de stationnement, une pente abrupte et des friches. Diane se retourna vers les jeunes hommes pour dire :

— Monique n'a pas envie de sortir pour souper. Il y a un instant, elle était couchée avec ses chaussures encore dans les pieds. Elle m'a demandé d'aller voir s'il était possible de trouver de quoi manger en bas.

Comme il arrivait souvent au Québec, la station-service était accompagnée d'un dépanneur.

— Tu veux que je t'accompagne ? demanda Jacques.

— Bien sûr ! Jean-Philippe, tu viens aussi ?

— Pourquoi pas. Si on trouve de quoi composer un repas raisonnablement équilibré, je ne détesterais pas passer la soirée au coin du feu.

Finalement, le dépanneur se révéla bien approvisionné. Des voyageurs pouvaient y acheter de quoi manger dans leur voiture sans avoir à s'arrêter dans un restaurant en bordure de la route. Bien sûr, les baguettes dataient de la veille et l'échantillon de fromages laissait à désirer. Tout de même, le Babybel leur était familier. Diane prit une bouteille de vin et ses compagnons des sodas.

Quand ils se quittèrent sur le palier du premier, Diane proposa :

— Nous pourrions nous retrouver demain pour le dîner, ça nous permettra de faire la grasse matinée.

— Pourquoi pas ? On peut venir frapper à votre porte vers onze heures trente, ou ça sera trop tôt ?

— En tout cas, ça ne le sera pas pour moi.

Quoique petite et peu populeuse – un peu plus de cent dix mille habitants –, Aix-en-Provence s'avéra immédiatement très séduisante. Un peu avant midi, ils marchaient en direction de la place de la Rotonde. Chemin faisant, ils croisèrent quelques confiseries et des boutiques vendant aux touristes tout ce qui encombrerait leur salon pendant quelques mois, avant de migrer vers les limbes au fond d'un placard.

Monique s'arrêta sous une affiche surplombant le trottoir portant les mots « calissons d'Aix ».

— On en offre à toutes les portes, remarqua-t-elle. Je me demande ce que c'est.

— La friandise de la ville, dit Jacques.

Comme elle le toisait du regard, il ajouta avec un petit sourire :

— Ce n'est pas un cas d'exception. Montélimar a ses nougats, Cambrai, ses bêtises.

— Tu n'es jamais venu en France et tu sais tout ça ?

— Le *Guide Michelin* permet de longs voyages immobiles.

Une fois rendus place de la Rotonde – un immense rond-point –, ils découvrirent la grande fontaine de la Rotonde.

— De ce côté, dit Jacques en désignant un petit bâtiment à l'architecture moderne, il y a un bureau touristique. Il vaut sans doute la peine de s'y arrêter.

Après quelques minutes, ils quittaient l'endroit avec une douzaine de dépliants et de brochures sur les attractions touristiques de la ville. Et une recommandation de la part de l'employée :

— Il faut absolument voir le cours Mirabeau. C'est juste là, de ce côté.

Du doigt, la jeune femme avait désigné sa droite. Jacques n'avait pas protesté, car en proposant de marcher vers la Rotonde en quittant l'hôtel, son intention était de se rendre là. Cet axe avait été ouvert dès le dix-septième siècle. Maintenant, il s'agissait d'une large allée ombragée des deux côtés par des rangées de platanes. Du côté droit, il y avait surtout de grandes demeures bourgeoises, et à gauche, des cafés, des restaurants et même un Monoprix.

— Cet établissement existait déjà au moment de la Révolution française, dit Jacques.

Des yeux, il désignait le café Les deux garçons.

— Je pense que nous devrions nous arrêter là, le nom semble avoir été spécialement choisi pour notre groupe, proposa Diane.

Les autres acceptèrent avec enthousiasme. Ils choisirent des chaises alignées face à la rue.

— La faune est particulièrement jolie, remarqua Jacques.

Évidemment, il faisait allusion à la faune féminine, qui semblait parader sur les larges trottoirs. Il y avait les employées et les étudiantes de l'université qui portaient très bien les jeans moulants. Mais d'autres aussi, de trente ou quarante ans, la jambe galbée par des talons aiguilles et la fesse soulignée par une jupe étroite.

— Il y a de l'argent dans ces vêtements, dit Diane. D'ailleurs, les boutiques de cette rue paraissent hors de prix.

Dans sa remarque, il y avait le sous-entendu : « même pour moi ». Monique serra les mâchoires. Il s'agissait bien de la section de la ville où habitaient et où se promenaient les élites. D'ailleurs, les plus jeunes achetaient des sandwichs à des comptoirs plutôt que de s'asseoir à une terrasse.

Après le repas, Jacques se laissa guider par les autres. L'employée de l'office du tourisme leur avait remis un guide des promenades dans le vieil Aix, c'est-à-dire dans la section médiévale de la ville. Ils admirèrent l'entrelacs des rues étroites et inaccessible aux automobiles. Ils s'arrêtèrent à la place de l'hôtel de ville et au marché tenu devant le palais de justice, avec une petite visite à la belle librairie y étant située.

La journée se termina avec la cathédrale Saint-Sauveur. Le bâtiment aurait pu retenir des étudiants en histoire pendant une semaine, avec son baptistère du cinquième ou du sixième siècle, et ses autres sections construites au fil du temps, dont la plus récente aménagée au dix-neuvième siècle.

Les pieds en compote, ils revinrent vers l'hôtel en fin d'après-midi, après s'être arrêtés au Monoprix afin de prendre de quoi manger. Le lendemain, ce serait l'atelier de Cézanne, le musée et le site Granet, le musée du Vieil Aix, quelques hôtels anciens où, un siècle plus tôt, nobles et bourgeois venaient prendre les eaux pendant dix jours afin d'effacer les effets du reste de l'année sur leur système digestif.

❁

Pour qui était venu en France afin d'assister à un colloque au Creusot, passer quelques jours en Provence représentait un incroyable détour. Cela tenait à l'influence de deux personnes. Nadine Doyle y avait fait son doctorat quelques années plus tôt, et elle leur avait vanté la ville lors de quelques conversations. De plus, elle leur avait présenté Michel Vovelle à l'occasion d'une conférence donnée à l'Université Laval. Il s'agissait de l'un des professeurs les plus réputés de l'Université d'Aix.

Aussi, mercredi en fin de matinée, après avoir laissé leurs bagages en consigne à la gare, les quatre amis empruntaient l'avenue Robert Schumann afin de se rendre sur le campus d'Aix. Ils aperçurent d'abord le très bel immeuble de la faculté de droit et de sciences politiques, construit au milieu des pins. Un peu plus loin se dressait la faculté des arts, lettres, langues et sciences humaines. La bâtisse était beaucoup moins majestueuse, et le cadre moins enchanteur.

À l'intérieur, ils trouvèrent les lieux sales et un peu délabrés. Jean-Philippe arrêta un étudiant dans les couloirs afin de demander :

— Peux-tu nous indiquer où se trouvent les bureaux des professeurs d'histoire ?

Cela ne pouvait manquer, tous ceux à qui ils s'adressaient commençaient par écarquiller les yeux, à cause de l'accent. Ils étaient tombés non seulement sur un bon diable, mais aussi sur un étudiant en histoire. Il se dévoua, prenant quelques minutes de son temps pour leur montrer l'endroit. Un instant plus tard, Jean-Philippe frappait à la porte de Georges Duby, sans obtenir de réponse.

— Il passe beaucoup de temps à Paris, précisa leur guide improvisé.

Jean-Philippe frappa à nouveau, sans plus de succès.

— Dans ce cas...

Il chercha ensuite le nom de Michel Vovelle sur une autre porte, donna trois petits coups. Quand une voix vint de l'intérieur, il entra en disant :

— Monsieur Vovelle, nous nous sommes croisés à Québec le printemps dernier.

À cet instant, leur guide disparut, visiblement mal à l'aise. Un étudiant français ne déboulait pas ainsi chez un professeur. D'habitude, il ne s'adressait qu'à des assistants. Ceux du Québec, et Jean-Philippe plus que les autres, les abordaient de façon infiniment moins formelle. Il marcha vers le professeur. Celui-ci, petit de taille, grassouillet et avec de longs cheveux grisonnants, lui tendit la main.

— Nous nous sommes rencontrés à Québec ? demanda-t-il.

— Oui, dans le cadre du cours de madame Doyle.

S'il ne se souvenait guère des étudiants dans l'amphithéâtre, la jolie professeure demeurait certainement dans ses pensées. Il afficha un véritable sourire. Après une brève conversation, ils quittèrent le professeur toujours étonné par cette visite. Après être sorti de l'immeuble, le quatuor se concerta pour trouver comment s'occuper pendant les dix prochaines heures. Leur train ne partirait qu'une fois la nuit tombée.

❀

Dans le train, ils purent encore une fois accaparer tout un compartiment. Et ils disposèrent leurs valises sur les deux places libres afin de s'assurer de rester entre eux. Cette précaution leur permit de se reposer pendant quelques heures. À Paris, toujours en traînant leurs bagages, ils durent trouver un car afin de se rendre à l'aéroport Charles-de-Gaulle. Là, pour tuer le temps pendant quelques heures, ils se consacrèrent à la lecture. Cependant, l'inconfort des sièges incita Jacques à dire à la cantonade :

— Je vais marcher un peu vers les boutiques hors taxes, pour me dégourdir les jambes et peut-être faire une dépense que je ne peux pas vraiment me permettre.

— Je t'accompagne, dit Diane en se levant.

Après avoir parcouru une dizaine de pas, elle demanda :

— Tu veux acheter des souvenirs ?

— J'aimerais acheter une bouteille.

— Je ne te vois jamais boire. Tu ne devrais pas commencer, moi j'ai du mal à ralentir.

— Dans mon cas, je ne pense pas que ça devienne un problème un jour. En revanche, tu as sans doute remarqué mon problème de consommation de sucre.

Finalement, il opta pour un pastis de la marque Ricard. Puisqu'il avait tellement aimé la Provence, cela lui sembla un choix tout naturel. Ensuite, il suivit sa compagne dans la section des vins. Après ces quelques jours de fréquentation quotidienne, Jacques avait bien compris que Monique lui tombait sur les nerfs. De son côté, il trouvait Diane particulièrement charmante. Quand il la vit avec deux bouteilles de vin portées au creux de son bras, il proposa :

— Donne-moi un instant, je vais chercher un panier.

Quand il revint, elle lui tournait le dos, assise sur ses talons pour regarder les bouteilles placées sur l'étagère du bas. Il apprécia le galbe de ses fesses.

Sans doute perçut-elle son regard, car en mettant ses bouteilles dans le panier, elle lui adressa un sourire moqueur. Au moins, elle eut la délicatesse de ne pas évoquer la rougeur sur ses joues. Quand ils rejoignirent les autres, il déposa le pastis sur son siège en leur disant :

— Je reviens.

Cinq minutes plus tard, en sortant des toilettes, il aperçut le conciliabule entre ses compagnons. Peu après, ils entendirent l'annonce de l'embarquement. Dans la file d'attente, Diane lui murmura :

— J'espère que tu ne m'en voudras pas, mais je me suis entendue avec Jean-Philippe pour changer de place. Lui et Monique dorment sans mal en avion, alors que ce n'est ni mon cas ni le tien.

Jacques se plut à penser que cet arrangement tenait à un autre motif.

— Je ne sais pas pour les autres, mais je suis heureux du changement.

L'avion quittait Paris en fin de matinée, heure locale, et se poserait à Mirabel en début d'après-midi. S'ils avaient perdu six heures de leur vie à l'aller, maintenant, ils les regagneraient. Jacques avait terminé de lire *Germinal* à Aix. Lors de la visite à la librairie située près du palais de justice, il en avait profité pour acheter un autre volume du cycle des Rougon-Macquart. Son intérêt pour Zola avait été ravivé quand il avait vu son buste dans un parc. L'auteur avait vécu quelques années dans cette ville.

Après le repas, au lieu de reprendre le livre tout de suite, il demanda à Diane :

— As-tu vraiment apprécié ce voyage ?

Comme elle ne répondit d'abord pas, il précisa :

— C'est moi qui l'ai proposé, je me suis démené pour le rendre possible. Je sais que Jean-Philippe a aimé, sans doute beaucoup plus pour l'aspect touristique que pour le colloque. Mais toi ?

— J'ai tout aimé, colloque et tourisme. Je suis certaine de réinvestir dans mon mémoire de maîtrise une bonne part des informations glanées au Creusot. Quant à Monique...

La femme s'arrêta. Comment rendre compte précisément de l'attitude un peu chagrine de celle-ci ?

— Revenir à Paris n'a pas ravivé que des souvenirs heureux. En plus, physiquement, elle a vraiment eu du mal à nous suivre. Et comme elle entend travailler sur la Nouvelle-France, difficile pour elle d'aller interroger de vieux artisans. Elle entend quand même le faire lors de son doctorat.

Tout cela était vrai, mais il y avait aussi autre chose qui avait rendu le voyage de Monique moins agréable. Cela dit, Jacques préféra ne pas insister, car évoquer sa jalousie paraîtrait infiniment prétentieux. Il préféra continuer sur un autre registre :

— J'ai trouvé la ville d'Aix absolument charmante. Au point de jalouser nos professeurs qui ont fait leur doctorat là-bas.

— Je te vois mal venir faire un doctorat en histoire canadienne sous le ciel de Provence, dit sa compagne, un peu moqueuse.

— Je sais. Si je pouvais me le permettre, c'est au Canada anglais ou aux États-Unis que je devrais aller. Mais les études à ces endroits coûtent un bras. Aux États-Unis surtout. Et si maintenant je peux lire à peu près couramment l'anglais, c'est pitoyable pour l'écriture et pire encore pour parler.

À cause de son épouvantable accent, il se demandait même s'il n'avait pas un problème d'audition. De plus, il y avait également un manque d'intérêt de sa part : rien ne l'avait empêché de prendre tous ses cours hors programme au département d'anglais. Il s'en était pourtant abstenu.

— D'un autre côté, j'ai regardé le programme des études de troisième cycle en France. Ça commence par un diplôme d'études approfondies. C'est la scolarité, en fait. Ensuite c'est la thèse. Je me demande si l'Université Laval accepterait d'accorder la scolarité en équivalence à quelqu'un qui a fait le DEA.

Sa voisine de siège demeura silencieuse un long moment, puis murmura :

— Tu y as vraiment pensé ? Ce ne sont pas des paroles en l'air ?

— Pratiquement tous nos professeurs ont étudié en France. À les entendre, c'est une nécessité absolue pour ne pas être vu comme un béotien. Moi, je me fixerais un objectif modeste : simplement faire la scolarité en France, et recevoir un doctorat de l'Université Laval.

Ce qui réduirait aussi considérablement le coût de l'entreprise : une année en France, au lieu de trois ou quatre pour faire le programme complet.

— Et qui sait, j'arriverais peut-être à adopter une prononciation suffisamment pointue pour ne pas avoir à répéter quand je commande un demi pression aux Deux garçons.

Cet aspect de son séjour l'avait agacé. Il comprenait sans mal les Français, même ceux dont l'accent recelait une pointe d'ail comme Fernandel. Pour si mal écouter, ces gens faisaient preuve de mauvaise volonté.

— C'est certain que passer les mois de septembre à mai en Provence, plutôt que les deux pieds dans la *slush*, ça fait rêver.

— C'est à partir d'octobre… L'année scolaire commence et se termine un peu plus tard que chez nous.

Ils passèrent l'heure suivante à échanger sur la faisabilité d'un projet pareil. Quand il reprit son livre, Jacques eut du mal à renouer avec Jacques Lantier, le personnage central du roman *La Bête humaine*, tant la douceur de vivre à Aix occupait son esprit.

Arrivés à Mirabel, ils étaient un peu groggys de fatigue. Ils récupérèrent leur bagage sur le tapis roulant, puis retrouvèrent à nouveau des fauteuils inconfortables pour attendre l'autocar Voyageur qui les reconduirait à la gare de Sainte-Foy. Pour ce dernier segment du voyage, Jacques retrouva son compagnon de banquette habituel.

Au moment de descendre à la gare d'autocars en début de soirée, les deux femmes constatèrent avec plaisir que leurs époux respectifs ne les avaient pas oubliées. Ce fut l'occasion pour les jeunes hommes de voir Benoît pour la première fois. La petitesse de son auto l'autorisa à s'excuser platement de ne pouvoir les déposer au passage au pavillon Parent.

Robert était venu avec la Mustang de sa femme, mais lui non plus n'avait guère de place pour des passagers supplémentaires. Les adieux furent brefs et un peu empruntés.

Chapitre 6

Pour Jacques, ressentir une grande fatigue ne garantissait même pas un sommeil facile. Après avoir passé une heure étendu sur le dos, c'est avec un juron qu'il se releva afin de prendre sa machine à écrire et quelques documents. Ensuite, de retour dans son lit, il déposa l'appareil sur ses cuisses et entreprit de rédiger un rapport sur le voyage. Il se servit du programme du colloque. Son but était de décrire tous les apprentissages effectués, puisque le directeur du département voudrait certainement s'assurer qu'ils ne s'étaient pas contentés de faire du tourisme. Il en profita pour nommer les professeurs présents sur les lieux, même si la plupart ne se souvenaient sans doute déjà plus d'avoir rencontré des Québécois.

L'exercice parvint à le calmer un peu. La machine rangée près du lit, il s'endormit finalement. À son réveil, il put recommencer son rapport en prenant le premier jet comme un brouillon. Un peu écœuré des sandwichs, c'est à la cafétéria qu'il alla dîner. Jean-Philippe se trouvait déjà à table, occupé à livrer un récit imagé de ses péripéties françaises. Un récit susceptible de créer une certaine envie chez les autres.

Jacques participa à la conversation, reprenant des descriptions déjà entendues, comme si ses interlocuteurs voulaient comparer sa version à celle de Jean-Philippe. Quand ils se trouvèrent seuls, Jacques chercha son document dans son sac pour le tendre à son ami.

— Veux-tu regarder ça ?

Il parcourut les premières lignes avant de dire :

— Le directeur voulait recevoir un compte rendu ?

— Jamais il n'en a parlé, mais je suis certain que c'est le cas. Sa subvention, ce n'était pas tout à fait un cadeau. Je te le laisse, ajoute ou retranche ce que tu veux. Lundi, je le montrerai aux filles.

Peu après, Jean-Philippe regagna sa chambre, alors que Jacques se dirigeait vers la bibliothèque. Au premier étage, au-delà du comptoir de prêt, il y avait une alcôve. Les annuaires de très nombreuses universités s'alignaient sur les étagères ; celles du Canada, des États-Unis, de Grande-Bretagne et de France. Il trouva celui de l'Université d'Aix et lut la section sur le programme de doctorat en histoire. Avant de rentrer chez lui, il pêcha des dix cents dans la poche de ses jeans et se rendit au photocopieur le plus proche. Dans les jours suivants, il pourrait relire ces pages, et rêver un peu.

❁

Dimanche, il avait parlé à Diane pour convenir que le lendemain, tous les quatre se retrouveraient dans les caves du musée. À leur arrivée, ils bavardèrent brièvement dans la salle de repos. Comme des vétérans, ils ressassèrent encore les péripéties de leur voyage. C'était une façon de prolonger le plaisir.

Jacques leur remit une copie de son rapport, modifié en fonction des commentaires de Jean-Philippe.

— Pourriez-vous y jeter un coup d'œil pendant la journée ? Je pourrai en écrire une dernière mouture demain matin. Ensuite, je le déposerai chez Van Doesberg avant de venir ici.

— Nous ne verrons pas la version finale ? demanda Monique.

— J'ai envie de terminer ça au plus vite. Préférerais-tu te charger de le rédiger et de le faire parvenir au directeur ?

Désirer avoir le dernier mot était une chose, se charger de la corvée, une autre.

— Non, non. Nous ferons comme tu as dit.

— De toute façon, je vous ferai des copies.

Cet engagement la rassura à demi. Que redoutait-elle ? Qu'il cherche à se faire bien voir ? C'était un peu ridicule.

❀

Au téléphone mardi matin, madame Choinière l'assura que son patron voulait bien le recevoir pendant quelques minutes. À en croire cette dame, Van Doesberg était surchargé de travail. Pourtant, à onze heures, bien calé et détendu dans son fauteuil, le directeur demanda :

— Alors, ce voyage ?

— Une révélation. Voir le pays de mes ancêtres... dit Jacques avec humour.

L'étudiant avait sorti son rapport de son sac avant de s'asseoir, il le tendit à son interlocuteur.

— J'ai préparé ça à votre intention, pour montrer que nous avons fait bon usage de l'argent des contribuables.

— Bon, je le rangerai dans un classeur et répéterai tes mots à l'assemblée du département. Alors, sérieusement, ce colloque ?

❀

Tant qu'à être au département, Jacques alla du côté du bureau de Maurice Dumont. Il fut chanceux de le trouver là, et disponible. En quelques minutes, il répéta son récit de voyage, tout en ménageant une autre finale :

— Pensez-vous que si j'obtenais un DEA en France, le département m'accorderait une équivalence pour la scolarité de doctorat ?

— Tu penses faire un doctorat là-bas ?

— Non, pas du tout. Ils n'ont aucun spécialiste de l'histoire canadienne. J'aimerais seulement me frotter un peu à leurs usages et revenir faire ma thèse ici avec vous.

— Je suppose que c'est faisable. Mais tu as commencé ta maîtrise en septembre, il est un peu tôt pour parler de doctorat.

Jacques l'assura de ses progrès réguliers et évoqua les longues journées et les longues soirées passées au musée.

— J'ai bon espoir que ce soit fini d'ici septembre prochain.

Ce qui signifiait s'en tenir à un rythme d'enfer. L'étudiant savait pouvoir y arriver. Avant de quitter la pièce, il dit encore :

— Ce voyage a été coûteux. Savez-vous si quelqu'un se cherche un assistant de recherche ou d'enseignement ?

La véritable question était : « Avez-vous besoin d'un assistant ? » Dumont le comprit bien ainsi.

— Pour la recherche, les embauches sont faites avant même que l'argent des organismes subventionnaires soit versé. Pour l'enseignement, nous sommes en novembre.

Ces postes étaient attribués dès septembre. Devant sa mine déçue, le professeur ajouta :

— Toutefois, janvier approche et des professeurs auront besoin d'assistants. Je ferai passer le mot. Le type qui vient d'être embauché par le département n'y a certainement pas encore pensé.

— Il y a un nouveau professeur ?

— Bernard Dagenais. Il occupera la pièce voisine.

Jacques quitta son directeur de recherche plutôt rassuré. Dumont avait dirigé la thèse de doctorat de cet homme, il pouvait sans doute prétendre à quelques retours d'ascenseur.

Début décembre, Jacques trouva un message dans son casier postal lui demandant de se présenter au bureau de Bernard Dagenais. Dès le lendemain, il se rendit dans la petite suite de pièces sur laquelle régnait Maurice Dumont. Une seule porte était ouverte. Il frappa légèrement sur le cadre :

— Monsieur, vous vouliez me voir ?

— Charon ?

En disant son nom, il lui désigna la chaise devant son bureau.

— Oui, c'est moi.

Dagenais était un petit homme à demi chauve avec des lunettes à monture noire. Souriant facilement, il n'était pas très sympathique pour autant.

— Monsieur Dumont m'a dit que tu cherchais du travail. L'importante clientèle dans le cours de première année en histoire canadienne vient avec un budget pour embaucher un correcteur. Ça t'intéresse ? C'est dix heures par semaine, pendant seize semaines.

En vérité, ça ne l'intéressait pas vraiment. D'un autre côté, le salaire lui permettrait de couvrir les dépenses engagées en France. La générosité de la convention collective accordée aux professeurs avait eu des conséquences positives sur le revenu de tous les auxiliaires de recherche ou d'enseignement.

— Bien sûr. J'assisterai au cours afin de comprendre quelles sont exactement vos attentes.

— Je ne pense pas que ce soit nécessaire.

Dagenais voulait plutôt dire : « Tu ne seras pas payé pour t'asseoir dans ma classe. »

— Nécessaire, je ne sais pas. Mais ce sera certainement utile pour corriger en fonction de vos attentes. Évidemment, si j'assume la même tâche pendant les prochaines années, je pourrai passer outre.

C'était une façon de montrer tout son sérieux face au travail à accomplir, et de lui signifier sa disponibilité, si son interlocuteur devait encore recruter quelqu'un.

❀

Pour la troisième fois, les Charon fêteraient Noël sans la présence du père. En 1977, il y aurait toutefois une nouvelle rupture avec la tradition : les festivités auraient lieu à Ottawa. Quand Jacques se présenta chez sa sœur, le samedi 24 décembre, Solange paraissait aussi nerveuse que s'il s'agissait d'une expédition au bout du monde :

— Tu parles d'une idée ridicule... C'est à quatre heures d'ici !

— Tu sais bien qu'Aline n'a plus vraiment la place pour nous recevoir. Au moins, tu n'as pas à te charger de la transporter.

Solange le toisa.

— Te voilà devenu très compréhensif pour elle. Son appartement est bien assez grand pour nous... en se serrant un peu. Et même si, pour une fois, Lucien s'était présenté pour le réveillon, Manseau n'est pas très loin. Nous aurions pu revenir dormir ici et lui laisser la place à l'appartement de maman. Là, nous devrons aller à l'hôtel.

— J'ai loué quelque chose à Orléans. C'est une banlieue assez éloignée pour que le prix soit raisonnable.

Après son aventure européenne, sa sœur avait fait de lui le spécialiste des voyages. Évidemment, il avait choisi Orléans parce que les prix seraient meilleurs, mais aussi parce que les chances de faire la réservation avec une personne parlant français étaient plus grandes.

— En tout cas, Manseau aurait été infiniment moins cher…

Mieux valait changer de sujet, Solange n'en démordrait pas.

— Alain n'est pas là ?

— Il est chez une voisine, et s'il n'arrive pas très bientôt, je vais devoir aller le chercher !

Décidément, bouleverser ses habitudes mettait Solange de très mauvaise humeur. Le garçon devait avoir un bon instinct de préservation, car cinq minutes plus tard, il revenait.

❊

Jacques, Solange et Alain montèrent dans la Gremlin un peu après quatre heures. Heureusement, ils effectueraient tout le trajet par l'autoroute 40. Une section demeurait toujours à péage. Le jeune homme avait mis un peu de monnaie dans son sac de postier. Il tendit quelques pièces à sa sœur au moment de passer le poste de Berthierville. Après les avoir lancées dans le grand panier circulaire, elle lui dit :

— Dommage que tu n'aies jamais appris à conduire. Ça me permettrait de partager la corvée.

— Paul me l'a proposé quand j'étais au cégep, mais je n'avais aucune envie de l'entendre me dire : "Pèse su' la clutch" à répétition. J'ai ça en commun avec Aline, qui

99

a toujours refusé d'apprendre. Quand il existe déjà une multitude de sujets de dispute, il ne sert à rien d'en ajouter un autre.

— Tu n'aimerais pas avoir une auto ?

— Au contraire. Mais comme je ne sais pas conduire, ça ne me manque pas.

Un autre soir que celui-là, Solange se serait peut-être portée volontaire pour lui donner sa première leçon. Mais à une époque de l'année où les plaques de glace pouvaient se montrer traîtresses, dans la nuit noire à cause d'un ciel couvert, l'exercice se révélerait exténuant.

Trois heures plus tard, la situation se compliqua encore plus. Jacques avait cherché le chemin dans un atlas routier, multiplié les photocopies et les notes manuscrites, mais avec un succès mitigé. Lorsqu'ils eurent quitté l'autoroute 417 à la hauteur du boulevard Saint-Laurent, tous ces documents ne paraissaient plus utiles. Au point qu'ils durent chercher un commerce ouvert – pas une mince affaire, en cette soirée du 24 décembre –, afin de téléphoner à Lucien.

Après avoir entendu des explications qui n'étaient claires que pour celui qui les donnait, et cherché leur chemin encore pendant quarante minutes, ils finirent par se garer devant un bungalow. Lucien ouvrit la porte pour crier :

— Je peux vous aider à transporter quelque chose ?

— Non, dit Solange. Nous allons y arriver.

Quand il eut refermé la porte, elle grommela :

— S'imagine-t-il que je suis le père Noël et que j'arrive chargée de cadeaux ?

— Tu ne peux pas être le père Noël, tu es une fille, remarqua Alain avec à-propos. Ça pourrait être moi ou Jacques.

— Comme ce sera moi, dit ce dernier, il te reste le rôle de Rudolph.

Lucien ouvrit la porte de nouveau et se déplaça pour les laisser entrer. Après avoir refermé, il y eut des poignées de main et des bises maladroites.

— Occupez-vous d'Alain, dit Jeanine à ses enfants.

Les deux garçons et la fille montrèrent un enthousiasme tiède envers cette responsabilité. Les relations entre cousins demeuraient trop rares pour qu'il se soit développé un lien d'amitié entre eux. Tout de même, ils disparurent dans une chambre.

— J'ai apporté ça pour l'hôtesse, dit Solange en lui tendant une bouteille de vin.

C'est Jacques qui l'avait choisie. Dix jours en France et elle le voyait comme un expert en vin. Comme s'il avait appris par osmose. En réalité, il avait demandé conseil à l'employé de la Régie des alcools, qui ne lui avait pas paru savoir de quoi il parlait. Il sortit lui aussi une bouteille de son sac de postier en disant :

— Et ça, c'est pour notre hôte. La boisson des habitants du sud de la France, à en croire tous les films et les romans.

— Du pastis, dit Lucien en lisant l'étiquette. C'est fait avec de la réglisse, non ?

— Et de l'anis.

Ils se déplacèrent vers le salon. Curieux, ou peut-être soucieux de souligner son plaisir de les recevoir, Lucien ouvrit la bouteille de Ricard.

— Ça se boit avec de l'eau ?

— Fraîche.

— Je reviens.

Pendant son absence, Jeanine dit :

— J'ai compris que votre trajet a été très difficile.

— J'utilise ma voiture seulement dans les environs de Trois-Rivières. Je ne suis jamais allée plus loin que Manseau, dit Solange.

L'hôtesse n'alla pas jusqu'à exprimer ses regrets de lui avoir imposé ce déplacement. Heureusement, Lucien revint à ce moment avec des verres et une carafe d'eau. Bientôt, tous se déclarèrent enchantés de faire l'expérience de cette boisson. Tous, sauf celui qui l'avait apportée.

— Dans les films, ils ont l'air tellement heureux de boire ça. Je suppose qu'il faut le soleil de la Provence pour l'apprécier à sa juste valeur.

— Comment as-tu trouvé la France ? demanda Jeanine.

— De toute beauté ! Évidemment, nous n'avons vu que quelques endroits. Je pense qu'il faudrait des mois pour tout apprécier.

— Qu'est-ce qu'il y a là-bas que nous n'avons pas ici ? demanda Aline, comme s'il trahissait sa patrie d'origine.

— Par où commencer... D'abord nous sommes allés voir un musée ne contenant que des objets vieux de plus de cinq cents ans. Mille cinq cents ans, pour certains d'entre eux. Ensuite, nous avons visité Notre-Dame, à Paris. On l'a terminée vers 1345.

— Tu vas même pas à la messe, icitte.

— On peut apprécier les églises, et ne pas aimer les simagrées des curés. Les véritables héros de Notre-Dame, ce sont les charpentiers et les maçons.

Finalement, même les récits de voyage pouvaient susciter des malaises. Lucien dut le relancer :

— Et ce colloque ?

Sans évoquer un communiste à l'allure de comptable, ou un homme proposant de faire « l'histoire vue d'en bas » comme Raphael Samuel, Jacques voulut bien en rendre compte. Bientôt, il fallut penser à se rendre à la messe de minuit. Jeanine devait rester afin de voir à la préparation du réveillon. Jacques annonça qu'il ne serait pas de la partie. Aussi Solange proposa-t-elle à sa belle-sœur :

— Vas-y avec ta famille, je resterai ici.

— Et le réveillon ?

— Je suis capable de réchauffer les tartes et les pâtés.

Finalement, l'hôtesse se laissa tenter. Elle leur expliqua ce qu'il y avait à faire et se prépara à partir. Comme Alain se tenait dans un coin, sa mère demanda :

— Tu ne mets pas ton manteau ?

— Je préfère rester ici.

❁

À trois heures du matin, Solange annonça son désir de rentrer se coucher. Qu'ils aient pris l'initiative de louer une chambre apparut un peu comme une trahison à Lucien et sa famille.

— Nous aurions pu nous tasser pour vous faire de la place, dit-il.

— Tu es gentil, mais ce sera plus simple comme ça. Déjà, tu as une invitée.

Sa mère était là depuis quelques jours, et cela durerait encore une semaine.

— Bon, c'est comme tu voudras. Nous nous verrons au jour de l'An ?

— Bien sûr !

Ils se quittèrent sur un échange de bises, et de très nombreuses recommandations pour se rendre au motel sans trop de mal. Ça ne pouvait être plus simple : il s'agissait de rejoindre le chemin Montréal à deux pas, de rouler vers l'est jusqu'à Orléans, et de surveiller soigneusement les affiches lumineuses.

— On ne peut pas le manquer, selon lui, dit Solange en prenant place derrière le volant.

— Alors Alain et moi, nous garderons nos yeux ouverts.

Comme il ne vint aucune réponse de la banquette arrière, Jacques tourna la tête à demi. Le garçon était étendu de tout son long, profondément endormi.

— Je corrige : *je* garderai les yeux ouverts.

Cette fois, tout fut facile. Le motel donnait bien sur le chemin Montréal, l'affiche au néon se discernait de loin.

❀

Depuis son retour de France, Diane endurait l'agressivité passive de son époux. Le psychologue avait déclaré forfait assez rapidement : pour rapprocher un couple, il fallait au moins l'ombre d'un désir de trouver un terrain d'entente. Répéter *ad nauseam* « Je veux des enfants » et « Je ne veux pas d'enfant » ne conduisait nulle part.

Parler à des avocats serait plus utile, dans ces circonstances. Mais cela ne signifiait pas une rapide résolution pour autant. Au contraire, les discussions pouvaient durer aussi longtemps que les clients avaient de l'argent pour payer les honoraires. Ces professionnels ne conseillaient jamais de s'entendre s'ils pouvaient encore recevoir un chèque.

Dans ce contexte, l'atmosphère se faisait de plus en plus lourde dans l'appartement des Jardins Mérici. Diane trouvant une évasion dans le travail, les journées de plus de douze heures aux archives s'étaient multipliées avant Noël. Le plus difficile demeurait de faire bonne figure quand des invités venaient à la maison. Devant les membres de leurs familles respectives et, bien sûr, devant les collègues. Ceux de son mari essentiellement : Diane préférait tenir ses camarades d'école loin des vicissitudes de sa vie conjugale.

Aussi, le premier de l'an 1978, elle recevait quelques médecins œuvrant à l'hôpital Saint-Sacrement pour le brunch. Toujours les mêmes, ceux dont les épouses faisaient une fixation sur la couleur des électroménagers. D'ailleurs, la conversation porta un instant sur les nuances les plus en vogue. Ensuite, il fut question des dernières excursions à bord du Cessna de Robert.

— Vous n'avez pas eu envie d'aller passer Noël dans le Sud ? demanda quelqu'un.

— Non. Cette fois, nos deux familles ont pu se réjouir d'avoir notre présence au réveillon.

Quelque chose dans le ton empêcha les invités de poser des questions sur la nature de leurs activités. Robert voulut bien préciser :

— Ce n'est pas que nous ayons le don d'ubiquité. Nous sommes allés chacun de notre côté. Bientôt, nous nous séparerons.

Diane gardait assez de bronzage de ses derniers passages au soleil pour dissimuler toute rougeur de ses joues. Cette déclaration publique marquait la fin des tergiversations de son mari. Si la manière laissait à désirer, au moins, maintenant, il devrait sincèrement chercher un terrain d'entente.

— Mais pourquoi ? demanda une des femmes. Vous semblez si bien vous entendre.

Toutes les épouses présentes s'étaient troublées en entendant la nouvelle. Les divorces se multipliaient tellement que cela faisait penser à une épidémie. En regardant Diane, Robert lui fit comprendre qu'il préférait la laisser donner les explications.

— Robert pourra refaire sa vie avec quelqu'un qui voudra lui donner des enfants. Moi, je n'en veux pas.

Elle arrivait presque à faire passer son divorce pour un geste généreux. Quand les visiteurs furent partis, Diane demanda :

— Tu crois que c'était une bonne idée d'annoncer ça publiquement ?

— Tu as honte de la situation dans laquelle tu nous as mis ?

— Pourquoi aurais-je honte ? Je suppose que notre matériel de camping se trouve toujours dans le *locker*, au sous-sol.

— Pourquoi ?

— Je serai plus à l'aise sur un matelas gonflable, pour dormir dans mon bureau.

❁

Dans le cadre de ses études de maîtrise, Jacques Charon appréciait le fait de ne plus avoir à suivre des cours magistraux donnés dans une grande salle. Entendre des exposés de trois heures ne lui disait plus rien. Aussi, c'est sans plaisir qu'en janvier, il prit place à la dernière des rangées de sièges d'un amphithéâtre pour assister au cours d'histoire canadienne de Dagenais.

Cela lui donnait l'occasion de faire un autre apprentissage. Regarder la performance d'un professeur débutant, et les réactions des auditeurs, lui indiquait quelles erreurs ne pas répéter. Comme continuer à parler en tournant le dos à la classe, ou lire ses notes.

Après avoir donné congé à ses étudiants à la fin du premier cours, le professeur dit en arrivant à la hauteur de son assistant, à l'arrière de l'amphithéâtre :

— Alors, tu es toujours volontaire pour assister à ce cours jusqu'en avril ?

Ces mots témoignaient combien il ne se sentait pas tellement fier de son baptême du feu. Car Dagenais en était à sa toute première expérience.

— Je parie que la première chose que me dira un étudiant insatisfait de sa note sera : "Mais le professeur a dit en classe…" Je préfère être en mesure de répondre : "Non, il a plutôt dit…"

Et dans un pareil contexte, même si le professeur disait faux, l'important était de considérer sa parole comme sacrée.

— Oui, je comprends. Alors, à la semaine prochaine.

❀

Le département d'histoire mettait un local à la disposition des auxiliaires d'enseignement. Parfois, ils l'occupaient à trois ou quatre. À quelques reprises, Jacques avait été témoin de rencontres entre des étudiants insatisfaits. Ce jour-là, ce serait à son tour.

Bientôt, un étudiant entra dans la pièce. Un jeune homme qui présentait une carrure d'haltérophile. Il était coiffé comme Ingrid Bergman dans le rôle de Jeanne d'Arc dans le film de 1949. Et sa peau était aussi glabre que celle de la belle actrice suédoise. Quand il fut assis, Jacques commença :

— J'ai relu ton travail. La note me semble correcte. Tu devais me donner l'hypothèse et la problématique du texte.

— C'est ce que j'ai fait.

— Non, c'est un résumé.

En passant du statut d'étudiant à celui de professeur, Jacques mesurait combien parfois les premiers comprenaient mal, et à quel point les seconds devaient faire des efforts pour s'expliquer clairement. Alors, patiemment, il recommença en ayant une bonne pensée pour Normand Fecteau. Cet auxiliaire d'enseignement ne l'avait pas eu facile avec un étudiant aussi obtus qu'il l'avait été.

❁

De rencontre en rencontre avec les avocats des deux parties, les choses avaient traîné en longueur jusqu'au début du mois de mars, finalement. Cette fois devait être la bonne. Les époux Chénier – et ce serait encore le cas jusqu'aux procédures du divorce proprement dit, prévues pour plus tard – se trouvaient dans une salle du palais de justice, en compagnie de leurs avocats.

Le représentant de Robert dit en tendant un document à Diane :

— Voilà qui reprend le contenu de nos discussions. Si vous voulez le signer.

— Vous allez tout de même nous laisser le lire en toute quiétude, dit l'avocat de Diane. D'ailleurs, si vous nous donnez cinq minutes...

Sans attendre la réponse, déjà il se levait. Sa cliente lui emboîta le pas. Ils occupèrent des chaises dans le couloir. Il commença par lire le texte qui tenait sur une seule page, puis le lui remit en disant :

— Cela me semble conforme. Il vous remettra deux mille dollars à la signature de cette entente pour couvrir vos frais de subsistance en mars. Le même montant vous sera remis chaque premier du mois par la suite, et cela jusqu'au prononcé du divorce. Il reste toujours à s'entendre sur un montant définitif plus tard.

— Le même me conviendrait jusqu'à la fin de mon doctorat.

— Je veux bien, mais ne le dites pas à haute voix.

L'avocat ne renonçait pas à obtenir un peu plus. Et à augmenter la somme de ses honoraires, par le fait même.

— Vous serez en mesure de déménager d'ici le 1er avril ?

— Dans *Le Soleil* de ce matin, il y avait huit colonnes d'annonces d'appartements à louer.

— Pour les meubles, deux mille dollars vous conviennent?

— Je lui laisse le tapis *shag* et les fauteuils de cuir blancs. Avec ces deux mille dollars supplémentaires, j'en aurai assez pour m'acheter des meubles moins salissants.

À cet égard, elle entendait d'ailleurs se montrer très raisonnable.

— C'est un cardiologue, il pourrait donner plus.

— Je n'entends pas me faire entretenir comme une infirme. Je veux juste qu'il montre la même générosité que moi, dans le temps.

Elle n'en démordait pas : il contribuerait à payer ses études, comme elle l'avait fait pour lui – sans plus.

Un instant plus tard, ils retournèrent dans la petite salle, trouvant Robert en conciliabule avec son avocat. Diane reprit sa place et chercha un stylo dans son sac. Elle déposa ensuite son porte-monnaie devant elle.

— Vous devez signer les deux copies, dit le représentant de Robert en lui remettant la seconde.

Quand ce fut fait, il les plaça devant son client pour qu'il fasse de même, puis il remit deux chèques à Diane. Bientôt, elle rangea ceux-ci et sa copie de l'entente dans son sac. Comme les autres se levaient pour quitter les lieux, elle dit :

— Pas tout de suite.

Ouvrant son porte-monnaie, elle en tira sa carte Visa – le nom Chargex était tombé dans les limbes de l'histoire – et marcha vers son futur ex-mari pour la lui remettre.

— Je te remercie de t'être toujours montré généreux. Quand tout ça sera terminé, je serai heureuse de te revoir en ami.

D'abord interdit, il se pencha pour lui faire la bise, au grand scandale des deux hommes de loi. Si les gens se mettaient à divorcer comme ça, en grandes personnes, ce serait bientôt la faillite…

✿

Diane rentra seule à l'appartement. Pour cette rencontre avec les avocats, Robert avait dû déplacer les rendez-vous de quelques-uns de ses clients, mieux valait retourner au plus vite au travail. Ce n'était pas pour déplaire à la jeune femme. Elle ne s'imaginait pas du tout assise dans le salon en sa compagnie pour dire : « Quelle jolie séparation ! »

Chez elle, elle commença par se préparer un gin gimlet. Au moment de décrocher le téléphone Contempra de couleur orange dans son bureau, elle songea : « Je n'aurai plus les moyens de ces caprices, dorénavant. » Il lui faudrait réapprendre à compter. Son premier appel fut destiné à Monique.

— C'est fait, dit-elle sans préambule.

— … Comment te sens-tu ?

— Ni bien ni mal.

Pourtant, elle éloigna un instant le combiné pour prendre une bonne gorgée de gin.

— As-tu envie que je vienne ?

— Je te remercie, mais non. Ma première préoccupation est de m'ouvrir un compte à la banque pour déposer ma rente, et mettre le contrat dans un coffret. Je vais aussi regarder les appartements en location dans le journal. Pourrais-tu m'accompagner pour les visiter, et me donner tes sages conseils ?

— Quand tu voudras.

Bientôt, elles raccrochèrent. Comme deux minutes plus tard Diane se préparait un second *drink*, sa visite à la banque risquait d'être remise.

Chapitre 7

Quand un membre de la bande des quatre prenait l'initiative de sauter une journée de travail aux archives nationales, les autres paraissaient saisir l'occasion pour se consacrer aussi à d'autres tâches. Diane et Monique avaient convenu de se retrouver dans le stationnement du pavillon De Koninck. Elles montèrent dans la voiture de Diane.

— L'atmosphère doit être épouvantable, chez toi, dit Monique.

— Épouvantable ? Je ne sais pas, je n'ai aucune façon de comparer. Disons que le climat ressemble un peu à celui de la Russie : c'est froid.

— Il ne se montre pas... violent, j'espère ?

— Il n'a jamais levé la main sur moi. Ce n'est pas dans sa nature, je pense. Quant au ton...

Parler un peu plus fort, était-ce de la violence psychologique ? Et quand un homme ne parlait pas du tout ?

— Il est en colère. Quand il est là, c'est le silence ou alors nous avons des conversations qui se limitent à : "Passe-moi le sel."

— C'est pour ça que tu es prête à passer toutes tes journées et tes soirées aux archives ?

— Depuis des semaines, je couche sur un matelas gonflable dans mon bureau. Souvent, je reviens à la maison quand il est couché et lui part avant que je sois levée.

Même s'ils partageaient toujours le même appartement, en réalité, ils ne vivaient plus ensemble depuis janvier, depuis le jour où Robert avait annoncé leur divorce devant ses collègues.

— Il n'est pas venu à la maison pendant tout le dernier week-end.

— Il a déjà trouvé quelqu'un ?

— J'aimerais bien. Ça le mettrait de bonne humeur. Je pense qu'il préfère tout simplement éviter un endroit devenu difficile à vivre. Alors si tu veux bien, mettons-nous tout de suite à la recherche d'un logis pour moi.

Diane mit le moteur de la Mustang en marche puis elle quitta le campus en direction du chemin Sainte-Foy. Elle expliqua en s'y engageant :

— Dimanche, je suis passée en voiture devant toutes les adresses où j'avais pris des renseignements afin d'éliminer les endroits les plus miteux. Mon premier choix, à cause de la proximité, se trouve juste ici.

Le temps de dire cette phrase, et elle tournait à droite, dans l'avenue Nérée-Tremblay, et à droite encore, dans l'avenue Chapdelaine. Elle s'engagea dans le premier stationnement sur sa gauche et immobilisa la voiture.

— Qu'en penses-tu ?

Il y avait un alignement d'immeubles au revêtement de crépi blanc et de bois brun, et sur chaque balcon, un carré d'un rouge sombre.

— Ce n'est pas le Mérici...

— Le Mérici, c'est terminé, l'interrompit Diane avec humeur. C'était une autre vie.

— ... mais c'est tout à fait convenable.

Diane murmura des excuses. Sa situation commençait à peser lourdement sur son humeur. Cet ensemble d'immeubles s'appelait un peu pompeusement Les jardins du

Vallon. Il y avait trois étages au-dessus du rez-de-chaussée. La pyramide du Centre Innovation se trouvait tout près, de l'autre côté de l'avenue Nérée-Tremblay.

— Oui, c'est convenable, et surtout, près de tout. Dans le petit centre d'achat, il y a une Banque Nationale, une librairie, une brasserie et un Provigo. Je pourrais aller à l'université à pied.

— Toi, marcher jusque-là ? ricana Monique.

— J'ai dit : "je pourrais". Nous allons visiter ?

L'appartement se trouvait au premier. Quand Diane frappa, un homme vint ouvrir. C'était le concierge.

— Mesdames, entrez. L'appartement est encore occupé, mais comme je vous l'ai dit, il sera libre à la fin du mois.

Le salon se trouvait immédiatement à droite de l'entrée, la cuisine était à gauche. Cette pièce servait aussi de salle à manger. Il régnait un certain désordre et l'odeur des derniers repas des occupants flottait toujours dans l'air. La maison près du lac, à Beauport, ou même l'appartement donnant sur le fleuve paraissaient maintenant bien lointains.

Elles jetèrent un coup d'œil à la petite salle de bain. La chambre principale donnait sur la rue, la seconde, plus petite, sur le stationnement à l'arrière.

— Qu'en penses-tu ? demanda Monique à voix basse.

— Ce n'est pas si mal.

Avec deux mille dollars par mois, Diane aurait pu trouver mieux, beaucoup mieux même. En fait, elle aurait pu acheter une petite maison. Toutefois, cette entente durerait jusqu'au divorce. Impossible de savoir ce qu'il adviendrait ensuite.

— Surtout, vivre près de l'université me sera utile, puisque je pense m'inscrire au doctorat.

Quand elles revinrent dans le salon, ce fut pour trouver le concierge assis dans un fauteuil.

— Je le prends. Je pourrai emménager le 1ᵉʳ avril prochain. Le poêle et le frigidaire sont compris?

— Oui. Et si vous avez besoin d'un mobilier complet, ça peut s'arranger.

— Non, j'aurai seulement besoin du poêle et du frigidaire.

— On va signer le bail. Il sera bon jusqu'au 1ᵉʳ juillet 1979.

L'homme se rendit dans la cuisine pour occuper une chaise, Diane le suivit. Elle prit le temps de parcourir le document attentivement et s'assura que le montant inscrit était bien celui mentionné au téléphone. Ensuite, elle apposa sa signature.

Ce fut avec une copie dans les mains qu'elle retrouva Monique dans le salon.

— C'est réglé, on peut y aller.

En montant dans la voiture, Monique remarqua:

— Tu ne devais pas en visiter quelques-uns?

— Trois autres… Dès que nous arriverons au restaurant, je leur téléphonerai pour m'excuser.

❁

Cette fois encore, Diane prit les deux additions. En payant, elle dit:

— Je te remercie de m'avoir accompagnée.

— Je n'ai pas été très utile. Ce n'est pas comme s'il avait fallu soupeser les qualités respectives de plusieurs adresses.

— Tu m'as soutenue moralement. Je viens de quitter ma vie d'abondance. Dorénavant, je devrai économiser.

Monique comprit que ce repas marquait la fin des largesses de son amie. D'un autre côté, que leurs conditions financières redeviennent à peu près semblables n'était pas pour lui déplaire.

❁

En mars, Jacques renoua avec son inquiétude habituelle : assurer sa subsistance. Aussi il demanda un rendez-vous à Maurice Dumont. À ce moment de l'année, le professeur devait assister à une véritable procession de quémandeurs inquiets. Parce qu'il touchait les subventions les plus généreuses, il avait plusieurs postes à pourvoir. Mais comme il dirigeait le plus grand nombre d'étudiants à la maîtrise et au doctorat, les laissés-pour-compte seraient nombreux.

Pourtant, avant d'entrer dans le vif du sujet, l'étudiant commença par un petit détour. Une façon de mettre la table pour la suite de la conversation.

— Je serai certainement en mesure de terminer mon mémoire de maîtrise avant la fin de l'été.

— Déjà ?

— Au rythme où nous avançons tous les quatre, je ne serai pas le seul à pouvoir le faire. Alors je dois décider si je demande une bourse de doctorat tout de suite ou l'an prochain.

— Pourquoi l'an prochain, si tu dois finir cet été ?

— J'aurai fini le mémoire, mais vous ne l'aurez pas évalué. Ni vous ni les autres membres du comité. Dans le meilleur des cas, je ne pourrai pas obtenir mon diplôme avant l'automne. À ce moment-là, il sera trop tard pour faire une demande de bourses pour le doctorat. D'un autre côté, comme ma bourse pour la maîtrise est valide jusqu'en mai 1979, vaudrait-il mieux que je vive avec cet argent et que je retarde le dépôt du mémoire ?

C'était un long discours pour présenter une situation toute simple. On demandait toujours son admission au programme B – et la bourse devant permettre de survivre pendant sa réalisation – avant d'avoir terminé le programme A.

Le directeur de recherche devait témoigner de l'avancement du travail, et de sa réussite très probable. La célérité de Jacques susciterait des doutes, parce que personne n'allait aussi vite. Il avait donc la possibilité de ralentir la cadence pour profiter pendant un an de plus de la bourse de maîtrise. En revanche, celle-ci avait le défaut d'être très modeste, et il se lassait de vivre chichement.

— Des étudiants prometteurs peuvent passer directement au doctorat sans terminer la maîtrise, dit le professeur.

Que Dumont le propose spontanément fit plaisir à Jacques. Il connaissait la procédure, mais cela aurait eu moins de valeur s'il l'avait énoncée le premier.

— Ce serait la meilleure idée, je pense. Mais rendu aussi loin dans la recherche, je terminerai tout de même le mémoire de maîtrise pour vous le soumettre. Au point où j'en suis, ce serait dommage de ne pas le faire.

— C'est une bonne idée. As-tu pensé à un sujet pour ta thèse de doctorat ?

— Que pensez-vous de l'histoire de l'enseignement classique au Québec ?

Il s'agissait du programme suivi par les élites de la province jusqu'aux années 1960. Jusqu'à tout récemment, seuls ses diplômés pouvaient accéder à l'université. Peut-être Jacques voulait-il mesurer ce qui manquait à sa formation, comparée à celle de tous ces gens qui le regardaient de haut.

— Impossible, dit Dumont. Diane Gagnon vient tout juste de publier sur le sujet. Et mon collègue Galarneau travaille là-dessus depuis longtemps, le livre qu'il prépare sortira bientôt.

Si personne ne se montrait trop regardant quant au caractère inédit d'un mémoire de maîtrise, au doctorat il convenait de labourer un terrain vierge.

— Mais si tu t'intéresses à l'histoire de l'éducation, l'enseignement professionnel et technique ferait un bon sujet. Ou l'enseignement agricole, ou la formation des enseignants. Le Parti québécois travaille sur des réformes de l'éducation et aussi sur un institut de recherche sur la culture. Éducation et culture sont dans l'air du temps.

Le Soleil avait évoqué le projet d'un institut dont le responsable pressenti était le sociologue Claude Hamelin.

— Peut-être que dans ce contexte, dit encore Dumont, des historiens spécialistes de ces sujets trouveront à se faire embaucher.

— D'accord, je travaillerai sur l'enseignement professionnel. Puis-je proposer les autres sujets dont vous venez de me parler à mes amis ?

Le professeur hocha la tête. C'était ouvrir la porte à une poursuite de leur collaboration.

— Je vais donc me mettre au travail tout de suite afin de préparer mon projet de thèse de doctorat et une demande de bourses. Je vous les soumettrai tous les deux d'ici dix jours.

— Tous les trois... Le Conseil canadien de la recherche en sciences humaines et la Direction générale de l'enseignement supérieur donnent des bourses de doctorat.

Cette conversation représentait un véritable engagement : à la fois pour le passage accéléré au doctorat et pour les demandes de bourses, Dumont le soutiendrait. Jacques entendit revenir au premier motif qui l'avait attiré dans ce bureau :

— Pouvez-vous faire savoir à vos collègues que cet été, je serai à la recherche d'un emploi ?

— Tu t'entends bien avec Dagenais ?

— Oui, très bien.

— Dans ce cas, il y a peut-être une possibilité. Avec un peu de chance, tu en entendras bientôt parler.

L'étudiant savait avoir fait assez durer cette conversation. De plus, son directeur de recherche venait de lui
promettre beaucoup. Cela signifiait qu'il aurait énor-
mément de travail à réaliser dans un bref laps de temps :
demander deux bourses et, au préalable, rédiger un projet
de recherche.

Après avoir quitté le bureau de Dumont, en passant près
du secrétariat du département d'histoire, il reconnut une
silhouette familière.

— Bonjour madame Doyle, comment allez-vous ?

Elle s'arrêta, souriante.

— Plutôt bien. Je ne te vois plus sur le campus, ni tes
complices, d'ailleurs…

— C'est que nous passons tout notre temps aux Archives
nationales. De l'ouverture à la fermeture. Et vous savez
probablement qu'elles ferment très tard.

— Onze heures le soir !

Jacques acquiesça d'un geste de la tête.

— Pourrais-je vous parler quelques minutes ?

— Je dois passer chez Jean… Chez monsieur le directeur.
Mais dans une demi-heure, à mon bureau ?

— Je serai là.

❁

L'étudiant trouva une chaise libre près de l'entrée du
bureau du vice-doyen Samson, dans l'atrium. Il vit passer
le petit homme chauve et aperçut l'anneau à son doigt.
Un instant, il eut envie de s'informer des joies de sa vie
conjugale avec Sylvie-Nicole. De temps à autre, il croisait
la jolie jeune femme dans un couloir, ou même à la cafétéria.
Parfois, elle feignait de ne pas l'avoir vu et, parfois, elle lui
disait bonjour en affectant un mépris total.

À l'heure dite, il s'engagea dans l'escalier et frappa à la porte laissée entrouverte de Nadine Doyle.

— Tu demeures toujours aussi ponctuel, dit-elle en levant les yeux. Assieds-toi et dis-moi comment tu as trouvé Aix-en-Provence.

Il commença par évoquer le colloque au Creusot.

— Ça, nous le savons tous, au département. Tout le monde a été impressionné par votre rapport. Mais Aix ?

— Magnifique. Nous avons passé quelques jours à visiter la ville.

— Mais toi, qu'est-ce que tu as préféré ?

— Le cours Mirabeau, je pense. Assis aux Deux garçons, j'avais l'impression de voir les membres des clubs révolutionnaires commenter l'exécution de Louis XVI. J'ai aussi adoré la cathédrale Saint-Sauveur. J'y voyais les moines du treizième siècle se promener dans le petit jardin clos.

Après une pause, il dit en ricanant :

— Ou j'ai trop d'imagination, ou ce sont des hallucinations.

— Ou les insolations. Le soleil cogne dur, là-bas. Ou c'était à cause du pastis ?

— Ça, aucune chance ! J'y ai goûté seulement à Noël.

En parlant, il contemplait la jeune femme, le pétillement dans la prunelle d'un brun presque noir, les plis amusés à la commissure des yeux.

— Je t'empêche de me dire la raison de ta présence dans mon bureau…

— Au contraire, nous sommes en train d'en parler. J'ai aimé Aix au point de penser y faire un diplôme d'études approfondies. Seulement le DEA, cependant. Je ferai mon doctorat ici, sous la direction de Dumont.

— Tu as choisi le sujet ?

— L'histoire de l'enseignement professionnel. Mais je ne pourrais pas vous donner plus de détails, j'ai pris cette décision il y a moins d'une heure.

— Alors ton motif principal est de passer un hiver aux Deux garçons ?

Le ton était moqueur à souhait.

— J'aime beaucoup l'Université Laval, je tiens à travailler avec Dumont. Mais le discours ici est tout de même... conservateur. Pour entendre parler de marxisme sérieusement, j'ai dû prendre un cours de philosophie hors programme donné par un professeur allemand invité.

— C'est vrai qu'ici, il n'est pas souvent question de Karl Marx.

Quand on regardait les domaines d'expertise des professeurs et leurs perspectives théoriques, l'université semblait appartenir au siècle précédent.

— Pourtant, ce n'est pas le courant d'idées qui m'intéresse le plus. J'ai trouvé étrange d'entendre parler pour la première fois de Pierre Bourdieu et des *Actes de la recherche en sciences sociales* au Creusot. Même chose au sujet de Michel Foucault.

Jacques aimait particulièrement Pierre Bourdieu dont il avait lu *La reproduction*. Ce livre paraissait destiné à lui seul : il montrait tous les mécanismes par lesquels les enfants des élites apprenaient à devenir des privilégiés, et les gens comme lui à rester dans leur condition. Ce livre parlait de la reproduction des inégalités. Comprendre ce processus lui permettrait peut-être d'échapper à ce destin, finalement.

Son interlocutrice paraissait plus sensible aux travaux de Foucault.

— C'est vrai que *Surveiller et punir*, tout comme son *Histoire de la sexualité*, ne compte pas parmi les lectures conseillées dans les plans de cours du département. Tu as pensé à l'UQAM?

— Un enseignement basé sur les publications des Éditions de Moscou ou des Éditions de Pékin me répugne tout à fait. En plus, les professeurs y font des grèves presque aussi longues que ceux d'ici.

Elle rit de bon cœur devant le petit coup d'épingle, pour redevenir sérieuse au moment de demander:

— Tu veux que je te dise que ton projet est à la fois pertinent et réalisable?

Il hocha la tête.

— Je pense qu'il l'est.

Devant cet avis favorable, il passa aux questions plus pratiques:

— Il est facile de se loger à Aix?

— Il y a une résidence à l'université, et des chambres et des appartements en ville. Si j'entends parler de quelque chose, je te le ferai savoir.

Pendant un instant, il fut question des prix et de la qualité de la nourriture au restaurant universitaire. Ensuite il la remercia et se leva. Avant de sortir du bureau, il ajouta:

— À l'université d'Aix, Jean-Philippe a pris l'initiative de saluer Vovelle. Évidemment, nous l'avons suivi. Il a semblé un peu surpris.

— Il a été surpris et amusé. Il m'a envoyé un mot pour me relater l'événement. Moi, je lui ai adressé la parole pour la première fois environ six mois après mon arrivée en France, tellement j'étais impressionnée.

— Dans les mêmes circonstances, j'aurais mis un an.

— Non, je ne pense pas.

— En tout cas, j'étais vraiment intimidé.

Difficile de garder un secret quand on passait plusieurs journées interminables ensemble chaque semaine. Au moment où le petit groupe finissait de manger, juste avant de retourner au travail, Diane commença :

— Je voulais vous dire... Robert et moi, nous allons nous séparer bientôt. À la fin du mois, je vais déménager dans un appartement situé tout près de l'université.

— Oh ! Je suis désolé, dit Jean-Philippe. J'espère que les choses se passeront bien... Quoique dans les circonstances, c'est un souhait un peu ambigu. Alors, je souhaite que ça se passe comme tu l'espères, se reprit-il.

Pendant qu'ils marchaient vers la salle de travail, Jacques se retrouva à la hauteur de Diane.

— Si je peux te rendre service, dis-le-moi. Pour le déménagement, par exemple.

Elle s'arrêta pour le regarder :

— C'est gentil, mais en réalité, ça va être un bien modeste déménagement : je n'ai pas grand-chose à emporter de la maison. Pour les meubles, certains seront livrés par les magasins et d'autres par mes frères. Mes parents auront un beau salon tout neuf de style vaguement dix-huitième siècle français, et moi du style des années 1960. Je reprends leur mobilier.

— En tout cas, mon offre tiendra tant que tu en auras besoin. Il faut profiter du fait qu'il me reste encore un peu des muscles acquis par le travail à la ferme et en usine.

Diane esquissa un sourire. Pour monter ses plus grosses valises, l'aide d'un jeune homme robuste ne serait peut-être pas superflue.

En ce samedi du 1er avril 1978, Robert avait eu la délicatesse d'être absent. Cela évitait les mouvements d'humeur inévitables quand l'épuisement se mettait de la partie, car depuis plusieurs jours, Diane allongeait les heures au musée pour moins penser à sa situation. Et à son retour à la maison, elle mettait ses vêtements et ses livres dans ses valises ou dans des cartons jusqu'à une heure avancée de la nuit.

L'un de ses frères avait apporté sa contribution en entassant le plus grand nombre possible de ses objets dans la Mustang. Mais ce genre de véhicule n'avait pas été conçu pour les déménagements : finalement, il lui restait juste assez d'espace pour s'y asseoir. D'ailleurs, l'encombrement obstruait suffisamment sa vue pour lui faire risquer de recevoir une contravention.

Après avoir passé une première nuit avenue Chapdelaine, elle se rendit au Centre Innovation afin de téléphoner. La Société Bell Canada s'était engagée à faire le branchement au cours de la semaine à venir. La sonnerie retentit une vingtaine de fois avant qu'un jeune homme bourru ne vienne répondre.

— J'vais voir s'il est là.

Il fallut un moment avant que la voix de Jacques se fasse entendre.

— Pas très aimable, ton voisin.

— Le dimanche matin, les étudiants normaux ne sont pas aimables avant midi.

— Je me le tiendrai pour dit. Écoute, puis-je me prévaloir de l'offre que tu m'as faite il y a quelques jours ? J'ai besoin de bras. Si tu peux venir avant midi, je vais te payer en t'offrant un mauvais repas. Comme ça, nous en aurons terminé avant l'arrivée des autres.

❁

Comme convenu, il frappa à la porte à onze heures quarante-cinq. Quand elle ouvrit, il sentit une odeur de poisson.

— Tu seras le premier à visiter mon château.

D'abord elle lui montra le salon. Un vieux canapé était rangé contre un mur. Recouvert d'un tissu à carreaux dans des tonalités de brun, ce sofa témoignait très bien de la mode des années 1960. Les deux fauteuils, l'un dos à la fenêtre, l'autre juste en face, faisaient partie du même ensemble. Contre l'autre mur, un téléviseur assez récent était posé sur un meuble.

— Sauf la télé, dans cette pièce, tout vient de chez mes parents.

Elle le lui avait déjà dit. Il la suivit dans la plus petite des chambres. Le pupitre avait un air de famille avec ceux de la fonction publique une vingtaine d'années plus tôt. Dessus, il y avait une machine à écrire IBM Selectric et quelques documents. Il y avait également des étagères vides aux murs.

— C'est pas mal à cause de ça que je voulais ton aide. Mes livres et une bonne partie de mes vêtements sont encore dans mon auto. Mais avant, je te montre ma chambre pour que tu me plaignes un peu.

Par la porte ouverte, il vit le matelas gonflable sur le sol avec une couverture jetée dessus.

— Ça va rester comme ça pendant longtemps?

— Il y a un magasin de meubles usagés dans le quartier Saint-Roch. Le propriétaire me livrera un lit et une commode cette semaine. Mais au moins, le matelas sera neuf.

L'idée de coucher sur celui d'un autre provoquait chez elle une petite grimace dégoûtée.

— Maintenant, allons manger. Tu devines ce que c'est ?

— Riz au thon.

— Regarde, dit-elle en ouvrant la porte du garde-manger.

Il vit une douzaine de boîtes de conserve Clover Leaf bien rangées.

— Ils te font un prix de gros ?

— Pas encore, mais je m'essaierai. Tu bois quoi ?

Pour lui, ce serait un Coke. Elle s'en tenait au café, de son lever jusqu'au milieu de l'après-midi. Quand Diane fut assise, Jacques demanda :

— Ça s'est bien passé, quand tu es partie ?

— Au cours de toute la dernière semaine, je l'ai vu trois heures, maximum. Et pas du tout les trois derniers jours. C'est un homme sage. Depuis les Fêtes, les jours où il était trop en colère, il est allé à l'hôtel.

Évidemment, les choses ne se passaient pas forcément de la même façon dans un milieu moins nanti. Il se souvenait des scènes interminables auxquelles Solange avait été exposée. À l'époque, il fréquentait le Cégep de Trois-Rivières.

— J'en suis heureux. Ce genre de situation peut dégénérer... Pour la poursuite de tes études, ça ira ?

— Je ne suis pas à plaindre aujourd'hui, et je pense que ce sera la même chose ensuite. De ton côté, as-tu reçu des nouvelles de Dumont ?

— Je l'ai vu la semaine dernière. Il m'a simplement déclaré : " T'inquiète pas, ton affaire avance !"

Le professeur se donnait un air rassurant, mais cela ne suffisait pas à calmer un esprit inquiet.

— Pour lui remettre tes demandes de bourses ?

— Oui, on est déjà en avril. Je lui ai aussi remis un projet de doctorat.

Diane haussa les sourcils, surprise et un peu fâchée, comme s'il venait de trahir l'entente de collaboration passée trois ans plus tôt. Pendant ces années, chacune des étapes de leurs études avait fait l'objet d'une concertation.

— Tu as déjà choisi?

— Je voulais travailler sur l'enseignement classique, il a refusé. Alors je ferai ce qu'il m'a dit.

— Tu travailleras sur quoi?

— J'aimerais mieux vous en parler à tous en même temps. Parce que ça vous concerne aussi.

Elle insista bien un peu, mais finit par se plier à sa volonté. Bientôt, ils déposaient les assiettes dans l'évier.

— C'est dans l'auto, dit-elle ensuite.

Quand ils furent à côté de la Mustang, Jacques déclara:

— Il y a un bon Dieu pour les futures... étudiantes au doctorat.

Jacques avait changé le choix de ses mots à la dernière seconde. Il avait pensé «joyeuses divorcées».

— Déjà, cette auto est une tentation pour les voleurs. Mais une voiture pleine comme ça, c'est une incitation au crime, reprit-il.

— Je ne suis pas particulièrement souffreteuse, mais je n'ai pas été capable de descendre la grosse valise rouge jusque dans le stationnement, au Mérici. Ici, je n'ai même pas essayé de la monter, avoua Diane.

Il y avait une valise de taille moyenne dans le coffre, en plus de la grosse sur la banquette arrière. Et une boîte sur le siège du passager.

— J'ai monté le reste, mais ça, je ne peux pas, expliqua-t-elle.

Jacques prit le carton dans ses bras et le monta prestement. À son retour, elle avait mis la plus petite des valises sur le sol.

— L'autre, je n'arrive même pas la faire bouger.

Jacques se plia en deux pour avoir accès à la banquette arrière. Avec une voiture à seulement deux portières, ce n'était pas une mince affaire. Après un premier effort, il dit :

— Je me demande comment a procédé le gars qui l'a mise là.

— Si tu ne peux pas...

— Si elle est entrée, elle peut sortir.

N'empêche qu'il étouffa quelques jurons. Quand le bagage fut sorti, il demanda :

— Mais qu'est-ce que tu as mis là-dedans ?

— Mes livres... Tu vas être capable de la monter ?

— Évidemment. Je crains surtout que la poignée se casse.

Quelques minutes plus tard, assis sur le plancher de la chambre qui servirait de bureau, il avait ouvert la valise.

— Tu les classes comment ?

— Un peu au hasard. Tiens, place-les selon leur taille. De toute façon, je n'en ai pas assez pour chercher bien longtemps.

— Alors je vais te passer les petits.

Jacques lui tendit quelques livres de poche, des romans. Il devait se tourner vers elle pour les lui donner. Pour ce genre de travail, elle portait des jeans et un chandail à manches longues. L'ensemble était assez moulant pour retenir le regard, surtout de son point de vue. Quand elle les eut placés sur l'étagère du haut, elle demanda :

— Songes-tu encore à passer une année à Aix-en-Provence ?

— Oui. D'autant plus que Dumont ne m'a pas découragé de le faire, et Doyle m'a même plutôt encouragé.

C'était une façon de présenter les choses. Tout au plus, elle avait convenu que le projet était intéressant.

— L'idée me trotte dans la tête aussi. Surtout maintenant. Ce serait une façon de rompre avec le passé.

— J'ai écrit à l'université afin de savoir si c'était réalisable. Je te transmettrai toutes les informations dès que je les recevrai.

— Qu'as-tu demandé, exactement ?

— S'ils acceptaient d'admettre un étudiant pour le seul DEA, et si quelqu'un serait à même de me diriger.

Placer les livres ne leur prit qu'une demi-heure.

— Tu veux m'aider à ranger mes vêtements ?

Comme il ne répondit pas tout de suite, elle précisa :

— Ne t'inquiète pas, tous mes dessous sont dans ma petite valise et tu n'y toucheras pas. Moi non plus, d'ailleurs. Je n'ai pas de commode où les mettre. Nous rangerons seulement ce qui va dans cette garde-robe.

C'est-à-dire des chemisiers, des chandails, des pantalons et quelques robes. Il s'occupa de transporter les manteaux dans la penderie de l'entrée. Quand ils eurent terminé, elle proposa :

— Je me sers un gin gimlet. Tu en veux un ?

— Je n'y ai jamais goûté.

— Justement...

Finalement, il apprécia la boisson.

Chapitre 9

Jean-Philippe fut le premier à arriver chez Diane en fin d'après-midi. La surprise de trouver Jacques déjà sur les lieux se lisait sur son visage. Peut-être aussi était-ce de la déception, comme si tout devait se faire à quatre.

— Je suis passé par ta chambre tout à l'heure, lui dit-il. Nous aurions pu faire le trajet ensemble.

— Diane a demandé la contribution de mon imposante musculature.

— Mes livres et une partie de mes vêtements étaient toujours dans ma voiture, parce que je n'avais pas pu les monter, précisa celle-ci. Tu en veux un?

Elle lui montra le verre qu'elle avait à la main.

— Tu as de la bière?

— Pour la prochaine fois, promis.

Finalement, Diane prépara trois gimlet, car Monique venait d'arriver. Quand tous furent assis, cette dernière ouvrit son sac en disant:

— J'ai terminé mon exposé hier soir… Et moi qui espérais échapper à ce genre d'exercice à la maîtrise!

Elle sortit quelques feuilles et les déposa sur le plancher, près de son fauteuil. Ils se réunissaient pour se présenter l'un à l'autre le travail préparé dans le cadre d'un séminaire de Pierre Aubut.

— Avant de commencer, intervint Diane, je voudrais aborder un autre sujet. Tout à l'heure, Jacques m'a dit avoir remis un projet de doctorat à Dumont.

La nouvelle fit son effet. Jacques jugea utile de se justifier :

— Quand on dépose une demande de bourses, ça s'accompagne d'un projet de recherche. J'ai dû improviser.

L'explication ne rassura pas tout à fait les autres. Eux ne présentaient pas de demandes aux organismes subventionnaires, étant trop incertains de la qualité de leur dossier.

Il continua :

— L'histoire du cours classique me semblait être une bonne idée, mais je ne m'étais pas donné la peine de vérifier la littérature disponible. Dumont m'a tout de suite découragé, parce que le sujet a fait récemment l'objet de publications. Cependant, tous les autres domaines de l'éducation spécialisée lui paraissaient être intéressants : enseignement agricole, enseignement technique, enseignement ménager, enseignement normal.

— Tout ça n'est pas très à la mode, remarqua Diane.

— Selon lui, ce serait au contraire des champs d'études valables, à cause de l'intérêt du PQ pour le sujet. En tout cas, avec les grèves qui se succèdent sans cesse, les écoles occupent les journaux tous les jours depuis quelques années. Il a même évoqué les possibilités d'emplois pour nous si nous nous intéressons à ce domaine.

Cette information retint l'attention de ses amis. Il les entretint même de l'éventuelle création d'un institut de recherche.

— Quel sujet as-tu retenu ? demanda Monique.

Ses sourcils froncés trahissaient sa méfiance : il devait avoir choisi le plus intéressant et le plus facile. Il la prit par surprise :

— L'enseignement technique.

Il s'agissait certainement de l'objet de recherche le plus rebutant du lot.

— L'enseignement ménager m'intéresserait, dit Diane. Peut-être à cause de la tournure que vient de prendre ma vie personnelle, mais aussi parce que dans le passé, j'ai été fascinée par les filles qui choisissaient d'aller à l'école du bonheur.

C'était la façon habituelle de désigner les instituts familiaux, des établissements destinés à former des épouses «dépareillées», plutôt que de préparer au marché du travail.

— De mon côté, je prendrais les écoles normales, dit Monique. Pour la formation des enseignants, mais surtout des enseignantes.

Ensuite, tous les regards se portèrent sur Jean-Philippe qui annonça timidement :

— Pierre Aubut m'a proposé un poste d'assistant de recherche pour l'été prochain, afin de travailler sur les sociétés d'assurance canadiennes-françaises. C'est un emploi qui pourrait se continuer pendant l'année scolaire et l'été suivant. Il m'a expliqué que si j'en faisais mon sujet de doctorat, ce serait plus simple.

Ce serait plus simple puisqu'il serait payé pour se familiariser avec le sujet. Et ce serait plus facile pour son employeur également : son assistant de recherche travaillerait pour son propre compte, en quelque sorte, alors il ne ménagerait pas ses heures. Jacques se sentit rassuré : non seulement il n'était pas le seul à planifier les années à venir sans se concerter avec les autres, mais à cet égard, son ami avait pris une longueur d'avance. Il aurait pourtant parié que Monique serait la première à vouloir faire cavalier seul.

Le silence dura un instant : chacun ressentait tout de même un certain vague à l'âme. Le petit groupe si rassurant, au début du premier cycle, se fissurait. Ensuite, ils se mirent au travail afin de pouvoir faire la meilleure impression possible dans le cadre du séminaire de Pierre Aubut. Cela les occupa jusqu'en soirée, assis autour de la table de la cuisine, en mangeant les « mets chinois » commandés chez Sam Wong.

Jacques Charon comptait maintenant les jours le séparant de la fin de la session. On était le 12 avril, et le cours de Bernard Dagenais se terminerait le 26 avril. Jusque-là, le salaire d'un auxiliaire d'enseignement suffisait à satisfaire ses besoins, mais cela ne lui permettait pas de faire des économies et il ne restait plus grand-chose dans son compte de banque.

À la fin du cours de Dagenais, Jacques s'attarda à sa place dans la dernière rangée. Depuis le début de la session, cela ne ratait pas : chaque semaine, le professeur et lui discutaient pendant quelques minutes.

— Dumont t'a parlé ?

— Non, répondit Jacques.

— Il aura oublié. Demain, peux-tu venir à mon bureau vers onze heures ?

— Bien sûr. Quand vous voudrez. Mais... je peux savoir à quel sujet ? demanda l'étudiant, inquiet.

— Tu sais certainement qu'il t'a recommandé pour un travail ?

Impossible de dire : « Très vaguement, et ça fait un bon mois. Je croyais qu'il avait oublié ! » Il se contenta de hocher la tête.

— Robson est venu d'Ottawa afin de régler les détails. Tu le connais ?

Jacques secoua la tête.

— Un gars du musée de l'Homme. Il dirige un projet de recherche susceptible de nous employer tous les deux.

Après quelques explications supplémentaires qui n'éclairèrent pas vraiment la lanterne de l'étudiant, le professeur quitta l'amphithéâtre sans s'attarder.

Au moment de rentrer chez lui, Jacques demeurait très songeur. Dumont s'était limité à lui demander s'il s'entendait bien avec Dagenais, sans plus, pour le laisser ensuite à ses inquiétudes. Cependant, impossible d'aller lui reprocher cette indélicatesse. Jacques se savait totalement à sa merci, à la fois pour la demande de bourses, le projet de recherche de doctorat et son emploi. Celui de l'été à venir et celui qu'il obtiendrait à la fin de ses études. Parce qu'aucun nouveau détenteur de doctorat ne pouvait être embauché sans une solide recommandation de la part de son directeur de recherche.

Jacques dormit très mal cette nuit-là. Il se rendit dans l'antichambre des bureaux des canadianistes – les professeurs d'histoire canadienne – longtemps à l'avance. C'était aussi une façon de forcer le destin. Quand Dumont sortit de son bureau, il s'arrêta, un peu étonné :

— Nous avons rendez-vous ?

— Non, j'attends pour voir monsieur Dagenais.

— Ah oui ! L'emploi pour le musée. As-tu reçu des nouvelles à propos de tes demandes de bourses ?

Au moins, il existait des choses dont il se souvenait.

— Non. Je ne pense pas en avoir avant l'été. Et si ça ne marche pas, je ne pense pas continuer au doctorat. Je préfère que vous le sachiez.

— Comment ça ?

— N'avoir aucune des deux, c'est un signe assez net que je ne me classe pas très bien parmi les candidats. Dans ce cas, mes chances de me trouver un poste dans une université seront bien minces. Quant à devoir m'endetter encore pour continuer mes études, je ferais mieux de le faire dans un domaine où il existe des emplois.

— Oui, je comprends… Mais dans quel domaine existe-t-il des emplois, selon toi ?

— Le droit.

— On en forme beaucoup, des avocats…

— Je pensais plus à notaire. Il y en a dans toutes les campagnes.

Dumont hocha la tête et retourna dans son bureau.

Si Jacques s'était présenté à l'avance, Dagenais, lui, fut en retard. Il arriva en compagnie d'un homme sorti tout droit d'une gravure du siècle précédent. Grand, dégingandé, il avait une moustache qui rejoignait ses favoris sur ses joues. C'était peut-être un moyen pour compenser une tête qui se dégarnissait précocement. Et pour attirer encore plus le regard, toute cette pilosité était rousse.

— Terry, commença Dagenais, voilà notre homme, Jacques Charon. Jacques, je te présente Terry Robson. Il est chercheur au musée de l'Homme, à Ottawa.

Il y eut un échange de poignées de main.

— Compte tenu de l'heure, autant aller manger tout de suite, proposa Dagenais.

Aussi ce fut en marchant vers le Pollack que l'Anglais lui demanda où il en était dans ses études et quel serait son sujet de recherche au doctorat. Robson parlait un français impeccable, avec une pointe d'accent. Jacques se garda bien de questionner celui qui semblait devoir devenir son nouveau patron. Ils allèrent au Cercle universitaire. En attendant de commander, Jacques écouta les autres échanger des souvenirs. Ils avaient fait leur maîtrise ensemble, sous la direction de Dumont. Voilà qui expliquait la qualité du français de Robson. L'un avait continué au doctorat, l'autre avait trouvé un emploi dans un musée.

Ensuite, Robson se tourna vers l'étudiant en disant :

— Je suppose que tu te demandes encore ce que tu fais ici. Je dirige un projet de recherche sur la civilisation matérielle du Bas-Canada.

Dans des mots plus clairs, le cadre de vie et les conditions matérielles d'existence des gens qui habitaient le territoire devenu plus tard le Québec, entre 1760 et 1840.

— Mon budget me permet d'embaucher une dizaine d'étudiants, tous de premier cycle. Ce sera pour travailler aux Archives nationales. Tu connais les Archives ?

— J'y ai passé beaucoup plus de temps que chez moi, au cours de la dernière année.

— C'est ce que me disait Dumont. De neuf heures le matin à onze heures du soir. C'est vrai ?

— Mais pas sept jours par semaine, quand même.

Robson éclata de rire. Le serveur vint mettre les boissons sur la table. Chacun se versa un peu de bière. Jacques se demandait toujours ce qu'il faisait là. Toutefois, son interlocuteur choisissait le rythme de ses confidences. Cela vint après quelques gorgées.

— Penses-tu que tu pourrais les encadrer ?

Jamais il n'avait effectué un travail de ce genre, mais répondre autrement que par l'affirmative signifierait un été de chômage. Ou, plus précisément, qu'il devrait chercher à s'employer dans une usine ou un commerce. D'un autre côté, comme ce serait la première fois, s'il affichait trop d'assurance, il paraîtrait fort prétentieux.

— Je crois, oui. Vous serez en mesure de me faire connaître exactement les objectifs du projet ?

Robson aussi se promenait avec un sac de postier à l'épaule. En cuir, celui-là. Il en tira un document d'une trentaine de pages pour le lui tendre.

— Tu lis l'anglais ?

— Oui, couramment.

« Surtout des livres portant sur la révolution sexuelle et le féminisme », songea-t-il. Le rapport de Shere Hite, le livre de Suzanne Heck, le roman de Marylin French s'étaient additionnés à toutes ses lectures antérieures sur le sujet. Évidemment, le premier, sur les joies de la masturbation féminine, n'avait pas enrichi ses connaissances historiques concernant le Bas-Canada. Pas plus que les autres, d'ailleurs.

— Alors mets-toi là-dessus et complète le texte s'il y a des sources auxquelles je n'ai pas pensé. Comme je passerai l'essentiel de mon temps à Ottawa pendant les mois à venir, Bernard pourra te recevoir et répondre à tes questions, si tu en as besoin. Dans deux semaines, jour pour jour, tu pourras te libérer ?

— Toute la journée, si vous le voulez.

— Nous procéderons à des entrevues des candidats. J'ai réservé une pièce à l'hôtel Hilton. Le travail commencera le lundi 1er mai, à neuf heures.

Ainsi, Jacques ne connaîtrait pas une journée de chômage.

— Des candidats se sont déjà manifestés ?

— Quelques-uns ont été sollicités dans mon cours, dit Dagenais, ou alors ils l'ont été dans celui d'Aubut.

Il n'y avait pas eu d'affichage, donc. Une façon pour les professeurs de se créer une « clientèle », disaient les historiens. Des personnes seraient infiniment reconnaissantes d'avoir bénéficié de cette chance inattendue, et disposées à exprimer cette reconnaissance. Ce ne fut qu'à la toute fin du repas que Jacques apprit que son salaire serait de vingt pour cent plus généreux que le salaire minimum.

❀

Comme ils étaient deux maintenant à avoir un emploi d'assistant de recherche, jusqu'à la fin avril, la bande des quatre devait mettre les bouchées doubles pour terminer la collecte des données nécessaires à la rédaction de leur mémoire de maîtrise. Aussi, le lundi 24 avril, ils s'étaient retrouvés au musée dès le matin. À midi, Jacques expliqua :

— La question de mon travail d'été est enfin clarifiée. Je vais devoir m'occuper d'un groupe d'étudiants de premier cycle embauchés par le musée de l'Homme d'Ottawa.

— Le musée de l'homme ? dit Diane, moqueuse.

— Oui, et homme avec un « H » majuscule.

Pour désigner l'humanité, homme et femme. La précision ne parut pas du tout satisfaire son amie.

— Pourquoi ce sont des étudiants de premier cycle ? demanda Monique.

Elle paraissait dépitée. Pourtant, au cours des dernières semaines, elle n'avait pas exprimé le désir de dénicher un emploi.

— Pour les payer moins cher. Moi, j'aurai un peu plus pour leur expliquer comment fonctionnent les archives. Je passerai tous les jours du prochain été ici.

Diane reprit la parole pour confier :

— De mon côté, je compte vérifier si j'ai compris quelque chose au Creusot, l'automne dernier. J'ai obtenu les coordonnées de deux charpentiers. Reste à savoir s'ils pourront m'apprendre quelque chose sur leurs conditions de vie.

— Ils ont quel âge ? demanda Jacques.

— Quatre-vingts ans.

— S'ils ont gardé toute leur mémoire, ils pourront te parler des années 1920.

— Je l'espère, répondit-elle.

Dans le même ordre d'idées, Jacques procéderait à des entrevues avec d'anciens militants ouvrier, et Jean-Philippe auprès d'administrateurs de sociétés de construction. Excepté Monique, tous pouvaient affirmer avoir tiré un réel profit de leur passage en France.

— Je passerai surtout beaucoup de temps à l'université, expliqua encore Diane. J'ai pensé utiliser l'*Annuaire Marcotte* afin de dresser une carte de Québec indiquant où habitaient les travailleurs de la construction.

— L'annuaire, c'est un bottin, non?

— Sans numéros de téléphone, le plus souvent, parce que la plupart des gens n'ont pas d'abonnement avec Bell. Je vais te montrer.

Diane sortit quelques photocopies de son sac.

— Tu vois, si je regarde la lettre C, je sais qu'Édouard Cauchon habite au numéro 7, rue Lejeune. L'annuaire donne aussi son métier : menuisier.

— Tu devras lire toutes les pages et trouver tes gars de la construction un à la fois. Ce sera long.

— Très long. Je compte le faire pour 1901, 1911, 1921...

Jacques comprenait le principe. En procédant ainsi, avec un annuaire tous les dix ans, elle aurait sans doute plus d'un millier de pages à parcourir. Personne, à part un historien, ne soupçonnerait la somme de travail investie simplement pour réaliser un plan de ville montrant la répartition des travailleurs de la construction selon les rues et les quartiers. Ils avaient appris à tirer profit de ce genre de document dans le cadre des cours de Pierre Aubut, du premier suivi en 1974 jusqu'à celui au second cycle qui se terminerait cette semaine.

Dresser la liste des tâches encore à effectuer aurait dû les convaincre d'abréger leur repas pour retourner au travail afin de terminer leur mémoire. Pourtant, Monique relança la conversation :

— Ce projet du musée de l'Homme, en quoi consiste-t-il exactement ?

— C'est comme une partie de pêche : il faut tendre des lignes et voir ce que l'on attrapera. Parce qu'étudier la culture matérielle, c'est à la fois tout et rien. Robson veut donc rassembler une dizaine d'étudiants pour faire l'inventaire de toutes les sources disponibles sur la période 1760-1840. Au salaire minimum, après tout, ça ne lui coûtera pas grand-chose.

— La tâche sera exécutée par des gens qui ne sauront pas vraiment juger de la pertinence de ce qu'ils auront sous les yeux.

Ce serait bien là la première difficulté. Jacques aurait fort à faire pour encadrer tout ce monde.

❀

Le mercredi 26 avril, Jacques Charon avait terminé son travail d'auxiliaire d'enseignement dans le cadre du cours de Bernard Dagenais. Mieux encore, il avait remis les dernières copies corrigées. Le lendemain, jeudi, cela lui permit de se présenter à l'hôtel Hilton l'esprit en paix, afin d'effectuer le choix des candidats. En réalité, celui-ci était déjà fait. Il s'agissait d'une formalité.

Terry Robson avait réservé une salle inutilement grande afin de se livrer à cet exercice. Dagenais et lui étaient installés derrière une table, Jacques les rejoignit.

— Tu as jeté un coup d'œil à mon projet ? demanda l'homme du musée à Jacques.

— Je l'ai regardé attentivement. J'ai même essayé d'établir un plan de travail à partir des objectifs que vous avez formulés, avec les sources documentaires susceptibles de fournir des informations.

Il sortit deux copies de son sac. Une pour chacun de ses interlocuteurs. Éventuellement, il devrait s'informer de l'existence d'un budget pour couvrir les dépenses de ce projet. Avant même d'avoir reçu un cent, il assumait déjà le coût des photocopies.

— Par exemple, en ce qui concerne le cadre de vie, le mieux est de partir des inventaires après décès. Comme ça, nous avons le détail du contenu des maisons.

Le droit français prévoyait en effet la distribution des biens d'un défunt entre sa femme et ses enfants. La part de chacun des héritiers était fixée par la coutume. On dressait alors un inventaire détaillé des possessions du défunt afin que personne ne se sente lésé. Les terres, les bâtiments, mais aussi tous les objets. Cela permettait de savoir combien le mort possédait de lits, de tables, de sièges, de manteaux, de chemises – y compris le tissu utilisé pour les confectionner.

— Pour l'habitat, les contrats de vente sont assez détaillés, mais le mieux serait de voir les contrats de construction. Ils donnent la largeur, la hauteur, la profondeur, la taille et le nombre des portes, des fenêtres, et tous les matériaux.

Les deux autres hochèrent la tête. Pour des projets de ce genre, un menuisier charpentier établissait un contrat devant notaire avec son client. Comme aucun des deux ne voulait être floué, ils prévoyaient tous les détails. Jacques continua ainsi en mentionnant d'autres objets de recherche, et les sources correspondantes. Il dit pour conclure :

— En ce qui concerne la démographie, les recensements gouvernementaux sont rares et incomplets à cette époque. Je pourrais toutefois utiliser les registres des naissances, des décès et des mariages. Ce sera long, mais le portrait promet d'être fidèle. J'aimerais m'en occuper moi-même.

Robson ne dissimula pas sa satisfaction. Il s'était imaginé prisonnier à Québec pendant dix jours pour réaliser une planification de ce genre, et voilà qu'il l'avait déjà sous les yeux. Jacques continua :

— La difficulté, ce sera le niveau de compétence des étudiants. Même avec des documents pertinents dans les mains, je doute qu'ils devinent le profit à en tirer.

— Nous pourrons les remplacer au besoin, dit Dagenais.

— Il serait plus simple de les former au fur et à mesure. Ils doivent bien commencer lundi prochain ?

Ce fut Robson qui confirma l'information.

— Je peux réserver moi-même les boîtes de documents dès demain, pour qu'elles soient disponibles lundi. Pendant les deux premières semaines, je passerai sans cesse de l'un à l'autre pour les guider. Ensuite, je pourrai travailler un jour sur deux sur les registres.

Le patron se montra tout à fait satisfait de cette façon de travailler. Bernard Dagenais parut comprendre qu'il aurait bien peu à faire dans ce projet. Son visage exprima un certain désintérêt. Restait à savoir s'il se réjouissait de la situation ou non.

— Bon, dit Robson en regardant sa montre, maintenant, il serait bien de recevoir le premier de ces jeunes gens. Voilà une demi-heure qu'il attend.

❀

L'étudiant en question s'appelait Gilles Groslouis, un grand jeune homme efflanqué portant des cheveux plutôt longs et de petites lunettes à monture métallique. Il achevait sa première année du programme d'histoire. Il ne connaissait des sources historiques et de leur usage que ce qu'il avait appris dans les deux cours de Pierre Aubut. Au moins, il avait fréquenté les Archives nationales, le temps de préparer des travaux scolaires.

Comme Groslouis ne jeta aucun cri d'effroi à la perspective de toucher le salaire minimum, il fut le premier à apposer sa signature au bas d'un contrat d'embauche pour les quatre mois à venir. Il serait à l'emploi du musée de l'Homme, à Ottawa.

Vint ensuite une brunette, Marie Lemay.

— Où en es-tu dans ton programme ? lui demanda Jacques.

— Je termine un premier cycle en anthropologie.

— En anthropologie ? s'étonna Robson.

Elle eut un regard inquiet.

— C'est réservé aux gens en histoire ? Quand monsieur Aubut en a parlé en classe, il ne l'a pas précisé.

— Tu sais lire et écrire, j'en suis certain, dit Jacques.

— Je me débrouille plutôt bien, je pense.

— Moi, ça me va, dit Jacques en regardant les deux autres.

Ils acquiescèrent. C'était ça, avoir un certain pouvoir. Accorder un emploi d'été suffisait parfois à changer une existence. La fille signa son contrat. Il y eut ensuite un autre garçon qui fut embauché.

❁

Bernard Dagenais avait prouvé l'inutilité de sa présence en s'incrustant toute la matinée. Au moment où Robson s'apprêtait à marquer un temps d'arrêt pour aller dîner, il annonça :

— Vous voudrez bien m'excuser, mais je dois me rendre à l'université. Au département, on est bien pressé d'obtenir les notes de mes étudiants.

«Cet empressement ne se traduit jamais par une émission rapide des relevés de notes», songea Jacques. L'homme d'Ottawa voulut bien l'excuser, et Jacques comprit que son opinion importait peu. Ensuite, ils se déplacèrent vers la salle à manger. Les employés fédéraux profitaient certainement d'un bon compte de dépenses, l'étudiant ne se priva donc pas.

En attendant leurs assiettes, ils échangèrent des banalités : le temps qu'il faisait, les derniers films à l'affiche, et même le référendum sur l'indépendance promis par le Parti québécois. Quand ils furent servis, Robson passa aux choses sérieuses :

— Tu m'as impressionné, ce matin. Reprendre les objectifs un par un, tout en dressant la liste des sources documentaires pertinentes... Tu as dû y passer la semaine.

— Heureusement, je ne dors pas beaucoup.

Cela faisait servile à souhait, alors il ajouta :

— Mon père disait que la réflexion sauvait beaucoup d'efforts. J'espère qu'en ayant pensé au travail à faire un peu à l'avance, je pourrai gagner du temps.

— Tu penses vraiment que ces étudiants sauront effectuer le travail demandé ? Je n'ai pas le loisir de payer pour obtenir de la compétence ; le programme fédéral dont je bénéficie prévoit le salaire minimum. Même dans ton cas, c'est très modeste.

Jacques avait fait le calcul. Le salaire minimum était «gelé» à trois dollars quinze pour deux ans. Vingt pour cent de plus, cela donnait trois dollars soixante-dix-huit. Ça lui semblait peu. Pourtant il dit :

— En ce qui me concerne, ça va. En ce qui concerne le travail à effectuer par les employés, si je donne des indications claires, je pense que ça ira.

— Et pour notre anthropologue ?

— Il s'agit de lire et noter les informations demandées.

En multipliant les précautions, Jacques aborda le sujet des fournitures de bureau et des frais de photocopies. Robson eut pitié de lui. Au lieu de lui dire d'assumer le coût de ces dépenses, et de présenter ensuite ses reçus, il lui avança cent dollars de son propre argent.

Chapitre 10

À deux heures, le défilé des candidats reprit. Il ne s'agissait pas d'entrevues d'embauche, car l'avis des professeurs ayant fourni les noms faisait office de recommandation. Les jeunes femmes seraient majoritaires dans cette équipe. Après avoir mentionné son domaine et son niveau d'études – des informations qui ne changeaient rien à la rémunération –, l'étudiant se retrouvait avec un contrat sous le nez. Parmi ces personnes, il y eut Michèle, Véronique, Linda, Judith et Raymond.

Quand ce dernier quitta la pièce, Robson s'empressa de dire :

— La suivante est la seule que j'ai moi-même vraiment recrutée dans ce groupe. Je l'ai rencontrée il y a quelques jours et je lui ai demandé de me fournir une preuve de sa compétence.

À ce moment, la porte s'ouvrit. Une jeune fille entra avec une enveloppe dans les mains. Même si elle souriait, la nervosité se lisait sur son visage. C'était une brunette aux yeux noirs, pas très grande et mince. Elle portait une chemisette jaune et un pantalon de toile beige.

— Bonjour, dit-elle en les regardant tour à tour.

Robson lui indiqua la chaise placée devant eux en demandant :

— Tu as pu faire mon petit exercice, Charlotte ?

Quelque chose dans le ton et l'usage du prénom montrait qu'il la connaissait déjà assez bien et que la relation était bonne entre eux.

— Voilà.

Elle lui tendit sa grande enveloppe, l'homme en sortit deux dessins de maison, des édifices plutôt modestes.

— J'ai indiqué les dimensions en bas. Ça reprend le contenu des deux contrats de construction que vous m'avez laissés.

Robson remit les dessins à Jacques. Celui-ci apprécia les lignes droites et la perspective qui donnait une idée juste de la profondeur des maisons. Il s'agissait toutefois d'une simple ébauche, rehaussée à l'aquarelle.

— Cependant, dit-elle, ces contrats ne disent pas tout. Certaines choses devaient simplement tenir à la tradition, des manières de faire si évidentes que les contractants jugeaient inutile de les mettre par écrit.

C'était bien candide de sa part, et surtout susceptible de ruiner son embauche : effectuer un travail tout en précisant que les sources utilisées rendaient le résultat peu fiable.

— Il existe des maisons de ces époques qui sont toujours debout, dit Jacques. J'ai vu quelques publications récentes abondamment illustrées. On peut les étudier pour combler les omissions dans les contrats.

Il eut droit à un sourire reconnaissant.

— Effectivement, des demeures plutôt cossues sont encore debout, dit Charlotte. Des bâtisses assez majestueuses pour qu'on les ait conservées génération après génération. Elles sont construites à la campagne, d'habitude. Peut-on tenir pour acquis que celles de faubourgs, habitées par des ouvriers ou des artisans, étaient identiques à celles des paysans ?

— Aucune n'a survécu ?

— Les incendies ont été nombreux, et les maisons étaient en bois. Et s'il en existe encore, on a pu les rénover à plusieurs reprises. Jusqu'à parfois ajouter un étage ou deux.

Décidément, elle paraissait déterminée à prouver les limites de la démarche. En même temps, elle montrait avoir très sérieusement réfléchi au sujet. En mettant en doute la méthode de recherche retenue, elle affichait sa compétence professionnelle. Et ce faisant, elle jaugeait celle de Jacques, qui avait suggéré d'utiliser les contrats de construction.

— Tu as raison, dit-il encore. Une idée me vient : si on regarde des photographies anciennes de maisons, disons des photographies de 1870, il est bien probable qu'elles demeuraient dans l'état de leur construction trente ou quarante ans plus tôt. J'ai même vu une photo prise après le grand incendie du quartier Saint-Roch. Il y a les ruines de nombreux bâtiments, mais certains au premier plan sont toujours debout, et intacts.

— C'est vrai, convint-elle après une hésitation. Photographies et contrats fournissent des informations complémentaires. Oui, si je me fie aux deux, mes dessins se rapprocheront vraiment beaucoup de la réalité.

Robson suivait l'échange avec un certain amusement.

— Bon, voilà qui semble réglé. Alors Charlotte, reste à signer ce contrat.

Elle prit le document pour le lire avec attention.

— C'est conforme à ce que je t'ai dit au début de la semaine.

— J'en suis certaine, mais dès le premier jour où j'ai commencé à apprendre à écrire, mon père m'a dit que je ne devais rien signer sans en avoir pris connaissance d'abord. Je pense qu'il craint que je renonce à mon salut en échange de la jeunesse éternelle.

À la suite de cette allusion à Faust, c'est sous le regard des deux hommes qu'elle compléta sa lecture avant de signer. Après des salutations, elle marcha vers la porte. En essayant d'être discret, Jacques la suivit des yeux. Ce fut peine perdue.

— Une charmante fille, remarqua Robson quand elle referma dans son dos. Elle vient de profiter d'un excellent avocat. Tu ressemblais à un gars qui désirait beaucoup son embauche.

Le sourire était moqueur, et l'explication de son plaidoyer si avérée que Jacques se sentit rougir un peu.

— C'est mon rôle de les orienter vers les bons documents.

— Bien sûr... Comme l'anthropologue satisfaisait tes attentes ce matin, j'ai jugé inutile de te dire que Charlotte étudie en architecture. Maintenant, tu restes le seul à n'avoir rien signé.

Robson sortit un dernier contrat de son sac de postier pour le lui tendre. Jacques y ajouta ses informations personnelles. Au passage, il nota le salaire horaire : trois dollars quatre-vingts. Deux cents au-dessus de ses attentes.

— Que voulait-elle dire en faisant allusion à son père ?

— C'était le doyen de la faculté de droit jusqu'à l'an dernier. Il a été nommé juge.

« Seigneur ! Ça, c'est vraiment venir de l'une des grandes familles de Québec... », songea Jacques.

— Demain, je retourne à Ottawa, dit Robson en tendant la main. Tu les retrouveras tous lundi matin au musée pour mettre les choses en route. Si jamais c'est nécessaire, tu t'adresseras à Bernard.

Il ne s'attendait pas à ce que ce soit le cas. C'est seul et sur le tas qu'il apprendrait à diriger une équipe.

— Vous repasserez à Québec ?

— Dans une quinzaine de jours pour voir comment les choses progressent et pour m'assurer qu'il n'y a pas de sable dans l'engrenage administratif.

Diane Chénier avait voulu revoir un certain nombre de documents utiles pour la rédaction de son mémoire, c'est donc dès neuf heures le jeudi qu'elle se présenta dans la salle de consultation du musée. Se trouver seule à cet endroit lui faisait une curieuse impression ; au cours des derniers mois, ses compagnons l'avaient toujours accompagnée.

Son malaise était d'autant plus grand que le gardien assis près de la porte ne la quittait pas des yeux. Quand, en après-midi, elle se rendit à la salle de repos pour boire un mauvais café, l'homme la rejoignit. Il se planta d'abord devant une machine distributrice, puis dit en s'approchant :

— J'peux-tu m'assir ?

Sa première idée fut de le corriger, mais elle se retint.

— Pourquoi pas.

Ce n'était pas l'accueil le plus enthousiaste, mais il résolut de s'en contenter.

— T'es toute seule, aujourd'hui.

La jeune femme tourna la tête à gauche et à droite.

— On dirait bien.

— T'es pas mal drôle. Moi, c'est Gérard, pis toi, c'est Diane ?

La jeune femme acquiesça.

— Ça fait longtemps que tu viens. T'as pas fini ton devoir ?

— J'espère que ce sera fini avant la fin de l'été.

— Pis c'est quoi ?

L'homme devait avoir appris l'art de la séduction dans un livre américain. Ne jamais se tenir pour battu, et faire parler son interlocutrice de son sujet favori : elle-même. Cela fonctionna, Diane entreprit de lui expliquer la nature de sa recherche. Et mine de rien, elle le soumit à un petit examen. Il s'agissait d'un homme assez grand, bien bâti.

Vingt minutes plus tard, il se leva en disant :

— Là, faut que j'retourne surveiller tous ces jeunes.

La clientèle des archives n'était pas particulièrement jeune ou dissipée. Toutefois, parmi ses supérieurs, quelqu'un pourrait s'interroger sur sa trop longue absence.

— Ça te dit de faire quelque chose samedi ?

Comme elle demeurait silencieuse, il dit encore :

— Aller aux vues ?

C'était une activité assez innocente, et publique. La dernière fois qu'elle avait accepté une invitation formulée par un inconnu, elle était dans la jeune vingtaine. À maintenant trente-quatre ans, cela lui paraissait une éternité. Il lui faudrait bien renouer avec ce rituel.

— Pour voir quoi ?

— Ben ça, on verra samedi. On ira souper, j'aurai tout le temps de te faire des propositions.

Finalement, elle lui donna son adresse. Après ça, pour tout le reste de l'après-midi, l'homme ne la quitta pas des yeux. Et si son regard croisait le sien, elle avait droit à un grand sourire.

❁

Vendredi, Jacques commença sa journée de travail par un passage aux Presses de l'Université Laval afin d'acheter du matériel de bureau pour les travailleurs de l'équipe de Robson. Ensuite, il se rendit au musée afin de dénicher tous les fonds documentaires susceptibles d'être utiles à la recherche. Il termina la journée en demandant aux employés de préparer les boîtes d'archives à l'intention de la dizaine d'étudiants qui commenceraient le travail le lundi suivant.

Samedi, c'est dans sa chambre qu'il s'enferma afin de rédiger des directives pour chacun d'entre eux. De temps en temps, il jetait un regard vers la documentation amassée pour la rédaction de son mémoire de maîtrise. Pendant les mois à venir, son temps se partagerait entre deux tâches également exigeantes : celle pour laquelle il recevait un salaire nécessaire à sa subsistance, et sa rédaction. Si, en théorie, son passage direct au doctorat rendait ce travail superflu, il comptait bien le terminer. Il y avait mis trop d'énergie pour abandonner maintenant.

Finalement, toute la journée y passa. À six heures, il décida de remettre son souper à plus tard. Un peu passé sept heures, il monta dans l'autobus numéro 8 pour se rendre dans la vieille ville. Cette soirée, ce serait sa façon de célébrer : pendant les prochains mois, ses moyens lui permettraient de continuer l'entreprise commencée en 1974.

À la place D'Youville, Jacques se rendit au restaurant Popeye pour souper. Une piètre façon de faire bombance. Ensuite, il emprunta la rue Saint-Jean pour se rendre jusqu'à la Côte de la Fabrique. Un instant, il pensa à entrer prendre un dessert au restaurant Howard & Johnson, qui occupait les anciens locaux du Kerhulu, ou même à aller voir le film présenté à L'Empire, *Violette Nozière*.

À la fin, il pencha pour prendre une bière au café Le Créneau.

Après être entré, il découvrit le rez-de-chaussée bondé. Sur sa gauche, une petite scène permettait à des artistes de se produire : le plus souvent des chansonniers s'accompagnant seuls à la guitare, parfois de petits groupes. Une affiche indiquait qu'à neuf heures une jeune inconnue, Diane Tell, donnerait un spectacle. Sur la photographie, une brunette aux cheveux courts tenait dans ses mains une guitare presque aussi grosse qu'elle. Il monta à l'étage pour le trouver tout aussi encombré. Une rambarde permettait de voir la scène. Au troisième, il restait de l'espace où s'asseoir.

C'est perché sur un tabouret au bar qu'il commanda une Labatt Bleue à une serveuse. Bientôt, il entendit l'agréable voix de la chanteuse venir du rez-de-chaussée.

Une femme à sa droite remarqua :

— Elle chante bien.

Il se tourna à demi.

— Oui, c'est vrai. Pourtant, quand j'ai vu son nom tout à l'heure, il ne me disait rien.

— Elle a sorti un premier disque l'an dernier, mais il est passé inaperçu.

La femme devait avoir une trentaine d'années. Ses traits étaient réguliers. Elle était jolie.

— Je peux ?

Jacques montra du doigt le tabouret inoccupé entre eux. Elle fit oui de la tête, alors il s'approcha.

— Tu viens souvent ici ? demanda-t-elle.

— Non. Comme tu vois, je ne connais pas les artistes.

— C'est sans doute le cas pour la plupart des clients.

— Je ne veux pas me vanter, dit-il en riant, mais je compte certainement parmi les plus ignorants.

Sa compagne éclata de rire.

— Tu as raison, il n'y a pas de quoi se vanter... Comment expliques-tu ça ?

— Le travail...

En fait, tout ce travail tenait sans doute à sa grande incompétence quand il s'agissait de s'amuser. Travailler lui paraissait infiniment plus facile.

— Tu fais quoi ?

— Je commence un emploi de recherche pour le musée de l'Homme d'Ottawa. Un nouveau professeur de Laval doit superviser le projet, mais j'ai la forte impression que je m'en occuperai seul.

— Un musée, un nouveau professeur... En histoire ?

Il hocha la tête.

— Bernard Dagenais ?

— Oui, c'est lui. Tu le connais ?

— Nous avons divorcé il y a un mois à peine.

Après cette déclaration, il y eut un long silence. C'est à voix basse que Jacques reprit :

— Nous vivons vraiment dans une toute petite ville.

— Aimes-tu travailler avec lui ?

— Aimer, c'est beaucoup dire. Mises bout à bout, mes conversations avec lui donnent moins de trois heures.

— Tu connais le livre *Les cinq premières minutes* ?

Il acquiesça du chef. Paru deux ans plus tôt, le titre complet de ce livre était *Les cinq premières minutes : jauger, parler, gagner.* C'était l'une des innombrables recettes infaillibles pour réussir en affaires ou en amour. Il ne fallait pas plus longtemps pour apprécier ou détester quelqu'un, selon l'auteur.

— Heureusement, dans une relation de travail, on ne s'attend pas à l'amour. On espère un peu de respect, une courtoisie élémentaire et un traitement juste. Bref, il est beaucoup plus facile d'être satisfait, dit Jacques.

Son interlocutrice était devenue morose. S'il avait espéré une finale un peu torride, c'était peine perdue.

❀

Gérard se présenta avenue Chapdelaine à cinq heures. Sans son uniforme gris, il était un peu plus élégant. Juste un peu : il était affublé d'un pantalon, d'une veste et d'une chemise beiges. Comme s'il entendait se recréer un autre uniforme pour sa vie privée.

— C'est une belle place que t'as là.

Il sut se montrer suffisamment insistant pour qu'elle lui permette une petite visite. Il multiplia les compliments, tout en la détaillant du regard. Quand elle était face à lui, ses yeux s'arrêtaient sur sa poitrine. Le dos tourné, elle devinait les avoir sur ses fesses.

— Où va-t-on manger ? demanda-t-elle.

— J'ai pas vraiment l'habitude des restaurants, mais j'ai vu qu'il y avait une brasserie dans la pyramide.

Il s'agissait de La Table du roi. Il n'y avait rien de royal à cet endroit, mais la nourriture s'avérait tout à fait convenable. Pour s'y rendre, elle monta dans son 4X4 International Harvester Scout.

Ils en étaient au milieu du repas quand il demanda :

— Tu crois à ça toi, les Martiens ?

Comme elle haussait les sourcils, il continua :

— Le monde sur d'autres planètes ?

— Je ne sais pas...

— Le film *Rencontres du troisième type* est au Bijou.

Voilà donc où il voulait en venir. Elle n'avait pas à redouter un interrogatoire sur ses croyances personnelles.

— Les critiques sont très bonnes, dit-elle.

Le Bijou se trouvait chemin Sainte-Foy. Diane apprécia beaucoup le film, pour plusieurs raisons. L'histoire d'un homme obsédé par une idée sans trop comprendre pourquoi, les quelques notes de musique comme moyen de communication, et le retour de plusieurs individus disparus au gré des siècles à la toute fin. Cependant, elle trouva que son compagnon laissait trop porter son épaule contre la sienne. Cela laissait présager un retour à la maison difficile.

Son instinct demeurait fiable. Il se stationna soigneusement devant chez elle. L'homme pensait s'attarder. Il se tourna vers Diane pour dire :

— Tu m'invites pas à monter ?

— Non. Je suis fatiguée.

— Voyons, tu te tiens avec ces jeunes étudiants. T'es libérée, non ?

Une liberté qui se mesurait sans doute à l'écart entre ses genoux.

— Je ne vois pas le rapport.

— On sait ce qui s'passe, avec ces jeunes-là.

Il se pencha pour poser ses lèvres sur les siennes alors que sa main gauche cherchait ses seins avec une certaine brutalité. Heureusement, elle put se dégager en disant : « C'est pas un bon jour. » Le tabou des règles la préserva.

❀

Quand un rendez-vous le rendait anxieux, Jacques arrivait très à l'avance. Ce serait donc le cas ce matin du 1er mai. Il fit si bien que lorsqu'il se présenta devant les portes du musée, celles-ci étaient toujours verrouillées. Des bancs bordaient l'allée conduisant à la Grande Allée, il occupa l'un d'eux.

Il n'était pas le seul à commencer un nouvel emploi. Bientôt, une grande jeune femme arriva, une châtaine. « Michèle Duquette », se souvint Jacques. Elle vint s'asseoir près de lui. Après un échange de salutations, elle dit avec un sourire :

— Moi qui voulais me montrer sous mon meilleur jour en arrivant la première.

— Dis que c'était le cas, je ne te contredirai pas auprès de Robson.

— Qu'est-ce qu'il y a là-dedans ?

En plus de son sac de postier, il en avait un autre à la main portant la publicité des Presses de l'Université Laval.

— Ce sont des étrennes. D'ailleurs, tu as ta part.

Il se pencha pour prendre une boîte de crayons et une autre de stylos. Il les ouvrit et lui tendit deux exemplaires de chacun.

— Dans sa grande bonté, le musée de l'Homme ne nous forcera pas à utiliser nos propres outils.

Il chercha encore deux tablettes et deux paquets de fiches de cinq pouces sur huit.

— C'est trop ! C'est trop ! protesta-t-elle en riant.

— Hum… J'entends un peu d'ironie dans cette voix ! Je sais que ce serait plus généreux de verser plus que le salaire minimum et de vous demander de fournir vous-mêmes ce genre de matériel. En réalité, ce n'est pas l'argent du musée que nous recevrons. Il vient d'un programme fédéral d'aide aux étudiants.

— Quelque chose comme des prestations d'aide sociale ?

— Oui, ça traduit bien l'idée.

Bientôt, ils furent quatre à attendre. Jacques continua de distribuer ses largesses sous forme de papier et de crayons. Les employés du musée passèrent sous leurs yeux. Un peu après huit heures trente, ils purent entrer. Jacques trouva avec plaisir deux chariots chargés de boîtes placés près du comptoir de prêt.

— Si vous voulez vous asseoir, je vais faire la distribution des documents et vous donner quelques explications.

Le silence devait régner en ces lieux. Cependant, comme toutes les personnes présentes appartenaient à son équipe, Jacques s'accordait cette petite liberté. Michèle eut droit la première à son attention. Il déposa une boîte sur la table, devant elle :

— Ce sont des inventaires des biens après décès. Voici la liste des sujets qui intéressent monsieur Robson.

Officiellement, il s'agissait de ses premières minutes dans le cadre de cet emploi. Dans les faits, il n'avait pas cessé de s'occuper de ce projet depuis le dîner au Cercle universitaire.

— Regarde quelques-uns de ces documents, juste pour te faire une idée. La lecture ne devrait pas être trop difficile, les notaires de cette période avaient une jolie main d'écriture. Quand elle arrivera, je dirai à Marie Lemay de se joindre à toi. Je reviendrai te voir tout à l'heure.

L'exercice se répéta à plusieurs reprises. Jacques s'efforçait de faire travailler les jeunes gens par paires, chaque fois que cela s'avérait possible, ne serait-ce que pour réduire un peu son travail d'encadrement pendant cette première semaine.

Du coin de l'œil, il vit Charlotte Morin entrer dans la salle de consultation à exactement neuf heures, soit le moment convenu le jeudi précédent. Son sourire exprimait un léger malaise. Finalement, elle fut la dernière dont il s'approcha, poussant toujours son chariot sur lequel restaient seulement deux boîtes.

— J'ai sans doute mal compris, l'autre jour. Je suis arrivée en retard.

— Non. Les autres étaient en avance. J'ai deux boîtes pour toi. L'une contient des contrats notariés. Comme ceux concernant la construction d'immeubles doivent être plutôt rares, tu mettras plus de temps à feuilleter les documents qu'à les lire.

Il posa la première boîte devant la jeune femme, puis la seconde.

— Celle-là contient des photos. Le fonds de Louis-Prudent Vallée. Là aussi, tout sera pêle-mêle, il te faudra les regarder une à une. C'est un peu comme aller à la pêche.

— Dans un lac sans poissons?

— Pas tout à fait vide, quand même.

Elle lui adressa son meilleur sourire. Il apprécia les yeux noirs et les lèvres charnues.

— Commence à regarder ça. Je reviendrai bientôt te voir. Je me sens comme un curé qui doit faire sa visite paroissiale.

Il passerait toute la matinée à aller de l'un à l'autre afin de répondre à une multitude de questions.

À l'heure du dîner, la petite équipe se retrouva dans la salle de repos. Les étudiants réunirent quelques tables afin de pouvoir tous s'asseoir ensemble. Chacun sortit de quoi manger de son sac.

Après être allé chercher sa mixture habituelle à une machine distributrice, en revenant vers les tables un verre à la main, Jacques vit une place libre à côté de Charlotte. Du regard, elle semblait l'inviter à y prendre place. Elle s'excusa encore:

— Ce matin... Comme j'habite tout près d'ici, je suis partie de la maison juste pour être à l'heure.

— Je comprends. Ce sont ceux qui habitent loin qui arrivent les premiers. Et comme le musée était encore fermé quand je me suis pointé ici, il faut croire que je viens de très loin.

Le regard de Charlotte demeurait encore un peu soucieux, alors il ajouta, tout à fait sérieux:

— J'espère que tu ne t'en fais pas avec ça.

En tout cas, elle ne s'en ferait plus. Il demanda, cette fois en s'adressant à tout le monde:

— Alors, êtes-vous satisfaits de vos découvertes dans les documents?

Le tour de table permit de constater plus de déception que de satisfaction : rien de ce qu'ils trouvaient ne semblait utile. Sauf peut-être dans le cas de Michèle, qui paraissait se passionner pour le nombre de manteaux et de paillasses que laissaient les agriculteurs de la région à leur mort, un siècle et demi plus tôt.

❀

En rentrant à l'université, un peu après cinq heures, Jacques était plutôt content de lui. Ces dix employés inexpérimentés produiraient la moitié de ce que des personnes plus compétentes auraient fait. Il avait passé tout son après-midi à leur enseigner comment rédiger une fiche documentaire et indiquer la source selon les usages en recherche. Robson avait préféré recruter des étudiants sans vraiment se soucier de leurs capacités, tout en les payant médiocrement : impossible de s'attendre à mieux. Dans ces circonstances, il restait à Jacques à multiplier les efforts pour tirer le meilleur parti de la situation.

Il descendit au pavillon Parent, le temps de laisser son sac dans sa chambre et de passer à la salle de bain, puis il alla au Pollack. La session d'hiver étant maintenant terminée, les résidences étaient aux trois quarts vides, et la cafétéria aussi. Il en serait ainsi jusqu'à ce que quelques centaines d'étudiants des universités de langue anglaise viennent faire semblant d'apprendre le français. Du lot, après deux mois, tout au plus un dixième aurait assez d'audace et de compétence pour commander une bière dans cette langue.

Il marcha vers la table des vieux garçons presque déserte. En fait, parmi les familiers de 1974 et 1975, il ne restait que les quelques étudiants s'étant inscrits à la maîtrise. Dont Jean-Philippe. En s'assoyant devant lui, il demanda :

— Alors, comment s'est déroulée cette première journée avec Aubut?

— Bien. Il a passé son temps à me faire connaître différentes sociétés de secours mutuels, et leurs archives.

— Vous êtes venus au musée?

— Non. Je ne sais pas comment il a fait, mais des collections complètes de documents se trouvent dans l'antichambre de son bureau. J'en ai la clé, j'y passerai tout l'été.

— Ce sont des conditions idéales...

Comme Jean-Philippe voulait faire de ce travail son projet de doctorat, tous ses efforts seraient réinvestis dans sa thèse. Dans le cas de Jacques, non seulement il ne faisait pas avancer ses études de troisième cycle, mais il négligeait celles du second.

— Et pour toi?

— Dans les circonstances, plutôt bien. Je montre à des gens de première, au mieux de deuxième année, à effectuer des recherches. D'un autre côté, ça me permet de bien connaître divers fonds des archives nationales.

Les ambitions du projet de Robson étaient si larges que les étudiants consulteraient de nombreuses collections. Pendant un moment, il évoqua quelques objectifs de la recherche, et les collections correspondantes. Puis il vit s'approcher un grand garçon efflanqué, un plateau dans les mains. Gilles Groslouis, l'un de ses employés.

— Je peux m'asseoir, patron? À moins que ce ne soit contre-indiqué.

— Tu peux, mais à une condition: tu cesses de m'appeler patron.

— Bien sûr... je suppose que *boss*, ça ne convient pas non plus?

Puis il éclata de rire. Grand, très mince, maigre même, il paraissait jeter un regard amusé sur tout ce qui l'entourait. Jacques s'occupa de faire les présentations et remarqua :

— Je ne t'ai jamais vu ici, je pense.

— Au cours de la dernière année, j'ai fait le trajet entre l'université et Thetford-les-Mines chaque jour où j'ai eu des cours.

Plutôt Thetford-Mines, selon la commission de toponymie de la province.

— Ça fait beaucoup de millage.

— J'ai fait mon possible pour avoir plusieurs cours par jour afin de limiter les allers-retours. Mais là, j'ai pris une chambre en résidence.

Faire trois heures de route en plus de travailler à plein temps aurait été insupportable. Pendant quelques minutes, la discussion se poursuivit. À sept heures, Jacques regagna sa chambre. Sur sa table de travail, il avait posé un classeur de carton. Il contenait peut-être un millier de fiches de cinq pouces sur huit. Chacune contenait quelques bribes d'information sur les syndicats des travailleurs de la construction.

C'est à la main qu'il entendait rédiger le premier jet de son mémoire de maîtrise.

❁

Au milieu de la soirée, Jacques eut l'impression d'entendre une sonnerie. D'abord, il chassa cette pensée. Mais après deux minutes, il se leva en grommelant et ouvrit la porte pour écouter. Oui, il s'agissait bien de la sonnerie du téléphone. Comme il ne restait que trois ou quatre locataires à l'étage, l'appel pouvait bien être pour lui. Il marcha rapidement vers la cabine.

Une voix féminine répondit à son «Allô».

— Jacques, c'est toi ? Je pense que ça a sonné trente fois.

— Hello, Diane. C'est un peu désert ici, et quand il y aura à nouveau des occupants, ils ne parleront pas français.

— Tu as aimé ta première journée ?

— Plutôt.

Il reprit pour elle la description faite à Jean-Philippe pendant le souper.

— Comme ça, tu es satisfait d'effectuer ce travail ?

— J'aimerais mieux finir mon mémoire, mais au moins, l'expérience prise cet été me sera utile. Et le salaire, nécessaire. De ton côté ?

— L'usage de l'*Annuaire Marcotte* me coûte un temps fou, mais je crois que le résultat en vaudra la peine.

— Et les entrevues ?

Pendant un moment, Diane l'entretint de ses visites à quelques charpentiers. Éventuellement, ce seraient des menuisiers ou des maçons. À la fin, elle consentit :

— Le mémoire avance, mais d'un autre côté, je dois dire que travailler seule est un peu ennuyeux.

— Nous pourrions en discuter, histoire de nous encourager mutuellement, suggéra Jacques.

— En tout cas, pas au téléphone. J'ai eu peur de déranger tout le campus, tout à l'heure.

— Ça te dirait d'aller voir un film ?

— D'accord.

— Mais tu sais, ce ne sera pas avant vendredi ou samedi prochain. Mes journées sont longues et je passe mes soirées sur mon mémoire.

— Toi et moi, nous sommes certainement les plus sérieux au département. Téléphone-moi cette semaine après avoir regardé ce qu'il y a à l'affiche.

Elle avait l'impression d'un scénario qui se répétait, mais cette fois, son interlocuteur se montrerait beaucoup plus agréable que Gérard.

Chapitre 11

Le lendemain matin, les membres de l'équipe de chercheurs s'étant montrés les plus ponctuels la veille arrivèrent
à une heure plus tardive, et Charlotte un peu avant neuf
heures. Elle adressa un charmant sourire à Jacques avant
de regagner la place occupée la veille.

Le petit patron commença par se pencher sur les
registres de la paroisse Notre-Dame de Québec. Le plus
ancien datait de 1616; lui s'intéressait à ceux utilisés presque
un siècle et demi plus tard. Dans ces documents, le prêtre
ou l'un de ses vicaires prenait note de tous les baptêmes, les
mariages et les décès. Les entrées étaient toujours brèves,
sauf dans le cas des notables. Alors, au moins un membre
de toutes les « grandes » familles de la ville tenait à figurer
dans la liste des témoins.

S'intéresser à la démographie, c'était d'abord et avant
tout faire le décompte des naissances et des morts. Et accessoirement, glaner des informations complémentaires sur
les guerres, les épidémies et les famines. Il avait commencé
depuis une heure quand il entendit une discussion à l'arrière
de la salle. Raymond, un garçon au regard intense, était
penché sur un grand volume relié de cuir noir. Il s'agissait
d'une collection en plusieurs tomes du journal *Quebec
Mercury*, publié de 1805 à 1903.

— C'est curieux, je trouve des bouts en français dans ce journal anglais.

À son côté se tenait une blonde : les deux travaillaient ensemble. Jacques les rejoignit. Son employé lut à voix haute :

— "Par encan, sera vendue, par le soussigné, à la taverne de l'union, sur le marché, à la Haute-Ville, lundi soir, le 14e du présent, une collection considérable de livres de prix, Anglois et François, consistant en plusieurs cens volumes, dont on peut voir le catalogue chez l'Encanteur…"

Puis il regarda son patron pour commenter :

— Voilà peut-être la preuve que le Parti québécois a raison, au sujet de l'association économique avec le Canada anglais. Un journal raciste, farouchement opposé aux intérêts des Canadiens français, se donne la peine de s'adresser à la majorité en français quand il a quelque chose à lui vendre. Si ça valait en janvier 1805, ça doit valoir pour aujourd'hui.

Pendant un moment, ils échangèrent sur ce qu'il convenait de prendre en note, ou pas, dans ce grand fatras d'information. Puis une voix se fit entendre :

— Jacques, est-ce que je peux te montrer quelque chose ?

Il alla se placer à côté de Charlotte.

— Il y a vraiment des photographies intéressantes, dans ce fonds. Certaines que je connaissais pour les avoir déjà vues, comme celle-ci.

Elle lui montra une photo de l'escalier casse-cou, en contre-plongée, prise en 1870. De nombreux badauds s'étaient rangés de chaque côté, comme pour laisser le passage à un personnage important au centre.

— La mine de ces gens, les costumes, l'affichage… C'est vraiment une autre réalité. Regarde ce panneau en forme de botte, pour annoncer la cordonnerie Boivin, au numéro 5.

— En as-tu trouvé quelques-unes qui montrent des maisons ?

— Évidemment, je ne néglige pas mon travail, dit-elle, amusée. Regarde.

Elle chercha une photographie dont le premier objet était le commerce du bois. Toutefois, derrière des troncs équarris placés les uns sur les autres, il y avait deux maisons à toit pointu. Elles appartenaient sans doute à des ouvriers présents au premier plan de l'image. À l'étage, il fallait probablement se tenir penché tellement l'inclinaison du toit était prononcée, excepté là où se trouvaient les deux lucarnes.

— Elles sont en miroir, remarqua-t-il.

La première avait une porte et une cheminée à droite, l'autre, à gauche. Deux fenêtres s'alignaient tout à fait avec les lucarnes.

— Exactement, dit-elle, comme dans n'importe quel développement domiciliaire d'aujourd'hui.

— Ce sont de petites maisons.

— Si je considère que le linteau des portes se trouve à six pieds de hauteur, la façade n'en fait pas plus de vingt, et la profondeur seize, certainement pas plus de dix-huit. Voici ce que j'en ai fait.

Cette fois, elle lui montra un dessin représentant celle de droite : le toit en bardeaux, les murs de planches, curieusement, horizontales en façade, verticales sur les côtés, le tout souligné à l'aquarelle.

— Un couple pouvait loger dans ces petites demeures avec ses six enfants, commenta-t-il, et peut-être en plus beau-papa et belle-maman.

— Et huit poules dans la cour arrière, avec deux cochons, et la bécosse.

— Tant pis pour les gens qui s'imaginent que c'était le bon vieux temps.

— J'ai trouvé ça aussi, que j'aime beaucoup. La tempête du siècle, version 1880.

Celle-là montrait un groupe de sept personnes se tenant au milieu d'une rue, sur cinq ou six pieds de neige accumulée. Prise à partir d'un immeuble de quelques étages, elle permettait de distinguer les bardeaux des toits des maisons riveraines, les lucarnes, les carreaux dans les fenêtres.

— Certaines demeures sont des jumelés, d'autres ont deux étages au-dessus du rez-de-chaussée, celle-là a un revêtement de brique.

Elle fixait de beaux yeux noirs sur lui. Attachés sur la nuque, ses cheveux plutôt courts dégageaient parfaitement le profil du visage.

— Je suis content d'avoir eu raison, parce que la semaine dernière, mon commentaire sur la complémentarité des photographies et des contrats s'appuyait sur de vagues souvenirs de lecture.

Il avait misé sur sa mémoire, et beaucoup sur le sens commun. Si les logis ouvriers ne fournissaient pas un bon sujet de photographie, il était tout de même impossible de gommer le décor quand on voulait immortaliser le commerce du bois ou la tempête du siècle.

Il regagna sa place en songeant qu'une seule personne lui avait autant plu depuis son arrivée à l'université en 1974. Catherine. Rien d'heureux n'avait résulté de cette rencontre. Qu'en serait-il, cette fois ?

❁

Alors que les étudiants se dispersaient à la fin de l'après-midi, Jacques vit Gilles Groslouis marcher dans sa direction. Celui-ci lui proposa :

— Aujourd'hui, je suis venu ici en voiture. Comme nous allons au même endroit, je t'offre de monter avec nous.

— Nous ?

— Marie habite rue Maguire.

— D'accord !

Le trio marcha quelques minutes. Bientôt, ils arrivèrent près d'une Chevrolet Impala noire, une grosse voiture à quatre portières. En la voyant, Marie laissa entendre un petit sifflement admiratif.

— C'était la voiture de mon père. Comme maman ne sait pas conduire, quand il est mort l'an dernier, j'en ai hérité. Personnellement, je préférerais une voiture plus petite.

Il ouvrit la portière côté passager. Marie s'écarta un peu en disant :

— Jacques, si tu veux t'asseoir devant...

— Pour passer pour un mal élevé ? Je suis la troisième roue du carrosse, alors je m'assois derrière.

Une fois assise, Marie se plaça de côté afin de le voir.

— Tu n'es pas trop découragé de ta petite équipe ?

— Non, pas du tout !

— Quand j'ai parlé au boss d'Ottawa, expliqua-t-elle à l'intention de Groslouis, il paraissait un peu sceptique à l'idée d'embaucher une anthropologue. Jacques m'a demandé si je savais lire et écrire, et a déclaré que ça lui suffisait.

Visiblement, sa remarque l'avait un peu blessée. Comme s'il fallait prendre ces mots au premier degré.

— Après deux jours, qu'en penses-tu ? lui demanda Jacques.

— C'est exactement ça, dit-elle en le regardant. Il s'agit de lire et de prendre des notes.

— Je ne pense pas que faire de l'histoire soit difficile. Ce n'est pas comme inventer la bombe atomique. Il faut cependant de la patience et une bonne compréhension des textes. La compétence vient avec le temps, comme les varices.

Elle laissa fuser un rire moqueur.

— C'est pour ça que je ne suis pas encore très bon, blagua-t-il.

— Un peu de mémoire ne nuit pas, non?

— C'est vrai.

Tout de même, il s'agissait moins de tout apprendre par cœur que de connaître les nuances de la langue, pour le dit et le non-dit. Le sujet les retint un moment. Bientôt, Gilles tourna à gauche rue Maguire, pour déposer Marie. Ensuite, il chercha une rue pour retourner rue Saint-Cyrille afin de se rendre à l'université. Il s'arrêta devant le Parent.

— Moi, j'habite au Lemieux, précisa-t-il. On se revoit tout à l'heure?

— Oui. Pas question de me passer de la gastronomie du Pollack!

❁

Jeudi, après avoir consulté *Le Soleil* afin de savoir quels films seraient à l'affiche à compter du lendemain, Jacques téléphona à Diane.

— À la suite d'une étude approfondie du journal, j'ai retenu quelques choix de films: *La petite* à Place Québec, *Violette Nozière* au Canadien, *Vers un destin insolite sur les flots bleus de l'été* au Frontenac.

Trois films divertissants, avec chacun une dimension sociale. Diane pencha pour *La petite*, l'adaptation française de *Pretty Baby* de Louis Malle.

— Nous pourrions manger ensemble auparavant, proposa-t-elle.

— Je ne sais pas...

— Comme tu attends toujours ta première paye, je t'invite.

Il y eut un silence, puis elle ajouta :

— Nous savons tous les deux que tu m'as souvent donné un coup de main au cours des dernières années. Et si ça ne te paraît pas une raison suffisante, tu m'inviteras à ton tour quand tu auras ton chèque.

— D'accord.

— À quelle heure sont les représentations ?

— À sept heures ou neuf heures.

— Même si ça signifie passer à table très tôt, je pourrais te prendre à ta porte vers quatre heures trente. En mangeant à Place Québec, nous n'aurons pas de mal à être là pour sept heures. Tu aimes les crêpes ?

— Bien sûr.

— Alors va pour les crêpes !

En raccrochant, Jacques était songeur. Dans son univers, on mangeait des crêpes au déjeuner. Il avait encore beaucoup à découvrir sur les usages du monde.

❁

À l'heure convenue, Jacques monta dans la Mustang rouge. Chaque fois, il faisait un certain effet : un jeune homme dans la voiture sport d'une femme qui était visiblement son aînée attirait les regards.

Diane prit tout de suite la direction de Place Québec. Elle demanda, chemin faisant :

— Après une semaine, tu es toujours satisfait de ton emploi ?

— Plutôt. Évidemment, je passe beaucoup de temps à expliquer aux autres comment faire. D'un autre côté, l'esprit au sein du groupe est agréable. Je préfère ça à l'emploi de Jean-Philippe.

Si Pierre Aubut lui avait consacré beaucoup de temps les deux premiers jours, maintenant, son ami passait ses journées seul dans l'antichambre des bureaux des canadianistes. L'été arrivé, les professeurs préféraient le plus souvent travailler de la maison.

— Au moins, il a l'occasion de sortir de sa chambre. Comme je prépare mes repas, je passe vraiment des journées complètes sans entendre d'autres voix que celles de la radio.

— Tu ne préférerais pas aller travailler à la bibliothèque et manger à la cafétéria, pour voir des gens ?

Comme elle demeurait silencieuse, Jacques comprit que la suggestion ne lui plaisait pas. Évidemment, le seul fait d'avoir des personnes dans son champ de vision ne pouvait satisfaire un appétit de contacts humains. Le trajet ne leur prit que quelques minutes. Diane occupa un espace de stationnement sous l'édifice. Il n'était pas encore cinq heures quand ils entrèrent dans la crêperie.

— Je ne connaissais pas cet endroit, dit-il en contemplant le décor faussement rustique.

— Quand j'habitais au Mérici, je venais parfois ici. Il y a quelques boutiques et une succursale de la librairie Garneau.

Jacques constata qu'il existait des crêpes repas et des crêpes desserts. Les premières ne lui disaient rien du tout.

— Je vais prendre une soupe à l'oignon gratinée, un dessert et un thé.

Comme elle ne dit rien, ce choix devait respecter les usages.

— Tu as des nouvelles à propos d'Aix-en-Provence ? demanda sa compagne.

— Non, pas encore. Comme je n'ai aucune idée de la façon dont les choses se passent là-bas, je ne sais pas comment interpréter ce retard. Après tout, les lettres sont mises dans un avion, donc les délais de livraison ne peuvent pas dépasser quatre ou cinq jours.

— Tu m'avertiras quand tu recevras une réponse ?

— Sur réception du courrier. Promis. Mais tu es bien consciente que ce projet dépend de la réception faite à mes demandes de bourses. Si j'échoue, je ne pense même pas m'inscrire au doctorat. C'est pour ça que je tiens tant à terminer mon mémoire.

— Mais tu en rêves depuis ton premier jour à l'université !

— Certains rêves ne se réalisent jamais. Je ne doublerai pas mes dettes d'études et je ne vivrai pas de presque rien pendant quatre ans encore pour courir le risque de ne pas trouver d'emploi au bout du compte.

— Dans ce cas, que vas-tu faire ?

— J'ai demandé mon admission en droit, et je pense envoyer une offre de service dans tous les cégeps de la province.

Évidemment, son inscription à la faculté de droit venait au troisième rang dans ses projets, et l'enseignement dans un collège au second. Il craignait plus que tout de se réveiller un matin sans aucune perspective.

— Tu sais, ce que tu viens de me dire est plutôt déprimant, dit Diane. Si ça ne fonctionne pas pour toi, je pense que mes chances sont nulles.

Parce que dans le domaine de la performance intellectuelle, elle se mettait seconde dans leur petit groupe. Alors si le meilleur ne réussissait pas...

Même si Jacques faisait la même analyse, ça ne le rassurait pas vraiment. Au moment de demander un emploi, tellement de facteurs pouvaient jouer un rôle dans la réussite ou l'échec. Le monde ne s'organisait pas vraiment selon le mérite de chacun.

— Ne te trompe pas, dit-il, je ne considère pas être battu d'avance, et je ne négligerai aucun effort. Mais comme le pire arrive parfois, je me prépare d'autres options. Autrement, je trouverais ça trop angoissant.

— Ça doit être épuisant.

— Oui, ça l'est. J'ai sans cesse peur d'échouer.

Pendant quelques minutes, il s'intéressa à sa crêpe, mais après cet aveu, la pâte mince comme une feuille, les fraises et la crème glacée n'opéraient pas aussi bien leur magie. À sept heures moins cinq, ils prenaient place dans la seconde salle du cinéma. La première présentait *Superman*.

— Tu ne m'as pas proposé celui d'à côté ? demanda Diane en riant.

— Parce que je connais déjà l'histoire. Clark est un journaliste peureux qui a un gros béguin pour une fille appelée Lois, et elle a un plus gros béguin encore pour les héros invincibles. Alors Clark a enfin du succès avec elle quand il accepte de porter un collant et de voler comme un avion.

— Continue en histoire. Comme romancier, tu serais un peu décevant.

Heureusement, la projection commença à cet instant, aussi le sujet n'entraîna aucune discussion. Car il avait des ambitions littéraires, justement. Pendant presque deux heures, ils s'intéressèrent au sort de Violet, une gamine de douze ans vivant dans un bordel de La Nouvelle-Orléans. Le film de Louis Malle avait une petite odeur de soufre qui provoqua des réactions mitigées.

Ce ne fut qu'une fois dans l'automobile qu'elle demanda :

— Tu as aimé ?

— Les images, la lumière, le jeu des comédiens m'ont beaucoup plu. En ce qui concerne l'histoire d'une petite fille de douze ans qui se promène toute nue à l'écran, et la tenue d'un encan pour vendre sa virginité, j'ai mes doutes. Je me demande quelle proportion des spectateurs dans cette salle n'étaient là que pour satisfaire leurs désirs pédophiles.

— Ça m'a dérangée aussi. C'est même curieux que ce film n'ait pas été censuré.

— Au cinéma, on ne censure plus rien, on dirait. Alors que le téléroman *Le paradis terrestre* a été retiré des ondes parce que deux gars se tenaient la main, maintenant, on voit des choses comme ça.

Le sujet de l'indulgence et de la sévérité des services de censure de la province les occupa jusqu'au pavillon Parent. Comme Diane lui avait confié souffrir de son nouvel isolement, Jacques proposa :

— Si tu veux, nous recommencerons. Ce qui me donnera l'occasion de te payer à souper.

— Nous pourrons recommencer, même si tu ne me paies pas à souper.

Après lui avoir souhaité bonne fin de soirée, Jacques ouvrit la portière pour descendre. Elle l'arrêta en disant :

— Et n'oublie pas de me tenir au courant, pour Aix.

— Promis.

Ensuite, Diane rentra chez elle, un petit sourire aux lèvres. Jamais elle n'aurait à se défendre des mains envahissantes de cet homme.

❀

Le lundi 8 mai, Jacques commençait sa seconde semaine de travail. Chacun paraissait mieux comprendre ce qu'il avait à faire, alors il comptait bien avoir un peu plus de temps à consacrer à ses registres paroissiaux.

Cette première semaine avait suffi pour permettre la naissance de quelques habitudes dans ce petit groupe. Les plus agréables concernaient le développement d'affinités. Grâce à des stratégies complexes, au moment des pauses ou du dîner, Judith se trouvait invariablement à peu de distance de Raymond, et Charlotte, de Jacques. Dans ces cas, la satisfaction paraissait mutuelle. Toutefois, les efforts de Bertrand pour s'approcher de Marie causaient chez cette dernière un désir de prendre ses distances.

— Il faudrait que je passe une journée ou deux à la maison afin de mettre de l'aquarelle pour compléter mes dessins, dit Charlotte à Jacques à l'heure du dîner.

— Bonne idée, d'autant plus que Robson devrait se manifester d'ici la fin de cette semaine, plus probablement au début de la suivante. Il voudra sans doute les voir.

— Il va t'avertir avant de se présenter?

— Le problème, c'est que je suis difficile à joindre. Je vis en résidence. Peut-être que Dagenais me le fera savoir.

À l'allusion au professeur, la jeune femme haussa les sourcils.

— Officiellement, c'est le patron de cette équipe. Moi, je suis son fidèle lieutenant.

— Si je comprends bien, lui, c'est Grangallo Tirevite, et toi, Petitro.

Puis elle rit de bon cœur après cette allusion à un dessin animé.

— Si tu veux t'en tenir aux émissions pour enfants, je préférerais que tu me compares à Lougarou, et lui au pirate Maboule.

Dans cette production, le pirate était un irresponsable notoire, et le domestique devait mettre de l'ordre après que son maître eut semé la pagaille. Comme ils étaient assis un peu en retrait des autres, cela autorisait certaines questions personnelles.

— Tu sembles passer tout ton temps à travailler…

— Après avoir terminé ma journée ici, je me consacre à la rédaction de mon mémoire de maîtrise. Comme je compte m'inscrire au doctorat en septembre, je suis un peu bousculé.

— Tu veux enseigner à l'université ?

— Depuis que je suis tout petit.

— Vraiment ? Tu ne voulais pas être pompier, ou policier ? Il secoua la tête.

— Tu viens d'une famille d'universitaires ?

Son rire traduisit un certain dépit.

— Non… De cultivateurs.

— D'où te vient cette envie d'enseigner ?

— Possiblement du professeur dans *Les joyeux naufragés*. Juste parce que Marianne s'intéressait visiblement à lui.

— Mon père est professeur, confia-t-elle. Enfin, il l'était.

— Je sais. Il enseignait le droit.

Elle fronça les sourcils.

— Je me promets de ne pas faire de confidence à Robson, précisa Jacques devant le regard sévère de sa compagne, si je veux qu'une information demeure secrète.

Elle lui adressa un sourire entendu.

— Ça ne t'a pas donné envie de suivre ses traces ? voulut-il savoir.

— Non. Vois-tu, moi j'étais bonne en dessin. Mais pas assez pour devenir une artiste. Devenir architecte m'a semblé un bon compromis.

— Heureusement que des gens trouvent mieux à faire qu'aligner des mots pendant des heures, dit-il. Comme ça, nous avons des vêtements, des maisons et des aliments. Mais comme je ne sais pas faire autre chose qu'aligner des mots, j'y retourne. Bon après-midi !

Jacques se leva pour regagner la salle de consultation. Il s'efforçait de ne jamais dire aux autres de retourner au travail, mais lui le faisait avec une régularité de métronome. Afin de prêcher par l'exemple. Cela fonctionnait à peu près.

❁

À la fin de l'après-midi, Jacques prit son temps pour remettre son matériel d'écriture dans son sac de postier. Quand il sortit de la salle de consultation, ce fut pour trouver Marie Lemay dans le hall, l'air un peu préoccupée.

— Tu m'attendais?

— Tu rentres en autobus, n'est-ce pas?

Il hocha la tête.

— Je peux monter avec toi, et te demander de descendre au coin de la rue Maguire avec moi?

Quand ils parcoururent le chemin conduisant à la Grande Allée, Jacques vit Bertrand Péladeau assis sur un banc. Il les suivit du regard, la mine renfrognée. Ils marchèrent jusqu'au boulevard Saint-Cyrille pour attendre le numéro 8. À cette heure, ils feraient le trajet debout jusqu'à l'université. En face d'elle, un bras levé pour se tenir à la courroie de cuir pendant du plafond, Jacques demanda:

— Que se passe-t-il exactement?

— Il vient travailler en voiture. Tout à l'heure, il m'a offert de me reconduire. Quand j'ai refusé, il s'est montré si insistant... Pour me débarrasser de lui, j'ai dit que je devais rentrer avec toi.

Un amoureux transi pesant plus de deux cents livres et visiblement sujet à des emportements – il élevait la voix fréquemment lors de conversations pourtant anodines à table – pouvait paraître agressif.

— Il a été menaçant ?

— Non. Il s'est juste montré très insistant.

— Penses-tu que je devrais lui parler ?

— Non !

Son empressement lui fit penser que ce refus tenait à sa crainte que les choses ne deviennent pires, ensuite.

— Là, il nous a vus partir ensemble. Il va se calmer, ajouta-t-elle.

Un peu lâchement, Jacques se sentit soulagé. Affronter cet homme l'aurait mis infiniment mal à l'aise. Que pourrait-il lui dire ? « Cesse d'offrir à Marie de la reconduire après le travail ! » Alors qu'ils approchaient de la rue Maguire, elle demanda :

— Veux-tu descendre avec moi et m'accompagner jusqu'à ma porte ?

Comme il ne répondit pas tout de suite, elle ajouta :

— C'est tout près... La semaine dernière, il a suivi l'autobus, pour me suivre ensuite pendant que je marchais sur le trottoir...

C'est ensemble qu'ils se dirigèrent vers un petit immeuble locatif juste au nord de l'édifice du Canal 4.

— Je te remercie, dit-elle devant sa porte, terriblement embarrassée.

— Ce n'est rien. Si ça se gâte, tu m'en reparleras. Nous ferons à nouveau le trajet ensemble, si tu veux.

✿

Quand il entra dans le pavillon Parent, le premier souci de Jacques fut de s'arrêter pour jeter un coup d'œil dans son casier postal. Tout de suite, il distingua une grande enveloppe d'un format inédit. Sur le coin droit, il vit l'expéditeur : l'Université d'Aix. À l'épaisseur, il devina qu'elle contenait plusieurs feuilles. Il ne s'agissait donc pas d'un refus pur et simple.

Dans l'ascenseur, il l'ouvrit pour découvrir une lettre lui apprenant que l'on voulait bien admettre un candidat canadien au DEA. Il y avait aussi quelques documents administratifs – sur le programme, les conditions d'admission, les dates du début et de la fin de l'année universitaire –, et un formulaire d'inscription. Il déposa les documents dans sa chambre, puis se rendit à la salle de bain en se répétant : « Ça, c'est seulement si je suis boursier. »

Quand il se présenta à la cafétéria, Jacques retrouva Gilles Groslouis. En s'assoyant, il demanda :

— Comme tu n'étais pas dans le 8, dois-je comprendre que tu utilises encore ton beau carrosse ?

— Non, pas du tout. C'est simplement que je peux monter dans le 11 devant le musée, et descendre juste derrière le pavillon Lemieux.

Puisqu'ils n'étaient que tous les deux, Jacques décida de se montrer plus inquisiteur :

— As-tu remarqué quelque chose entre Bertrand et Marie ?

— Dans les romans, on dirait qu'il est fortement entiché. Malheureusement pour lui, ce n'est pas réciproque.

Jacques acquiesça d'un geste de la tête, avant de dire :

— Je voulais avoir un autre avis.

— Il veut toujours lui offrir un *lift* dans son beau char. Pas seulement le soir, mais aussi le matin. C'est un gars très attentionné, car il part de Charlesbourg. Même si elle refuse chaque fois, je crois qu'il s'imagine qu'elle finira par dire oui. Et de nos jours, qu'elle soit mariée ne la protège pas vraiment.

L'enthousiasme du gros garçon semblait ne connaître aucune limite. Après tout, cela survenait avant la fin de la seconde semaine de travail.

❋

Quand Jacques regagna sa chambre, il s'arrêta à la cabine téléphonique placée près de l'ascenseur. Diane répondit avant la seconde sonnerie.

— Si tu attendais mon appel collée à ton Contempra, je vais me sentir flatté.

— Désolée de te décevoir, ce n'était pas le cas. Ce qui ne signifie pas que je n'éprouve pas de plaisir à t'entendre. Qu'est-ce qui t'amène ?

— Aix. J'ai enfin reçu une lettre, et un formulaire d'inscription.

— Ils t'ont accepté !

— Non, mais ils veulent bien que je fasse une demande d'admission.

— Je devrais leur écrire aussi pour avoir un formulaire.

— Le mieux est de photocopier celui que j'ai reçu. Ça te sauvera du temps. Ce qu'ils me disent vaut certainement aussi pour toi.

Cela parut une bonne idée à son interlocutrice.

— C'est compliqué, ce qu'ils demandent ?

— Pas plus que la paperasse de Laval. Si tu veux souper à La Résille avec moi demain, nous pourrions regarder ça ensemble.

— Tu reviens à quelle heure du musée ?

— Nous pourrions nous retrouver à six heures.

— Je serai là.

Au moment de raccrocher, Jacques réalisa combien l'idée de partir seul l'effrayait. Passer de Québec à Aix lui semblait aussi intimidant que ça l'avait été de Manseau à Québec. Sinon plus.

Chapitre 11

Le lendemain matin, Jacques remarqua le regard noir de Bertrand Péladeau. Et celui, vaguement inquiet, de Marie Lemay. Dire que quelques jours plus tôt, il se félicitait de l'ambiance au sein de son équipe… À la pause, l'atmosphère fut un peu plus morose que d'habitude. Même Charlotte, assise près de lui, se montra moins souriante.

Ils se retrouvèrent encore tous ensemble dans la salle de repos pour manger leur dîner. Après quelques minutes, Bertrand dit tout haut et d'une voix grinçante :

— C'est le fun, sa job ! Il peut accompagner les filles qu'il trouve à son goût jusqu'à leur porte.

— Si on me le demande, oui, surtout si c'est parce que quelqu'un ne comprend pas le sens du mot "non", répondit aussitôt Jacques avant d'ajouter : Mais si tu sais que c'était jusqu'à sa porte, c'est donc que tu nous as suivis en voiture. Fais-tu ça souvent ?

Le gros garçon décida d'aller terminer son repas dehors, malgré la fraîcheur du mois de mai. Comme Marie paraissait particulièrement gênée par la situation, en retournant vers la salle de consultation il lui murmura :

— Ce soir, nous partirons ensemble.

À cause de son nouveau rôle de protecteur des jeunes femmes inquiètes, Jacques dut accélérer le pas afin de se rendre au Parent, pour prendre les documents dans sa chambre, puis regagner le Pollack. Comme Diane se trouvait déjà dans l'entrée du pavillon, machinalement, il regarda sa montre.

— Tu es à l'heure, dit-elle en riant.

— Anxieux comme je suis, quand je suis juste à l'heure, j'ai l'impression d'être en retard.

Comme à chacune de ses visites à cet endroit, il prit un steak haché accompagné d'une montagne de frites ; elle préféra le poisson et une salade.

— Alors, quelle obligation t'a empêché d'être aussi en avance que d'habitude ?

— L'un de mes employés poursuit l'une de mes employées de ses assiduités, comme on dit quand on a un langage châtié. Un intérêt qui n'est pas partagé. Hier et aujourd'hui, j'ai reconduit la demoiselle à sa porte.

— Comme un preux chevalier ? Je suis impressionnée.

— Je prends ces situations-là plutôt au sérieux. Une fille payée au salaire minimum devrait pouvoir rentrer chez elle en fin de journée sans se sentir menacée par un cave. Et remarque, ce serait tout aussi vrai pour une fille payée cinquante dollars l'heure.

Il prenait d'autant plus ces situations sérieusement qu'il avait été élevé par un violeur d'enfant. À ses yeux, la question du consentement revêtait une importance particulière.

— C'est comme ça partout, murmura sa compagne. Je ne dis pas ça pour l'excuser. C'est juste un constat.

Pendant un moment, ils mangèrent en silence, puis Jacques sortit la liasse de documents de la grande enveloppe. Il plaça la lettre sous les yeux de Diane.

— Le début des activités est en octobre, remarqua-t-elle.

— Heureusement. Ça nous permettra de présenter nos dossiers de candidature à temps.

— Si je lis bien, le travail à remettre pour l'obtention du DEA, c'est le projet de recherche. Nous avons fait la même chose dans le cadre du séminaire de Robitaille, pour le mémoire.

— J'ai regardé les descriptions des activités proposées ici au doctorat. L'exercice est le même. Ça veut dire repérer les sources documentaires, préparer une hypothèse et une problématique de recherche. La difficulté, c'est que là-bas, nous n'aurons pas accès aux Archives nationales du Québec. Je suppose qu'il faudra potasser un sujet français.

C'était faire un long détour avant d'arriver à destination, alors que jusque-là, ils se souciaient tous les deux de prendre le chemin le plus court. Une expérience française ajouterait-elle vraiment à leur « employabilité », quand il serait temps d'offrir leurs services ?

Quand ils eurent terminé leur repas, Jacques alla chercher des boissons chaudes. C'est en remuant son café avec une petite cuillère que Diane confia :

— Je me sens un peu mal à l'aise. Tu as parlé de ce projet dans l'avion, et moi j'ai dit être intéressée. Mais tu n'as probablement pas envie de traîner une vieille dame dans tes bagages.

— Quelle vieille dame ? Ta mère souhaite venir aussi ?

Sa compagne eut un rire franc.

— Bon, disons une madame.

— L'idée d'étudier à Aix me paraissait très intéressante. D'un autre côté, pour un gars de la campagne, l'aventure est terriblement intimidante. Au point de peut-être me faire abandonner le projet. À deux, ce serait moins effrayant et plus agréable.

— Moi, j'abandonnerais certainement. Et même à deux... Pour toi ce serait à cause de la bourse, et pour moi, à cause de mon statut. Je ne suis pas divorcée. Partir en France avec un autre homme peut rendre la suite des choses très difficile avec Robert.

— Oui, mais ce n'est pas avec un homme, seulement avec un de tes petits camarades d'école.

— Et comment vois-tu les choses au point de vue pratique ? Pour le logement et les repas ?

— Si j'étais seul, c'est certain que je chercherais une chambre, sans doute en résidence, et je fréquenterais le restaurant universitaire. Ça ne doit pas être meilleur ou pire qu'ici. À deux, il faudrait voir s'il est possible de trouver un appartement. Je peux demander à Nadine Doyle ce qu'elle en pense.

Ils échangèrent encore un peu sur la question, même si c'était plutôt futile. À la fin, Jacques conclut :

— Écoute, pour l'instant, nous pouvons envoyer une demande d'admission et prier pour que les pièces tombent d'elles-mêmes à la bonne place au cours des prochains mois. Avec l'admission, avec ma bourse, avec ton ex, avec le logement. Au pire, ça ne marchera pas, et finalement nous ne connaîtrons rien de plus exotique que la belle ville de Sainte-Foy.

— Mais si nous sommes acceptés et qu'ensuite nous ne nous présentons pas ?

Parce que lui ne recevait pas de bourse, et qu'elle craignait trop la réaction de son futur ex-mari.

— Ce sera notre revanche. Après tout, les Français ne se sont pas présentés devant Québec au printemps 1760.

Après une pause, il ajouta, cette fois tout à fait sérieux :

— Même à Laval, je peux être admis et finalement ne pas me présenter en septembre, faute d'argent. Je planifie, et comme je te le disais samedi, j'essaie de me réserver des positions de repli.

❀

Mercredi matin au musée, Bertrand Péladeau brillait par son absence. Jacques se demanda si désormais son équipe se limiterait à seulement neuf personnes. Dans ce cas, mieux valait en aviser Bernard Dagenais, ne serait-ce que pour permettre à quelqu'un d'avoir un emploi. *Le Soleil* parlait du grand nombre d'étudiants n'ayant pas réussi à se « placer » pour l'été. La situation serait encore pire quand tous les cégépiens chercheraient du travail à leur tour.

Durant la journée, Marie Lemay paraissait terriblement préoccupée. Avait-elle un sentiment de culpabilité ? Jacques savait que les victimes, dans ce genre de situation, se sentaient plus mal à l'aise que les malotrus. Cela pouvait aussi être de la crainte. Ce garçon connaissait le lieu de son domicile, celui de son travail et le trajet qu'elle empruntait entre les deux.

À la fin de leur journée, ce fut lui qui proposa de la reconduire jusqu'à sa porte.

❀

À son retour au pavillon Parent, Jacques trouva un mot lui annonçant la présence de Terry Robson au musée le vendredi suivant. Aussi, lors de la pause du lendemain matin, il s'adressa à tout le monde :

— Le facteur n'a pas encore déposé de chèque de paye dans ma boîte, je suppose que c'est le cas pour vous aussi… Comme le patron sera ici demain pour nous rencontrer, je présume qu'il saura éclairer notre lanterne à ce sujet, et sur toutes les questions que nous voudrons lui poser. Et lui aussi en aura à notre intention. Il entend regarder où j'en suis, et vous, où vous en êtes avec vos tâches.

— Ah! Le patron, ce n'est pas toi? demanda Groslouis, un peu moqueur.

— C'est très complexe. Le gouvernement fédéral qui accorde de l'argent pour verser un salaire à des étudiants pendant l'été, c'est comme Dieu qui distribue ses grâces. Les ministres, les hauts fonctionnaires, les chefs de service, c'est comme le personnel du Vatican. Robson, c'est le curé de Saint-Tharcisius. Si vous préférez, le curé d'un tout petit village. Moi, je suis le bedeau.

— Et nous, les cloches.

— Tu as tout compris.

La description de Jacques reflétait assez bien la hiérarchie complexe de l'État providence, jusqu'à ses plus modestes bénéficiaires.

— Tu vas nous dire en plus que Saint-Tharcisius existe vraiment? demanda Michèle.

— C'est près d'Amqui.

— Tu sais vraiment tout, commenta Raymond d'un ton plutôt caustique.

Quand les étudiants se levèrent afin de retourner vers la salle de consultation, Jacques remarqua que Véronique cherchait son regard. Il s'agissait d'une toute petite femme aux cheveux blond foncé.

Quand ils furent seuls dans la pièce, elle commença :

— Dans le cas de Bertrand, que vas-tu faire?

— C'est à lui de faire quelque chose. D'abord, se présenter au travail, autrement je devrai le remplacer. Ensuite, parler à Marie pour s'excuser. Il est inacceptable que le comportement d'un collègue l'inquiète à ce point.

— Ce n'est pas un mauvais garçon, le défendit Véronique. Il est juste maladroit.

— Non. Moi, je suis maladroit. Lui, il fait peur.

Elle soutint son regard un instant, puis murmura :

— Je vais lui parler.

❀

Vendredi matin, Jacques eut la surprise de constater que tout le monde se trouvait devant le musée. Y compris Bertrand Péladeau. La grande visite les rendait très disciplinés. Quelques minutes après qu'ils eurent regagné leur place, Terry Robson apparut dans l'embrasure des grandes portes. Comme ils étaient les seuls dans la pièce, il demanda :

— Venez dans la salle de repos, s'il vous plaît.

Docilement, ils laissèrent tous leur travail afin de le suivre. L'habitude aidant, des étudiants firent mine de rapprocher les tables afin de permettre à tout le monde de s'asseoir.

— Pour cela, attendez la pause ou à midi. Je ne vous retiendrai pas longtemps. En revanche, je vous verrai un ou deux à la fois. Si vous travaillez en tandem, ce sera à deux. Je voulais juste vous distribuer ceci.

Il avait sorti un paquet d'enveloppes retenues par un élastique. Il les remit aux étudiants en suivant l'ordre alphabétique, appelant les noms l'un après l'autre. Jacques fut le premier à recevoir la sienne. Il s'agissait de la paye.

— Quand je me suis rendu compte qu'elles n'avaient pas encore été mises à la poste, j'ai décidé de les prendre avec moi. La prochaine viendra par voie normale. Bon, je commence avec Jacques, mais ne vous inquiétez pas, vous aurez votre tour au confessionnal.

Il y eut un petit flottement, puis ils se dispersèrent. Quand ils furent seuls, Robson désigna une table dans un coin.

— Je présume que les choses se passent bien, puisque tu n'as pas jugé bon de contacter Dagenais.

Heureusement, le sourire du patron lui permit de comprendre qu'il ne s'agissait pas d'un reproche.

— Pourquoi l'importuner ? Sur le plan de la recherche, j'ai l'impression que tout va bien. Personne n'a d'expérience, alors ils ratissent plus large que nécessaire de peur de manquer quelque chose, mais ça se corrigera au fil du temps.

— Il fallait s'y attendre. Comme tu as spécifié que tout va bien sur le plan de la recherche, c'est donc qu'à d'autres égards, tu es moins satisfait.

— Cette semaine, à sa demande, j'ai raccompagné une fille jusqu'à sa porte.

Comme son interlocuteur haussait les sourcils, il précisa :

— C'est Marie, l'anthropologue. Un des gars, Bertrand, montrait une insistance déplacée, jusqu'à la suivre à la maison.

— Bertrand, c'est le gros gars costaud ?

Jacques acquiesça d'un geste de la tête.

— Évidemment, si j'avais recruté des octogénaires, il n'y aurait pas de problème de ce genre, commenta Robson. Mais il y en aurait d'autres.

— Bertrand Péladeau m'a donné l'occasion de lui rappeler que ces choses ne se font pas, mais il a visiblement du mal à l'admettre puisqu'il a manqué deux jours de travail. Je lui ai aussi fait savoir qu'il devait s'excuser. Comme il est réapparu seulement ce matin, je ne sais pas s'il l'a fait.

— Quelle est ta conclusion ?

— Pour les jours manqués, il est possible de lui demander de reprendre les heures en soirée. Mais si Marie ne se sent pas à l'aise en sa présence, mieux vaut le remplacer.

Robson garda les yeux dans les siens un moment, puis admit :

— Tu as raison. Cela dit, s'il était syndiqué, son syndicat le défendrait jusqu'à la mort.

— Autrement dit, son syndicat enverrait Marie au diable, même si elle aussi en était membre.

Le chercheur se contenta de hocher la tête.

— Bon… et tes registres paroissiaux ?

— Entre deux apartés pour éclairer un peu mon monde, j'avance. Le résultat devrait être intéressant. Je peux vous remettre ce que j'ai fait à ce jour, mais je ne suis pas rendu très loin.

Robson convint que ce serait prématuré. Cela mit fin à sa présence au confessionnal.

Les étudiants durent livrer leurs comptes rendus et recevoir de nombreuses recommandations, car les va-et-vient se poursuivirent jusqu'après midi. Il était près d'une heure quand ils se réunirent pour manger dans la pièce commune. La conversation eut un peu de mal à démarrer. Le curé de Saint-Tharcisius intimidait légèrement ces jeunes gens.

Tout de même, Robson était un homme plutôt sympathique. Avant la fin du repas, tous s'étaient plus ou moins engagés à faire un saut au musée de l'Homme à leur prochain passage à Ottawa.

Robson montra jusqu'à quel point il pouvait être sympathique en annonçant :

— Comme vous avez sans doute envie d'aller renflouer votre compte à la caisse ou à la banque, je vous donne congé cet après-midi.

Des mercis chaleureux accompagnèrent donc les au revoir. Évidemment, Jacques comprit qu'il lui faudrait s'attarder un peu, afin de connaître la conclusion de cette visite. Quand ils furent seuls de part et d'autre d'une table, le visiteur commença :

— Tu as raison, le travail avance bien et le résultat devrait être très satisfaisant. Certains m'ont signalé que tu expliquais bien les choses. À ce sujet, regarde...

Il sortit quelques dessins dont Jacques reconnut l'auteure. Ils étaient très supérieurs aux premiers, réalisés plus de deux semaines auparavant.

— À l'entendre, elle aura dessiné un petit quartier d'ici la fin du mois d'août. En tout cas, elle paraissait plutôt contente d'elle-même.

— J'imagine que d'autres ont dû vous dire que j'expliquais plutôt mal.

— Ceux-là ont jugé préférable de ne pas en parler.

Jacques lui présenta alors les factures du matériel acheté plus tôt en indiquant qu'il y en aurait d'autres avant la fin du mois.

— Je vais demander qu'on te verse une avance, ce sera plus simple... J'ai aussi discuté avec Marie. Péladeau lui a parlé ce matin, elle semblait à peu près rassurée. J'ai abondé dans le même sens que toi auprès de l'amoureux transi : il doit reprendre le temps perdu, et surtout lui foutre la paix. Je crois qu'il a compris le message. Et pour faciliter les choses entre toi et lui, je lui ai dit que si ça n'avait été que de moi, j'aurais coupé ses deux jours, mais que tu étais contre.

Comment ne pas apprécier un patron qui se souciait ainsi de le faire bien paraître ? Au moment de sortir du musée, Robson dit encore :

— Comme ça, je suis le curé de Saint-Tharcisius, et toi le bedeau ?

— Ça, je parie que c'est de Groslouis !

— Groslouis a été le second à me raconter ça. La première personne à m'en avoir parlé a donné ça en exemple pour me dire que tu expliquais très bien.

Ils marchèrent ensemble jusqu'à la Grande Allée. Comme ils prenaient des directions opposées, ce fut à cet endroit qu'ils se serrèrent la main.

— Aurais-je dû donner signe de vie à Dagenais ?

— Non, puisque ce n'était pas nécessaire. Si jamais ça le devient, tu le sauras.

Après cela, Jacques grimpa dans l'autobus numéro 11. Il avait vraiment besoin d'aller regarnir son compte de banque.

❀

Travailler dans les locaux du Musée de la province de Québec présentait un avantage certain. En fin d'après-midi, Jacques montait parfois aux étages supérieurs pendant quelques minutes, seulement pour contempler des sculptures ou des peintures. L'exposition permanente faisait une belle place à des productions du dix-neuvième et du début du vingtième siècle. Il la connaissait déjà par cœur.

Les expositions temporaires permettaient des rencontres inédites, comme la peinture de Jean-Paul Riopelle intitulée *Pangnirtung*, achetée l'année précédente. Il s'agissait d'un grand triptyque, de plus de six pieds sur seize. Assis sur un banc placé juste en face, il entendit un léger bruit de pas. Charlotte approchait. Il se déplaça un peu pour lui permettre de s'asseoir.

— Je ne savais pas si je pouvais te déranger. Tu paraissais perdu dans tes pensées.

— C'est l'avantage d'avoir des peintures dans les musées plutôt que dans le salon de quelques privilégiés. Nous pouvons en profiter à plusieurs.

— Je t'ai vu quelques fois emprunter les escaliers à la fin de la journée. C'est devenu une habitude ?

— Les visites de quelques minutes ? Chaque fois que je suis venu aux archives. Depuis septembre dernier, ici, c'est comme un second chez-moi.

La conversation s'était faite tout bas. Pourtant, à cette heure de la journée, ils étaient seuls dans la grande salle d'exposition.

— Cet endroit a toujours été un de nos préférés pour nos sorties en famille, le dimanche après-midi.

Innocente en soi, la remarque rappela à Jacques combien ils venaient d'univers différents. Il ne pouvait même pas imaginer Paul et Aline dans un cadre pareil. Il déclara, avec un certain dépit dans la voix :

— Chez moi, le musée, c'était le rayon de décoration du Woolco. On y trouvait de belles peintures. Sur certaines, on voyait même les coups de pinceau.

Charlotte jeta un regard oblique sur lui, étonnée. Lui faisait-il un reproche sur ses origines bourgeoises ? Au lieu de formuler la question à haute voix, elle reprit :

— Ce titre, *Pangnirtung*, tu sais ce que ça veut dire ?

— C'est le nom d'un village de la Terre de Baffin. D'ailleurs, la peinture fait immédiatement penser à des icebergs qui se détachent de la banquise.

— Comment sais-tu ça ?

— J'aime comprendre ce que je vois. Il y a quelques jours, j'ai cherché le titre dans un dictionnaire.

Après une pause, il se tourna vers elle pour dire :

— Je dois rentrer souper. Le cuisinier de la cafétéria a la fâcheuse habitude de ne pas attendre les retardataires. Si nous allons dans la même direction, nous pouvons faire un bout de chemin ensemble.

— D'accord. J'habite tout près.

Ils se rendirent jusqu'à la Grande Allée, puis bifurquèrent en empruntant l'avenue De Bourlamaque jusqu'à l'intersection de la rue Fraser.

— C'est juste là, dit-elle en lui montrant un petit édifice vieillot au revêtement de brique.

— Je te souhaite une bonne soirée, Charlotte.

— À toi aussi, Jacques.

❁

Déjà, on était rendu à la mi-juin. Voilà six semaines que Jacques encadrait son équipe aux archives nationales. Après le dîner, alors que les étudiants s'apprêtaient à quitter la salle de repos afin de reprendre le travail, Michèle Duquette les rejoignit, un peu à bout de souffle d'avoir couru pour les rejoindre.

— J'ai passé toute l'heure du repas dehors. La journée est magnifique. On se croirait au milieu de l'été !

À midi, elle s'était plainte de devoir travailler dans une pièce sans fenêtre. Elle avait donc décidé de sortir. Personne n'avait voulu l'accompagner.

— Comme c'est vendredi, continua-t-elle, nous pourrions terminer un peu plus tôt et aller boire quelque chose sur une terrasse.

Tous les regards se tournèrent vers Jacques. Décider de « terminer un peu plus tôt » relevait certainement de sa compétence. Il consentit :

— Oui, ce serait agréable. Comme j'ai à cœur l'intérêt des contribuables, je sacrifierai ma pause de cet après-midi pour diminuer la perte de temps.

Il n'aurait pas été plus clair en disant : « Nous sacrifierons notre pause. » À compter de quatre heures, il sentit le regard de Michèle dans son dos. À quatre heures trente, il entreprit de ranger ses choses dans son sac.

Dehors, il constata que trois employés préféraient profiter de ce congé pour rentrer chez eux un peu plus tôt. Sans surprise, ce fut le cas de Bertrand Péladeau. Celui-là tendait à se faire discret. Quant aux deux autres, Jacques se doutait bien qu'il s'agissait de personnes préférant faire l'économie d'un verre ou deux.

Sur la Grande Allée, en marchant un peu vers l'est, ils furent bientôt dans le secteur des restaurants et des cafés. Les terrasses du côté nord de la rue étaient bondées. Tout de même, bientôt ils s'arrêtèrent Aux deux canons, un établissement plutôt chic. En rapprochant deux tables, tout le monde put s'asseoir. Jacques se retrouva encadré par Marie et Charlotte.

— Ils ont de la sangria en pichet, remarqua la seconde en regardant une ardoise sur laquelle le menu était écrit à la craie. Ça intéresse quelqu'un ?

Finalement, ça intéressa tout le monde. La serveuse en déposa trois sur les tables, il y eut un exercice de calcul rapide afin de déterminer la part de chacun.

— Je peux vous servir, mesdames ? proposa Jacques à ses voisines.

Raymond se livra au même exercice pour les occupants de la seconde table.

— Malgré toutes tes obligations, tu as des loisirs ? lui demanda Michèle.

Le sujet de son mémoire avait déjà fait l'objet d'une conversation.

— Je me donne parfois quelques heures de congé.

— Pour faire quoi ?

— J'ai vu *La petite*, samedi dernier.

— As-tu aimé ?

Une nouvelle fois, il exprima ses doutes sur le travail des censeurs.

— Les censeurs, ce sont les pires salauds, déclara quelqu'un. Je serais bien curieux de voir leurs collections personnelles de photos et de films cochons.

— C'est comme les prêtres qui prêchent l'abstinence tout en s'en prenant aux enfants, renchérit Linda.

À cause de bribes de confidences entendues, Jacques pensa que celle-là devait en connaître un bout sur les abus. Sa sœur Solange ne figurait pas seule dans la liste des enfants agressés. Les agissements des membres du clergé devenaient un thème récurrent. Il était de plus en plus abordé sur un mode humoristique par des artistes aussi divers que le père Gédéon ou les Cyniques, et de façon infiniment plus dramatique par les victimes. Autour des deux tables, la contradiction entre le discours et les pratiques des porteurs de soutane ne semblait pas faire de doute.

— Chez les Ursulines, intervint Charlotte, les sœurs passaient leur temps à nous dire de ne pas nous asseoir sur les calorifères, à cause de la chaleur...

Elle s'arrêta, maintenant mal à l'aise. C'était une chose de parler « en général », et une autre de se mettre soi-même en scène dans une histoire d'émois juvéniles.

— La chaleur ? demanda quelqu'un.

— Vous savez ce que je veux dire...

— Je ne savais pas que la chaleur pouvait entraîner des plaisirs coupables chez les jeunes filles, intervint Jacques, mais si cette religieuse connaissait les dangers de cette pratique, ça devait tenir à son expérience personnelle.

— C'est vraiment étrange, l'attitude des gens par rapport à la sexualité, dit Marie. On pense vivre à une époque libérée. Mais avant de me marier, je me suis présentée à la clinique de l'université pour me faire prescrire la pilule. Le médecin est sorti de son bureau pour aller engueuler mon chum resté dans la salle d'attente. Il lui a reproché de souiller une jeune fille bien.

— Au moins, il a reconnu que tu étais une fille bien, dit quelqu'un.

— Imagine s'il t'avait reproché de souiller un jeune homme bien, ajouta une autre.

Dans ce genre d'échange, mieux valait aborder les questions délicates en parlant d'étrangers, afin d'éviter d'être tourné en dérision.

Jacques en était à sa première expérience avec la sangria. Il trouvait la boisson agréablement rafraîchissante. Il devinait aussi que le côté fruité la rendait un peu traîtresse et préférait demeurer prudent. Quand le dernier pichet fut terminé, il proposa tout de même :

— Nous en prenons un autre ?

La conversation glissa lentement vers des sujets en apparence plus innocents. En apparence seulement, car évoquer les discothèques et les Bee Gees les ramenait tout de suite à la sexualité. D'ailleurs, le film *La fièvre du samedi soir* sorti l'année précédente racontait le drame d'une grossesse hors mariage. L'histoire se terminait par un suicide.

— Nous devrions faire un party, proposa Michèle, pour faire un concours d'imitation de John Travolta.

La grande châtaine paraissait résolue à prendre en main les loisirs du groupe. Elle esquissa le geste rendu populaire par Tony Manero, l'employé de magasin aspirant à la célébrité grâce au concours de danse de la discothèque 2001 Odyssey.

— Il n'y aura que des filles qui voudront imiter John Travolta, dit Marie.

En effet, ni Jacques, ni Raymond, ni Gilles ne semblaient disposés à s'aventurer sur une piste de danse. D'ailleurs, ils paraissaient faire semblant d'être ailleurs depuis que la conversation portait sur ce sujet.

Une quarantaine de minutes plus tard, le groupe quitta les tables. Avant qu'ils se dispersent, Michèle proposa encore :

— Quand il fera aussi beau qu'aujourd'hui, nous pour-rions partager un repas. Par exemple, des fromages, des fruits, des pâtés et du vin.

— Pourquoi pas, dit Jacques. Toutefois, je dois vous rappeler que boire de l'alcool dans un parc est défendu à Québec.

Il lut la réprobation dans le regard des autres. L'idée d'incarner le père fouettard ne lui disait rien, alors il s'empressa d'ajouter:

— Cela dit, il est sans doute possible de transférer le vin dans une bouteille plus discrète, comme pendant la prohibition.

Chapitre 12

Après avoir quitté le restaurant, Jacques marcha en direction de la rue De Bourlamaque avec Marie et Charlotte. Ils abandonnèrent cette dernière à l'intersection de la rue Fraser, puis ils prirent l'autobus numéro 8.

— Avec Bertrand, ça va ?

— Savais-tu qu'il m'a parlé ?

Jacques secoua la tête.

— Pas pour s'excuser, mais pour me dire qu'il ne pensait pas que ça pouvait me déranger... Maintenant, il a une sorte d'ange gardien.

Jacques fronça les sourcils.

— Quand nous sommes tous ensemble à la pause ou pendant le dîner, très discrètement, Véronique lui adresse un petit signe s'il parle trop fort ou s'il devient baveux.

— Il a de la chance d'avoir une amie si utile.

❀

Le lundi 19 juin, Diane et Monique étaient sorties de leur tanière afin de consulter quelques documents aux archives nationales. Elles arrivèrent après que Jacques et son équipe se furent mis au travail. Diane vint lui dire quelques mots, et Monique le salua de loin.

Au dîner, il s'arrêta à leur table dans la pièce de repos pour dire :

— Voulez-vous vous joindre à nous ?

— Non, s'empressa de dire Monique. Nous ferions tellement madame parmi tous ces jeunes.

Il préféra ne pas lui dire qu'elle faisait madame dans n'importe quel contexte.

— Pourquoi ce sont presque toutes des filles ? demanda Diane.

— Ce sont elles qui se sont montrées intéressées. Je pense que les gars ont plus facilement accès à des emplois qui paient mieux que le salaire minimum. Saviez-vous que quelques étudiants en histoire ont été recrutés pour repeindre le vieux pont de Québec ?

Cette structure revenait très vite au brun orangé, caractéristique de la rouille, quand on négligeait de mettre une nouvelle couche de vert kaki.

— Ça ne t'a pas tenté ? demanda Diane, un peu moqueuse.

— La dernière fois que je suis monté sur le toit d'un édifice grâce à une échelle qui traînait, j'ai eu trop peur pour redescendre par mes propres moyens. On est venu me chercher. J'avais cinq ans, et je n'ai jamais recommencé.

Plutôt que de s'exposer à des moqueries sur son vertige, Jacques rejoignit ses employés. Invariablement, il trouvait la chaise voisine de Charlotte disponible. Comme si, au sein du groupe, tout le monde acceptait que ce soit la sienne.

— Tu connais ces femmes ? demanda celle-ci.

— Plutôt bien. Nous tentons tous les trois de terminer notre mémoire de maîtrise cet été, afin de nous inscrire au doctorat en septembre.

À la pause de l'après-midi, au lieu de suivre les autres pour passer quelques minutes au soleil, Jacques se dirigea vers les toilettes. Quand il en sortit, il vit que Diane et Monique étaient en pause. En s'approchant de la salle de repos, il entendit la voix de Monique :

— L'idée de passer plusieurs mois avec Jacques ne te rebute pas ?

— Voilà quatre ans que nous passons beaucoup de temps avec lui. Pourquoi cela devrait-il me rebuter ?

Jacques décida de faire mine de se concentrer sur un panneau d'affichage placé près de la porte afin d'espionner le reste de la conversation.

— Tu sais bien que ce n'est pas la même chose. Tu seras seule avec lui, parmi des inconnus.

— Il s'est toujours comporté d'une façon très correcte avec moi.

— Bien sûr qu'il se comporte de façon correcte. Il est tellement pogné… Penses-tu que je n'ai pas remarqué vos petits apartés dès la première session ? Quand tu ne le regardes pas, lui, il ne te quitte pas des yeux.

Jacques s'attendit à entendre Diane protester. La répartie le prit par surprise :

— Tu rêves… En comparaison des gamines avec qui il passe ses journées, j'ai l'air d'une ancêtre. Tu as vu à quoi elles ressemblent ?

— Il te prend peut-être pour Maude et lui se prend pour Harold.

Cette fois il eut du mal à retenir son envie de rire. La Maude du film avait quatre-vingts ans.

— Franchement, merci ! Moi, c'est le regard du gardien qui me met mal à l'aise. Il ne m'a pas lâchée une seconde.

— Quelle idée aussi d'accepter un rendez-vous avec lui. Que pensais-tu qu'il arriverait ?

« Le gardien ? », pensa Jacques.

— Ce n'est pas comme si les gens se battaient à ma porte pour m'inviter. En plus, notre façon de vivre depuis des mois ne favorise pas les rencontres. Nous ne voyons que les p'tits gars, comme tu dis.

— As-tu déjà regardé dans le journal pour voir le nombre de pianos-bars à Québec ?

Il y eut un silence. Jacques savait, à cause des films, de la télévision et des journaux, que ces endroits faisaient office de lieux de rencontres pour les vieux. Une place privilégiée pour vivre les *Swinging Seventies*, alors que les discothèques jouaient ce même rôle pour les plus jeunes.

— Tu sais que je n'aime pas ces bars, dit Diane. Je ne m'y suis jamais sentie à l'aise. Même à vingt ans.

❁

Les deux femmes quittèrent les lieux un peu après quatre heures. À nouveau, Monique salua Jacques depuis la porte, alors que Diane s'approcha pour échanger quelques mots.

À partir de cinq heures, ses employés partirent un à un. Quand il quitta la salle de consultation, Jacques vit Charlotte devant le panneau qui indiquait l'horaire d'ouverture du musée. Comme si elle pouvait l'ignorer, après toutes ces semaines.

— Oh ! C'est toi. Je pensais que tu étais allé contempler le triptyque de Riopelle.

— Ce soir, je penchais plutôt pour la collection de petits bronzes d'Alfred Laliberté. Ils en ont des dizaines. Tu viens avec moi ?

Sans répondre, elle monta. Il y avait bien quelques bronzes de douze à quinze pouces de hauteur dans la salle présentant la collection permanente. Mais pour la tenue d'une rétrospective, le musée en avait regroupé un grand nombre dans une salle attenante.

— Quand je veux titiller mon âme d'artiste, je vais vers les autres salles. Ici, c'est surtout pour la satisfaction de l'historien.

— Avec ces bronzes ?

— Certains représentent des métiers traditionnels. Regarde, un cordonnier, un semeur, un glaneur. Et là, tu as des légendes : la chasse-galerie, la Corriveau, Rose Latulipe.

— Rose Latulipe ?

— Si tu me permets de marcher avec toi, je te raconterai ça.

Deux visiteurs venaient de pénétrer dans la salle d'exposition, il préféra leur épargner son récit. Ils regardèrent les sculptures encore un moment, puis quittèrent les lieux. Ce fut sur le trottoir de la Grande Allée qu'il commença :

— Rose Latulipe était une fille de cultivateur et elle aimait bien danser. Lors d'une soirée de Mardi gras, elle délaisse son fiancé et se laisse inviter par un bel inconnu. Il réussit à la faire danser jusqu'après minuit. Et tu sais qu'après minuit, ce n'est plus le Mardi gras.

— C'est le Mercredi des cendres.

— Le carême commence ce jour-là. Et s'amuser pendant le carême est péché mortel. Alors, le beau danseur l'emmène en enfer. Tu as remarqué que ses jambes se transforment en pattes de bouc ?

— J'aurais dû m'y attendre… C'est à nouveau Ève punie pour avoir péché, soupira Charlotte.

Les contes populaires contenaient toujours une morale, dont les femmes faisaient bien souvent les frais.

— Michèle étudie en arts et traditions populaires, elle pourrait nous donner une idée des centaines de versions qui existent de cette légende. Certains conteurs étaient moins dramatiques… Par exemple, dans leurs versions, le curé intervient in extremis afin de sauver Rose.

— C'est encore pire : la pécheresse demeure tout aussi pécheresse, mais un homme intervient pour la sauver, répondit Charlotte.

Jacques s'attendait à l'entendre commenter le mauvais sort que réservait l'Église aux femmes. Déjà, le vendredi précédent il y avait eu cette histoire de religieuse et de radiateur. La suite le surprit :

— J'ai vu que tu discutais avec tes amies aujourd'hui… Ce n'est pas rare que des femmes de trente-cinq ans reviennent aux études. Il y a quinze ans, elles accédaient rarement à l'université. Mais en poussant jusqu'au doctorat, elles n'auront pas terminé avant quarante ans.

— Ne va pas leur dire, ça les déprimerait. Mais tu sais, elles auront quarante ans un jour, de toute façon. Et toi aussi, à moins d'une grande malchance. Elles ne contrôlent qu'une seule chose : ce sera avec ou sans doctorat. Et elles pensent être plus heureuses avec un diplôme.

Le petit exposé laissa Charlotte silencieuse pour tout le reste du chemin. Ce fut devant sa porte qu'elle dit :

— Moi, ça sera sans diplôme. Je n'ai pas cette ténacité.

— Comme je te l'ai déjà dit : heureusement ! De cette façon, il y a des gens pour nous loger, nous nourrir et nous vêtir, nous qui ne servons à rien.

Il reprenait exactement la conversation amorcée plusieurs semaines plus tôt. Elle fut touchée qu'il s'en souvienne aussi bien.

Comme la météo annonçait une semaine radieuse, dès mardi matin, Michèle était revenue à la charge au sujet de son déjeuner sur l'herbe. Le lendemain, chacun lui remettait un peu d'argent pour qu'elle s'occupe d'acheter des victuailles.

— Je choisis quels fromages ? demanda-t-elle.

— Du blanc et du jaune, répondit Groslouis, pince-sans-rire.

D'autres firent des suggestions plus sensées. Jacques se rendit compte que le fromage de son enfance, le cheddar blanc produit par la Coop Fédérée, n'obtiendrait pas les suffrages de ses jeunes collègues. Encore une fois, ce serait pour lui l'occasion de nouvelles expériences culinaires.

— Si vous acceptez de retarder le repas jusqu'à une heure, observa-t-il, nous pourrions rentrer après le pique-nique, afin de profiter un peu plus tôt du congé de la Saint-Jean.

Au regard des autres posé sur lui, il comprit que ceux-ci tenaient déjà pour acquis que ce serait le cas. Après tout, Terry Robson avait donné l'exemple.

— Quant aux boissons, chacun se débrouille ! dit encore Michèle.

❀

Comme la Saint-Jean aurait lieu un samedi, c'est le 23 juin que tous bénéficiaient d'un congé. Le dernier jour travaillé de la semaine serait donc jeudi, le 22 juin. Ce matin-là, Jacques constata que l'été était bien commencé. Presque toutes les filles portaient des shorts et les chemisettes étaient légères. Les robes soleil prévalaient également. À dix heures, Michèle disparut avec Gilles Groslouis – son chauffeur pour l'occasion –, afin de faire les courses.

Dès midi, les yeux des étudiants fixaient les aiguilles de l'horloge accrochée au mur. Certains allèrent aux toilettes.

Charlotte revint avec les derniers boutons de sa chemise défaits, les pans noués sous les seins. À la demie, les crayons et les papiers disparurent de la surface de la table. À midi quarante-cinq, plutôt que de risquer une rébellion, Jacques se leva de son siège. Il arriva tout de même le dernier à la sortie, tellement les autres se hâtèrent.

Michèle avait poussé le zèle jusqu'à étendre une couverture sous un arbre pour y déposer la nourriture. Elle avait choisi une place au sud du musée, sur la pelouse.

— C'est gentil de t'être occupée de tout ça, commenta Jacques.

Cela lui valut un sourire de la jeune femme, et un commentaire de Groslouis :

— Si un jour je te demande une lettre de recommandation, n'oublie pas de préciser que moi aussi, j'ai participé.

— J'écrirai quelque chose comme : " Il a offert un soutien indéfectible lors d'une importante mission de ravitaillement."

— Si j'essaie de m'enrôler dans l'armée, ça fera bonne impression.

Pendant cet échange, ils avaient tous pris un couvert et une assiette en plastique, et pour certains, un verre. Sauf Charlotte qui s'était déjà assise sur l'herbe. Elle demanda à Jacques :

— Peux-tu en prendre pour moi ?

Comme Jacques lui jetait un regard interrogateur, elle précisa :

— Dans la même assiette, à moins que tu ne traînes un mauvais rhume.

Aussi, il la consulta du regard au moment de prendre fromages, pâtés, fruits et pain. Il entendit la voix de Judith demander de faire la même chose. Celle-ci s'adressait à Raymond. Ce scénario se répétait avec tellement de régularité qu'il avait l'impression de voir un effet miroir. Les deux jeunes femmes se consultaient peut-être sur la stratégie à adopter avec ces intellectuels.

En s'assoyant près de Charlotte, il lui dit en souriant:

— Je n'ai pas de mauvais rhume. Juste des allergies.

Il lui tendit un couvert.

— Je me disais aussi que tu ne prendrais pas le risque de nous contaminer. Tu as l'air si responsable.

Le ton était juste un peu moqueur.

— Mais pas assez pour refuser de partager ceci avec moi? continua-t-elle.

Elle avait sorti une demi-bouteille de bordeaux de son sac. Parmi les autres étudiants, certains cachaient la bouteille qu'ils avaient à la main dans un sac de papier brun. D'autres avaient vidé le vin dans un autre contenant.

— Seulement si tu acceptes de partager mon Perrier ensuite.

— Pas de Coke aujourd'hui?

— Ça me semblait peu compatible avec le menu proposé.

Pour manger, elle s'était assise en tailleur. Dans cette position, le short paraissait plus court encore. Son petit examen eut l'effet escompté sur son bas-ventre. Pendant plusieurs minutes, il pensa à son mémoire de maîtrise qui avançait si lentement. D'habitude, des pensées de ce genre valaient une douche froide pour retrouver son calme. Cette fois, ce serait insuffisant.

La jeune femme se tourna à demi pour regarder vers le fleuve. Cela eut l'heur de mettre en valeur une poitrine menue. Une nouvelle fois, il aperçut la bretelle d'un soutien-gorge léger. La marque Dici, sans doute, vendue dans de petites boîtes cubiques en forme de dé à jouer. La publicité disait: «Dici or Nothing».

— Samedi, ce sera noir de monde ici, observa-t-elle. Il y aura peut-être deux cent mille personnes.

Depuis l'élection du Parti québécois, les fêtes de la Saint-Jean prenaient l'allure de grands-messes nationalistes.

— ... Probablement, dit-il avec un léger retard.

— Et toi, y seras-tu ?

Il n'existait qu'une seule bonne réponse à cette question : « Jamais je ne manquerais ça. Voudrais-tu que nous y allions ensemble ? » Deux phrases qui se prononçaient dans un souffle.

— Je me suis entendu avec ma sœur pour me rendre chez ma mère, dans sa campagne.

« Idiot ! Mille fois idiot ! », songea-t-il. Comment s'astreindre à une visite si dénuée de plaisir alors qu'elle lui tendait une perche aussi grande qu'un poteau de téléphone. Il pouvait encore reculer, lui dire quelque chose comme : « Évidemment, si je savais te trouver ici, je changerais mes plans… » Le silence de Charlotte lui laissait encore le temps de se corriger. Puis elle murmura :

— Moi, je les verrai la semaine prochaine. Pour la fête du Canada, c'est soit déménager, soit manger les burgers que mon père fait cuire sur le barbecue.

La porte demeura ouverte encore un bref instant, ensuite elle se tourna pour dire à Michèle :

— Où es-tu allée pour les fromages et les pâtés ?

Le tout venait d'un commerce de la rue Cartier. La richesse de l'inventaire de l'endroit les occupa un instant. Marie intervint :

— Jacques, Gilles et toi vous parliez de l'armée, tout à l'heure. L'idée vous tente ?

Jacques, dépité, laissa le jeune homme répondre.

— À la cafétéria, nous sommes un petit groupe à manger régulièrement ensemble. L'un des gars vient de s'enrôler dans les Forces. Il étudiait en droit.

— D'ailleurs, enchaîna Jacques, tu dois connaître son frère, qui étudie aussi en anthropologie. Deschênes.

— Celui qui rêve de faire une étude chez les Papous de Nouvelle-Guinée ?

— Je pense même qu'il a déjà acheté son billet, renchérit Grolouis.

À ce moment, Charlotte s'approcha de la nourriture et demanda à Jacques :

— Tu en veux ?

Sans doute jugeait-elle de son devoir de pardonner à un pareil imbécile.

— Oui. La même chose que toi…

Ils partagèrent le Perrier en échangeant sur la douceur du temps, un sujet peu susceptible d'entraîner des frustrations. À deux heures trente, les premiers étudiants quittèrent les lieux.

Charlotte ne lui demanda pas de marcher avec elle jusqu'à son appartement, et il ne le lui offrit pas. Il en aurait pour des heures à se morfondre et à se reprocher son attitude. Et, pendant ses insomnies, à se demander pourquoi il détruisait tous les possibles.

❀

Comme Jacques en avait pris l'habitude quelques années plus tôt, c'est chez Solange qu'il se dirigea samedi matin très tôt, pour ensuite monter dans la Gremlin afin de se diriger vers Manseau. Tout le trajet se passa à parler de son expérience comme petit patron.

— Je suis plutôt satisfait, conclut-il après une évocation des derniers événements. Je redoutais un peu la direction de personnel. Je n'ai rien d'un joyeux luron, au contraire, je présente un visage plutôt austère.

— Tu crois que les joyeux lurons font de bons patrons ?

Juste au ton, il comprit que sa sœur ne partageait pas cet avis.

— Les choses ont tellement l'air faciles, pour certains…

— Mais pas pour toi, c'est ça?

Comme ce sujet ne pouvait que le rendre plus morose encore, Jacques se tourna vers Alain pour dire :

— Alors, content d'avoir terminé ta deuxième année?

— Ma quatrième année! hurla le garçon.

— Déjà? Seigneur! Dans quatre ans, tu en auras quatorze. Tu pourras commencer à travailler.

D'abord, le garçon lui présenta une mine réjouie, mais la réalité le rattrapa :

— Il n'y a pas d'emplois intéressants avec une huitième année.

— Mais ça fait quatre ans que tu répètes que l'école t'ennuie. Tu ne vas pas y traîner jusqu'à mon âge!

— Peut-être…

Solange échangea un regard satisfait avec son frère. Ce nouveau sens des réalités la réjouissait.

— Tu fais bien. Tu vois, présentement j'ai dix employés. Et si tu voyais les jolies filles qui travaillent avec moi !

Sa sœur laissa entendre un petit ricanement. Finalement, on ne devait pas trop le détester. À Manseau, les retrouvailles avec Aline furent embarrassées, comme d'habitude. Elle aussi s'informa de son travail. Après quatre ans, elle commençait tout juste à admettre que ses curieuses études lui permettraient un jour de gagner sa vie.

Et une fois cette conviction acquise, il lui restait une autre étape à remplir pour réussir son existence :

— T'as personne en vue? dit-elle en prenant place à table après avoir fait le service.

— En vue? Que veux-tu dire?

— T'as vingt-quatre ans, non? Le monde que je connais, à vingt-quatre ans, ils sont mariés.

Jacques serra les mâchoires. Solange intervint afin de détourner l'attaque :

— Ou divorcés !

— Les divorcés ont déjà été mariés. Demeurer vieux garçon à vingt-cinq ans, ça fait jaser…

— Jaser ?

— Tu sais ce que j'veux dire.

Oui, Jacques comprenait l'allusion. En même temps, il doutait que sa mère le soupçonne d'homosexualité. Prêcher le faux pour connaître le vrai était sa stratégie préférée depuis toujours.

— Tu veux dire que ça jase dans la paroisse ? Les gens comprennent que je ne veux pas courir le risque de vivre la même existence conjugale misérable que mes parents ? Que je crains par-dessus tout d'imposer le même sort à mes enfants, si j'en avais ?

Il gardait son regard dans celui de sa mère, qui feignait de ne rien comprendre.

— Toi, si tu avais le choix, tu recommencerais ? Vraiment ?

Alain écoutait de ses deux oreilles. Lui aussi risquait de demeurer méfiant envers tout engagement, et de devoir justifier sa solitude quand il aurait vingt-quatre ans. Comme Aline restait silencieuse, Jacques ajouta :

— Et ne viens pas me dire que c'était un homme bon. Parce que si toi tu le trouvais bon, ça signifie que tu étais pire que lui.

Ce serait une réunion familiale à oublier.

❁

Après le repas, Jacques proposa à Alain d'aller du côté de l'école afin de profiter un peu des installations de jeux. Et puis, prendre un peu d'air leur ferait du bien à tous les deux.

Pendant ce temps, Solange se dévouait pour aider sa mère à laver la vaisselle. Après un moment, un linge dans les mains, elle lança :

— Ça venait d'où, ta remarque, tout à l'heure ?

— Tu penses que c'est normal de pas avoir de blonde à son âge ?

— Je pense surtout que ça ne te regarde pas.

— Les voisins parlent.

— Quels voisins ?

Comme Aline ne répondait pas, après une pause, elle ajouta :

— Ils parlaient aussi quand ton mari abusait de moi ?

Ce genre de remarque assassine avait toujours le don de museler sa mère. Aussi il y eut un long silence avant qu'elle reprenne :

— Ces gars-là font pitié. Faire ça entre eux... En tout cas, moi j'aimerais mieux le voir mort que d'le voir de même...

Cette fois, Aline eut raison de la bonne volonté de sa fille. Solange lança son linge à vaisselle sur la table et sortit de l'appartement en claquant la porte.

Chapitre 15

Le retour à Trois-Rivières s'effectua très tôt dans l'après-midi, comme chaque fois que l'indélicatesse d'Aline froissait les sensibilités. Cette femme ne s'inquiétait pas de la solitude que pouvait ressentir son fils, mais plutôt des commentaires des voisins. Ce qui était d'autant plus ridicule que ces derniers avaient certainement mieux à faire que de se préoccuper de la vie amoureuse du fils d'Aline et de Paul Charon.

Jacques savait que sa sœur se montrait infiniment plus tolérante que lui avec sa mère, au point de passer quelques jours chez elle, parfois. Cependant, quand Jacques était là, la situation dégénérait souvent. Il l'endurait de plus en plus difficilement. Le retour se fit en silence. Une fois rendu à Trois-Rivières, Alain s'esquiva rapidement. Il devait passer la soirée chez un ami.

Cela permit au frère et à la sœur de manger en tête à tête. Plus tard, dans le salon, alors que la télévision transmettait à très bas volume le spectacle de la Saint-Jean donné sur le mont Royal à Montréal, Solange remarqua :

— Ce matin, dans l'auto, tu as dit à Alain qu'il y avait de très jolies personnes parmi tes employés.

Elle avait parlé tout doucement, avec l'espoir de ne pas susciter sa colère. Parce que, au fond, c'était une autre façon de revenir sur le sujet abordé par Aline.

— Tu utilises le mot "personnes", alors que j'ai dit "filles". C'est parce que tu partages les doutes d'Aline?

— Elle n'a pas de doute, et moi non plus. Avant d'entrer à l'école, tu avais déjà eu le béguin pour la petite blonde qui habitait à côté, chez ses grands-parents. Ensuite, du premier jour d'école jusqu'à la fin de ton secondaire, ç'a été la brune avec une chevelure bouclée qui lui allait jusqu'aux fesses.

Avec la première il avait eu l'occasion de voir de ses yeux que les différences physiques entre garçons et filles ne se limitaient pas qu'à la longueur des cheveux; avec la seconde, cela n'avait pas dépassé le patinage main dans la main.

— Alors, parmi tes collègues?

— Il y en a une, brune aussi avec des cheveux plutôt courts, mais les mêmes yeux noirs, si ma mémoire est fidèle.

— Comment ça se passe?

— Mademoiselle est la fille d'un professeur devenu juge.

— Quel est le rapport?

— Je suis né dans le chemin du Petit-Montréal, d'un cultivateur misérable qui abusait de sa fille. Elle a été formée chez les Ursulines avec d'autres filles de juges, d'avocats, de médecins, de bourgeois. C'est avec les frères de ces filles qu'elle a participé à des fêtes d'anniversaire et des parties dans les sous-sols. C'est un autre univers, conclut-il.

— Penses-tu qu'elle se prend pour Cendrillon qui attend son prince?

— Les filles n'en sortent jamais, non? Même pour celles qui se préparent une carrière et qui clament leur indépendance, elles attendent toutes un prince qui leur fera tourner la tête.

— Sauf celles qui ont découvert que ça n'existe pas… Donc, d'après toi, c'est le genre de fille à lever le nez sur un fils de cultivateur?

— Sans doute pas. Ça peut même avoir un certain charme, un gars de la campagne. Ça peut même devenir un fantasme sexuel, quand le soir dans leur lit, elles rêvent à lui torse nu, en sueur, en train d'effectuer une tâche harassante. Par exemple, elles peuvent imaginer Charles Ingalls, de *La petite maison dans la prairie*, en train de relever une clôture. Mais Charles Ingalls en train de sortir le fumier de son étable, précisa Jacques, ou d'épandre du purin, c'est infiniment moins séduisant.

Des tâches auxquelles le jeune homme s'était souvent livré.

— Mais ça, c'est le passé. Tout le monde sait que c'est derrière toi.

— Pas tout le monde. En tout cas, pas moi... Je suis toujours à la merci d'une mauvaise nouvelle à propos de ma dernière demande de bourses.

— Tu crois que ça peut mal se passer ?

— Au moins la moitié des candidats seront refusés. Et si je reçois une réponse positive, je craindrai que le gouvernement fasse faillite avant de m'envoyer mon chèque, ou qu'il soit perdu dans le courrier, ou que moi-même je le perde en chemin vers la caisse populaire.

Quand on avait l'impression d'être né pour un petit pain, la crainte de ne jamais en sortir ne disparaissait pas vraiment. Ni le sentiment de devoir prouver tous les jours qu'on méritait de se trouver sur un campus.

— Parmi les gens que tu côtoies, plusieurs doivent avoir des origines aussi modestes que toi.

— C'est vrai... Comme mon directeur de thèse, Maurice Dumont.

— Tu vois !

— J'ai beaucoup pensé à ça. Ces dernières années, pour mieux me comprendre, j'ai parcouru autant de livres de psychologie qu'un étudiant de cette discipline. Je suppose que naître dans un foyer aimant et rassurant donne des outils pour affronter le monde avec la certitude d'y être bien accueilli. Avoir grandi dans un foyer froid comme le nôtre, quand il n'était pas carrément menaçant, m'amène à croire que rien de bien ne m'arrivera. Jamais. Ce n'est pas une pensée rationnelle, mais un sentiment au fond de moi : je mérite cette misère, c'est mon lot. Comme je méritais sans doute d'avoir les parents que j'ai eus.

— Il faut combattre ce genre de pensées ! s'écria Solange.

Sa véhémence le convainquit qu'elle les partageait.

— Combattre, ce n'est pas nécessairement gagner, dit-il sur le même ton.

Pendant un moment, il demeura silencieux.

—Au point de vue du travail, ça demeure possible. Rien ne se passe dans l'instantanéité. Je peux travailler très fort pour être mieux préparé que les autres, essayer de prévoir tous les pièges et les éviter. Ce sont les réalisations qui sont jugées, pas la personne.

Une performance qui avait quand même un prix. Incarner le rôle de celui qui sait tout ne lui ferait pas gagner un concours de popularité. Il continua :

— Au point de vue des relations amoureuses, ce ne sont pas mes réalisations qui importent, mais qui je suis vraiment. Et ça, puisque ça n'intéresse même pas ma propre mère, comment veux-tu que je me sente face aux autres ?

« Au point où Aline préférerait avoir un fils mort, plutôt qu'un fils homosexuel », songea Solange. Cette femme ramenait tout à elle, sans se soucier des besoins de ses enfants.

Cette mise à nue ne pouvait que les laisser profondément troublés tous les deux. Rien ne les avait préparés à ce genre de conversation. Et quand les faux-semblants disparaissaient, ils demeuraient impassibles. Parce qu'ils étaient habitués à la froideur, à l'absence de tendresse, ils ne possédaient ni les gestes ni les mots nécessaires pour se rassurer.

Ce ne fut que le lendemain matin qu'ils revinrent sur le sujet, et à mots couverts à cause de la présence d'Alain. En plaçant un pot de confiture au centre de la table, Solange déclara :

— J'ai passé une partie de la nuit à ressasser notre conversation. Je ne pense pas que la différence des origines ait autant d'importance que tu le crois.

— Moi aussi, j'y ai songé. À titre de travailleuse sociale, tu t'es déjà occupée de couples qui fonctionnent mal ?

— Bien sûr.

— Comme je passe souvent mes soirées seul, je lis beaucoup. Il semble y avoir une certaine unanimité chez les conseillers conjugaux. Il y a plus de chances que ça fonctionne entre des personnes qui appartiennent à des milieux culturel et économique semblables : la religion, la fortune, le rapport à l'argent, les valeurs, le type d'éducation à donner à des enfants.

— Tu lis ce genre de chose ?

Quand Jacques hocha la tête, elle comprit combien son frère attachait de l'importance à ce sujet.

— Si tu reçois cette bourse et si tu continues tes études au doctorat, ce sera pour occuper un emploi semblable à celui du père de la jeune fille dont tu m'as parlé, fit-elle remarquer.

Un peu plus tard, quand Jacques se prépara à partir, Solange lui fit la bise et murmura :

— Fais-toi confiance et fais-lui confiance.

— Je veux bien essayer.

❀

Le lundi suivant, une rude négociation occupa toute l'heure du dîner. Une menace de mutinerie pesait dans l'air. Michèle avait mené la charge, mais visiblement, elle s'était concertée avec les autres :

— Un peu partout dans les bureaux, il y a un horaire d'été. Les gens ne travaillent pas le vendredi après-midi. Et souvent, même pas le matin !

— Vous n'avez pas travaillé du tout vendredi dernier et vous ne travaillerez pas vendredi prochain, plaida Jacques.

— Ça ne compte pas, dit Marie. Ce sont des congés prévus par la loi.

Jacques pensa faire sortir Bernard Dagenais de sa retraite pour venir discipliner les troupes. Mais ce serait comme lui avouer : «Au secours, je n'y arrive pas !» Après ça, il ne lui resterait pas l'ombre d'un atome d'autorité. Charlotte prit bien garde de ne pas intervenir, mais son sourire semblait dire : «Comment vas-tu te sortir de celle-là ?»

— Écoutez, je pense que ça peut se faire, si nous nous montrons sérieux pendant toute la semaine. En plus, il ne faudrait pas étirer les pauses et faire nos pique-niques à une heure. Pas avant !

Ce fut d'un ton un peu trop moqueur pour être pris tout à fait au sérieux qu'ils s'y engagèrent. Comme il ne revint pas sur le sujet, ils comprirent que cela vaudrait aussi pour le prochain jeudi. En regagnant la salle de consultation, Jacques songea : «Je suis mieux de ne pas chercher mon salut dans l'armée. Avec des officiers comme moi, les Alliés se seraient fait rejeter à la mer en 1944.»

Une fois assis, il fit rapidement le calcul. Une semaine se composait de dix demi-journées. En soustraire une revenait à augmenter les salaires d'un peu plus de trente cents de l'heure. Vue de cette façon, sa générosité ne lui parut pas excessive.

❁

Depuis l'arrivée en masse des étudiants des autres provinces venus apprendre le français, l'Université Laval avait renoué avec cette idée charmante d'ouvrir une terrasse en accaparant une partie du stationnement du Pollack. Au premier coup d'œil, tout était identique à l'été 1977. Mais l'illusion disparaissait au moment de tendre l'oreille. La langue de Shakespeare l'emportait à quatre tables sur cinq, et parfois avec un lourd accent français. Même pour les francophones qui rêvaient d'un Québec indépendant dès le lendemain de la tenue du fameux référendum, les filles de la Colombie-Britannique ou de l'Alberta étaient terriblement exotiques. Souvent, elles n'avaient pas l'âge de boire de la bière dans leur province d'origine, et pour la première fois, elles séjournaient en dehors de la maison paternelle. Tout pour rendre l'aventure excitante. L'une d'elles, originaire de Saskatoon, avait expliqué à Jacques que chez elle, elle passait ses soirées sur le porche à regarder le blé pousser. *So boring!* avait-elle précisé. Il avait joué celui qui ne comprenait pas, juste pour la forcer à sortir un petit dictionnaire afin de l'entendre dire en rougissant : « très ennuyant ».

Peut-être traumatisée par ce Québécois qui ne comprenait pas deux mots anglais si simples, le lendemain, elle avait cherché une table à l'autre bout de la terrasse. C'est donc avec Jean-Philippe qu'il soupa le mardi.

— Tu as aimé le spectacle de la Saint-Jean ? demanda Jacques.

— Oui, même si être assis au milieu de dizaines de milliers de personnes pas tellement à jeun a quelque chose de stressant. C'est immanquable, un idiot finit toujours par exprimer sa fièvre nationaliste en lançant une bouteille de bière dans la foule.

— Avec le secret espoir d'atteindre une tête d'Ontarien, je suppose. Remarque, visiter ma mère présente également sa part de risque.

— Comment ça ?

— Je suppose qu'elle m'en veut encore de ne pas avoir repris la terre quand elle est devenue veuve.

— Ça fait trois ans…

— Sa mémoire est au moins aussi bonne que la mienne.

Jacques changea de sujet en s'informant des progrès du mémoire de son ami. Celui-ci commença par grimacer :

— J'ai beau m'y mettre dès que j'ai un peu de temps, j'ai l'impression que j'avance à pas de tortue.

— Après une journée au travail, ça n'a rien d'étonnant. Tous les soirs, ça me prend au moins une heure pour me remettre dans le sujet, confia Jacques.

— Tu penses à tes belles employées ?

Jacques demeura interdit. Au point où Jean-Philippe jugea préférable de se justifier :

— Gilles Groslouis a abordé le sujet samedi soir. Il était avec nous sur les Plaines. Selon lui, pendant votre pique-nique, plusieurs filles montraient de belles jambes.

— Elles ont entre vingt et vingt-trois ans. Les varices sont rares sur les jambes, à cet âge. Cependant, je dois être bien mal fait. Je fais partie de ces hommes qui ramènent les problèmes du bureau à la maison. Mais je laisse les jambes au bureau.

Jean-Philippe trouvait difficile de passer ses journées dans l'antichambre des canadianistes. Les déjeuners sur l'herbe en agréable compagnie auraient certainement agrémenté son quotidien.

À sept heures, avec une discipline spartiate, ils marchèrent en direction du pavillon Parent.

— Penses-tu ressortir à dix heures pour aller boire quelque chose ? demanda Jean-Philippe.

— Non, ce soir je commence à transcrire à la machine ce que j'ai fait jusqu'ici. Comme c'est un travail machinal, je pense poursuivre un peu plus tard.

— Avec cette discipline, toi aussi tu devrais te faire soldat.

Dans l'ascenseur, Jacques sourit à cette nouvelle allusion à la décision de Deschênes. Cette stratégie pour échapper au chômage croissant chez les nouveaux diplômés paraissait si désespérée qu'elle marquait les esprits.

Jacques entendait vraiment s'attacher à sa machine à écrire, alors il en voulait un peu à son ami d'avoir ramené à son esprit ses charmantes compagnes de travail. Après ça, les syndicats catholiques chez les travailleurs de la construction et les efforts de leur aumônier, l'abbé Maxime Fortin, pour concilier doctrine sociale de l'Église et convention collective, l'attirèrent moyennement.

❁

Jeudi, le scénario se répéta presque à l'identique. Michèle se dévoua pour faire des provisions, Groslouis pour la conduire et porter les paquets. Bertrand Péladeau se fit fort de rappeler que lui aussi venait travailler en voiture – tous les jours, dans son cas. La grande châtaine fit semblant de n'avoir rien entendu, et Péladeau prit bien garde de ne pas insister. Il se faisait un devoir de se refaire une virginité, sous l'œil bienveillant de Véronique. Cette attention à elle seule l'amenait vraisemblablement à se désintéresser de la grande brune au profit de la petite aux cheveux blond cendré.

Ils se retrouvèrent sous le même arbre. Les fromages et les pâtés les moins populaires avaient été remplacés par d'autres et le petit effort pour dissimuler les boissons se maintint. Jacques s'était entendu avec Charlotte pour apporter lui aussi une demi-bouteille. Ce serait l'occasion d'élargir un peu l'éventail de ses expériences. Il avait opté pour un bourgogne.

— Quand je suis allé en France l'an dernier, je pense que c'est ce qu'ils servaient aux repas, murmura-t-il en lui tendant un verre de plastique.

— Tu as de la chance… J'en rêve.

Les juges n'emmenaient pas leur progéniture en France? Que Charlotte envie l'une de ses expériences lui fit un drôle d'effet. Il avait plutôt tendance à jalouser les autres.

— Pour une architecte qui aime les vieilles bâtisses, c'est certainement une destination rêvée.

Ils poursuivirent longuement sur le sujet des voyages effectués et des voyages rêvés. Quand ils étaient sortis du musée, le temps était très chaud et humide, et une heure plus tard, des nuages s'amoncelaient au-dessus d'eux. Le premier coup de tonnerre agit comme un signal, la moitié de l'effectif se leva.

— Comme j'habite tout près, rue Fraser, nous pouvons aller chez moi pour terminer notre repas. Si vous voulez à boire, je peux vous offrir de l'eau. Mais il y a un dépanneur à quarante secondes de ma porte, proposa Charlotte.

Ils furent quatre à accepter l'invitation, dont Jacques. Il était directement derrière l'hôtesse lorsqu'ils montèrent l'escalier jusqu'au premier. Sur le palier, il vit quelques photographies. Suivant son regard, la jeune fille expliqua :

— Ce sont mes frères et sœurs.

Elle lui donna leurs prénoms et leurs occupations : tous étudiaient, sauf l'aîné qui travaillait dans un bureau d'avocats.

— Tes parents habitent à Québec ?

— Non, autrement je vivrais à la maison. Depuis sa nomination, papa vit à Montréal. Les deux plus jeunes ont suivi, ici nous sommes deux. Nous habitons chez ma vieille tante, qui occupe le rez-de-chaussée. C'est un régime de liberté surveillée.

Son sourire indiquait que cette situation ne lui pesait pas trop. Le logement était vieillot et les meubles avaient déjà eu un ou deux propriétaires.

— Vous allez m'excuser un instant. Installez-vous ! dit Charlotte avant de disparaître dans une petite pièce.

Dans le salon, un futon reposait sur sa base, et des coussins permettaient de s'adosser tant bien que mal. Il y avait aussi deux fauteuils, Michèle en occupa un, Marie l'autre.

— Groslouis a décidé de rentrer ?

— J'espère que non. Quand la pluie s'est mise à tomber, il s'est engagé à nous ramener à la maison. Il est passé au dépanneur.

Finalement, le jeune homme apparut bientôt, une bouteille de cidre à la main. Quand Charlotte revint, elle sortit des verres. Puis elle s'étendit sur le futon. À cause de la chaleur, et peut-être d'une nuit sans sommeil, elle s'endormit presque aussitôt, forçant les autres à converser à voix basse. Régulièrement, le regard de Jacques se posait sur elle. Sans témoins, aurait-il eu l'audace de s'étendre à côté d'elle ?

À son retour au musée le lundi suivant, Jacques retrouva ses collègues avec un certain plaisir. Il avait passé son week-end de trois jours dans un isolement total, sans même profiter de la présence de ses camarades habituels à l'heure du souper. Jean-Philippe se trouvait dans Charlevoix, auprès de sa famille, et Groslouis à Thetford-Mines. Il en allait de même pour tous les autres.

Dans ces circonstances, il travaillait jusqu'à s'abrutir afin d'être capable de dormir la nuit. Mais l'addition des heures devenait improductive. Il corrigeait dix fois ses textes, et à la fin, il trouvait sa dernière version moins bonne que la première.

Être dans la salle de lecture avec ses employés lui paraissait donc une heureuse diversion à sa solitude. À leur pause, il demanda à Charlotte :

— As-tu aimé ta visite chez tes parents ?

— Oui, même s'ils répètent dix fois, au moins : "On ne te voit presque plus !"

— Tu as de la chance.

Comme elle fronçait les sourcils, il expliqua :

— Moi, je trouve que je vois ma mère trop souvent. Et pourtant, ce n'est qu'à la Saint-Jean, à la fête du Travail, à Noël et à Pâques.

— Alors pourquoi y aller ?

— Là, je suis un mauvais fils. Si j'y allais moins souvent encore, je serais un très mauvais fils. De ton côté, vous êtes tous présents lors des célébrations ?

— Nous sommes les cinq enfants, les parents, et au moins un des couples de grands-parents. Les Morin, c'est un peu comme dans *Les Belles Histoires des pays d'en haut*.

— Chez les Charon aussi. Mais nous nous inspirons de la famille Laloge. Un père pleurnichard, un fils ivrogne, joueur et menteur, une épouse éternelle victime.

— Où tes parents habitent-ils ? demanda Michèle à Charlotte.

— À Outremont, répondit celle-ci.

Comme pour se faire plus explicite, elle ajouta :

— C'est comme Sillery, mais en plus grand, et sans le fleuve.

— Tu as pu sortir en ville ? s'enquit Marie.

— Je suis allée rue Saint-Denis. Je connais quelques personnes, là-bas.

Le charme des bars de Montréal fit l'objet du reste de la conversation.

Jean-Philippe avait retrouvé l'antichambre des bureaux des canadianistes dès le matin. Il connaissait maintenant assez bien l'histoire de toutes les sociétés de secours mutuels devenues au fil des ans de véritables sociétés d'assurance, comme la Société des Artisans canadiens français.

À midi, il se rendit à la cafétéria du De Koninck afin d'acheter un sandwich dans une machine distributrice, et un café dans une autre. Il prit place à une table voisine de celle déjà occupée par un trio de femmes. Deux d'entre elles lui étaient familières : il y avait l'épouse du directeur Van Doesberg, et celle du professeur Robitaille.

Cette dernière se trouvait plus souvent sur le campus depuis le début de la session d'été. Pour tromper son ennui, contre rémunération, elle s'impliquait beaucoup dans un projet de recherche d'un collègue de son mari. Parmi d'autres avantages, cela lui permettait de le tenir à l'œil.

— Il y avait déjà toutes ces gamines à peine vêtues, disait-elle. Maintenant, il y a toutes ces femmes qui reviennent étudier. Aubut en a épousé une, alors les autres doivent espérer en faire autant.

— Que veux-tu dire par "les autres"? demanda Marielle Van Doesberg.

— Elles sont deux à tourner autour de Maurice Dumont. Il paraît que l'une, Diane Chénier, s'est même séparée de son mari. Elles font un peu… salopes.

Peut-être parce qu'elles étaient moins inquiètes de leurs charmes, les deux autres demeurèrent silencieuses sur ce sujet.

En fin d'après-midi, Jacques sortit du musée en même temps que Charlotte. Avec son sourire habituel, la jeune femme demanda:

— Nous faisons un bout de chemin ensemble?

— Avec plaisir.

— Qu'as-tu fait de ta fin de semaine?

— J'ai travaillé. Pendant la majeure partie du temps, j'ai rédigé mon mémoire. J'ai aussi passé tout mon dimanche à la bibliothèque.

Ils approchaient de la rue Fraser quand elle lui demanda:

— Vas-tu passer toute ta vie comme ça?

— Tu sais, d'où je viens, bien peu de choses me préparaient aux études universitaires.

— Tu as fait des études secondaires et collégiales, comme tout le monde.

— À l'école publique. Dans ta famille, quelqu'un a-t-il fait son secondaire à la polyvalente?

Un moment, elle soutint son regard, puis baissa les yeux en disant non d'un geste de la tête.

— Parce que tes parents pensaient que l'école privée préparait mieux aux études universitaires, et à une vie professionnelle ensuite. Pourtant, les écoles publiques ne doivent pas être mauvaises à Sillery. Ou encore ils ne souhaitaient pas que toi ou les autres membres de ta fratrie, vous vous frottiez de trop près à la clientèle de l'école publique, comme s'il s'agissait de mauvaises fréquentations. Pour un instant, admets qu'ils avaient raison… Ça te donnera une petite idée de tous les retards que des gens comme moi doivent rattraper. Alors oui, je travaillerai toujours plus que de raison pour me mettre à niveau.

Chapitre 14

À la terrasse du Pollack, Jacques se laissait parfois tenter par un hamburger au lieu de son habituel hot dog. Ce n'était peut-être pas la façon la plus saine de s'alimenter, mais après une journée passée dans une pièce sans fenêtre, souper en plein air devenait irrésistible. La plupart du temps, des amis se joignaient à lui : Jean-Philippe, Beauregard, Groslouis ou quelqu'un d'autre.

Ce mardi, il achevait son souper de roi quand Jean-Philippe demanda :

— Tu permets ?

En suivant ses yeux, il comprit le sens de la question : Suzanne marchait en direction de la terrasse.

— Bien sûr.

Son ami se leva pour attirer son attention. Elle les rejoignit avec un sourire. La jeune femme sortit un Tupperware et un Perrier de son sac.

— J'ai toujours un peu peur de me faire chasser quand je viens manger mon lunch ici. Je n'achète même pas de quoi boire !

— C'est vrai que l'université s'attend à ce que les services offerts aux étudiants fassent leurs frais, commenta Jacques, mais il ne s'agit pas d'un établissement « licencié ». Ce n'est pas comme manger à la terrasse d'un restaurant.

Puis, après une pause, il demanda :

— Tu suis des cours d'été ?

— Oui, et je passe le reste de l'après-midi à la bibliothèque de droit. J'essaie de prendre un peu d'avance sur l'année à venir.

— En septembre, tu commenceras la troisième ?

— Oui, en notariat. Après ça, j'aurai un an de cléricature. Si je me trouve du travail, je toucherai mes premiers honoraires en 1980.

Un petit dépit marquait sa voix. Le trajet pour se rendre jusque-là lui semblait interminable. De plus, l'économie se portait mal, les taux d'intérêt croissaient sans cesse, les libéraux et les fédéralistes – la plupart du temps, il s'agissait des mêmes personnes – promettaient la catastrophe aux Québécois pour avoir osé élire le Parti québécois.

— C'est la même chose pour moi, dit Jacques.

— Mais tu es plus jeune.

— Regarde-nous, crois-tu que quelqu'un te donnerait plus que moi ?

— Flatteur !

En plus, il exagérait à peine.

— Suzanne, je ne sais pas si je peux me permettre d'aborder ce sujet... commença Jean-Philippe.

— Tu en as déjà trop dit...

— À midi, j'ai entendu une conversation entre des épouses de professeurs. Elles critiquaient sévèrement les femmes qui revenaient aux études. Elles disaient que c'était pour séduire leur mari.

— Sévèrement ?

— Elles parlaient de... salopes.

— De qui parlaient-elles ? intervint Jacques.

Comme Jean-Philippe se troubla, il continua :

— Diane et Monique...

— Et de moi aussi, probablement, intervint Suzanne, même si Pierre était célibataire quand je l'ai connu. Et je parie que je saurais donner le nom de ces mauvaises langues. Je commence à les connaître.

— Pourquoi disent-elles des choses comme ça ? demanda Jean-Philippe.

La jeune femme haussa les épaules.

— Elles ont peur. Elles sont sorties de leur collège convaincues de pouvoir être des épouses parfaites pour des intellectuels. Imaginez, elles connaissent quelques locutions latines, elles savent quel couteau utiliser avec le poisson, prennent le thé avec le petit doigt en l'air et parlent avec un accent pointu. Dès le début, les secrétaires les embêtaient, mais nous étions des ignorantes. Après, il y a eu les étudiantes pâmées sur leur professeur bedonnant. Et maintenant, il y a des étudiantes plus âgées, séduisantes, prêtes à discuter hagiographie avec des spécialistes du haut Moyen Âge.

— Au lieu de traiter les autres de salopes, elles devraient faire des études, si le grand problème de leur vie matrimoniale est l'écart intellectuel qu'elles ont avec leur mari, remarqua Jacques.

— Penses-tu vraiment que c'est ça, leur grand problème ? Penses-tu que je me suis inscrite en droit pour être à la hauteur de Pierre ? Ça n'a rien à voir ! Je ne pense pas qu'il existe un écart d'intelligence entre lui et moi. Cependant, un jour, si je sens qu'il me regarde de haut, je ne serai pas forcée de rester là parce que je ne peux pas gagner ma vie. Ça s'appelle la liberté. Et Pierre m'a encouragée dans tout ça parce que ça lui plaît de vivre avec quelqu'un qui a le choix de rester ou de partir. C'est la même chose pour vos amies.

Suzanne n'alla pas jusqu'à préciser que cette femme à la cafétéria évoquait Monique et Diane de cette façon tout en sachant que celles-ci étaient des amies de Jean-Philippe, assis à la table voisine. Elle souhaitait que le message se rende à elles.

À cet instant, Suzanne se leva à demi pour faire un signe de la main. Son grand barbu de compagnon s'approchait, sourire aux lèvres. Il se pencha pour lui faire la bise et se releva en disant :

— Alors, vous aimez ça, la recherche ?

Comme il voyait Jean-Philippe tous les jours, Jacques comprit que la question s'adressait à lui.

— Parfois, je m'ennuie de la traite des vaches, mais je me ressaisis très vite.

Pierre accepta de s'asseoir. Le temps de boire une bière, la conversation porta sur des sujets légers : le beau temps et les projets de vacances du couple.

❁

Jean-Philippe et Jacques décidèrent de demeurer sur la terrasse afin de terminer leur bière. Le second trouvait ironique de s'accorder ce congé le jour même où Charlotte lui demandait s'il entendait passer toute sa vie à travailler sans désemparer. Bientôt, Groslouis et Beauregard les rejoignirent.

La conversation se poursuivit jusqu'à neuf heures trente. À ce moment, Beauregard se leva en disant :

— Messieurs, le devoir m'appelle !

Il tentait de se donner l'air de James Bond appelé au service de Sa Majesté.

— Je vais t'accompagner, dit Groslouis. On n'est jamais trop de deux pour ce genre de mission.

— Mais de quoi parlez-vous ? demanda Jean-Philippe.

— Une demoiselle nous a signalé qu'un affreux goujat se plantait sur son chemin quand elle rentrait au Parent.

Alors je vais au De Koninck à la fin de son cours de latin et je marche avec elle jusqu'au Parent, expliqua Beauregard.

— Et moi je l'accompagne, dit son comparse. Un peu comme l'armée de réserve. Venez, vous aussi ! Comme ça, elle se sentira parfaitement en sécurité.

Chemin faisant, Jean-Philippe demanda :

— C'est un goujat qu'elle connaît ou l'un de ceux qui sévissent sur le campus depuis quelques semaines ?

Comme de très nombreuses jeunes femmes se déplaçaient le soir sur le campus en utilisant les sentiers traversant les pelouses et les sous-bois, tous les maniaques de Sainte-Foy et des villes voisines semblaient se donner rendez-vous. Jean-Philippe s'intéressait particulièrement à la question parce que récemment, quelqu'un l'avait assailli par-derrière. Sa petite taille et ses cheveux longs pouvaient faire illusion par une nuit sans lune. Cette fois-là, l'assaillant avait été aussi surpris que sa victime.

— C'est un professeur d'archéologie. Il l'a déjà suivie jusqu'à la porte de sa chambre.

Comme le manège se répétait depuis une semaine, l'étudiante et son escorte avaient déjà développé des habitudes. Les jeunes hommes se plantèrent près de la porte de côté du De Koninck, celle donnant sur la bibliothèque des sciences humaines. Quand Lyne Côté sortit, l'étonnement se lut sur son visage.

— Nous avons voulu te donner une escorte royale ce soir, dit Beauregard.

La remarque tira un sourire à Jacques. Cet étudiant était sans doute le seul sur le campus à pouvoir nommer tous les membres des familles couronnées d'Europe.

— En réalité, nous sommes là pour protéger les protecteurs, se moqua Jean-Philippe.

— Il nous faudrait des bannières ! insista Beauregard.

Une fois au Parent, le petit groupe se dispersa. Comme Jacques habitait dans le même bloc que Lyne, ils prirent l'ascenseur ensemble. Quand la porte métallique se referma, il demanda :

— Tu peux me dire de qui il s'agit ?

Comme elle se montrait hésitante, il précisa :

— S'il te suit de nouveau et que tu le signales, je pourrai corroborer. Aucun professeur ne donne un complément d'enseignement aux résidences. Sa seule présence sur les lieux serait suspecte.

À la fin, elle donna le nom d'un homme ventripotent et décrépit. L'instant d'après, l'ascenseur s'arrêtait au septième. Jacques l'immobilisa en bloquant la porte avec son pied, le temps de dire :

— C'est tout de même incompréhensible. Comment ce débris peut-il s'imaginer séduire quelqu'un comme toi ?

Elle lui sourit pour le remercier du compliment implicite. Avec ses cheveux blonds plutôt courts et ses petites lunettes sur le nez, elle faisait un rat de bibliothèque plutôt charmant.

— Voilà la preuve qu'un parfait idiot peut obtenir un doctorat du département d'histoire, dit-elle.

— J'espère ne pas faire partie de ceux-là... Ta chambre est bien au huitième, du côté nord ?

Elle acquiesça.

— Je dors toujours avec ma fenêtre ouverte, et je dors très mal. Il n'est certainement pas assez idiot pour tenter de forcer ta porte, mais si jamais... J'entendrai certainement ton cri. Bonne nuit.

Elle lui rendit son souhait après une hésitation, maintenant plus préoccupée encore. Pouvait-il forcer sa porte ? Jacques, quant à lui, regagna sa chambre, un peu découragé de la moitié masculine de l'humanité.

❁

Après la discussion qu'ils avaient eue à propos de son travail incessant, Jacques redoutait un peu ses retrouvailles avec Charlotte. Le lundi suivant, en arrivant, celle-ci lui adressa un sourire intimidé. À la pause, elle lui demanda :

— Accepterais-tu de venir manger dans un café de la rue Cartier à midi ?

— Oui, bien sûr.

Toutefois, elle aurait mieux fait de lui faire passer un papier pendant le travail, comme à la petite école. Car au moment où ils se retrouvaient à la sortie du musée, Michèle Duquette se tenait là.

— Tout à l'heure, j'ai entendu que vous allez manger à l'extérieur…

Jacques regarda Charlotte. Comme celle-ci avait fait l'invitation, il lui revenait de répondre.

— Oui, rue Cartier.

— Je peux y aller avec vous ? Je n'ai pas eu le temps de préparer mon lunch ce matin.

— Oui, bien sûr.

Quelqu'un de plus attentif aurait compris combien la réponse venait à contrecœur, mais Michèle ne se distinguait pas par sa sensibilité aux nuances. C'est donc à trois qu'ils marchèrent vers un café de la rue Cartier.

L'importune mena la conversation sans désemparer pendant que les deux autres échangeaient des regards un peu désolés en répondant par des monosyllabes.

— Allez-vous souvent voir les tableaux aux étages supérieurs du musée ?

Ils ne purent qu'acquiescer.

— Charlotte le sait déjà, mais ma mère aussi aime beaucoup peindre.

Charlotte se pencha sur son repas pour dissimuler un demi-sourire.

— Elle se spécialise dans les paysages d'hiver. Ses œuvres sont exposées dans une galerie de la Côte-de-la-Montagne.

— C'est vrai? dit Jacques. Je passerai les voir à la première occasion.

— Évidemment, elle fait ça en amateur.

— Ce qui rend la chose encore plus admirable. Il me faudrait un loisir de ce genre à moi aussi. Il paraît que je travaille trop.

Cette fois, Charlotte redevint tout à fait sérieuse. Le repas se déroula sans donner lieu à une véritable conversation. Au moment de revenir au musée, Michèle disparut dans les toilettes.

— Comme ça, tu connais et tu apprécies les œuvres de madame Duquette? demanda Jacques.

— Je me suis laissé entraîner jusqu'à la galerie.

— Et...

— On ne voit presque pas les numéros sous la peinture.

Puis elle regretta tout de suite sa sévérité.

— Je veux dire... Ça ressemble aux cartes de Noël: la petite maison avec la neige sur le toit et la fumée qui sort de la cheminée.

— C'est ravissant.

Jacques allait se diriger vers la salle de consultation quand la jeune femme s'empressa d'ajouter:

— Jacques... Je voulais manger en tête à tête ce midi pour te parler de ma remarque de vendredi dernier. Je voulais te dire que ce n'est pas de mes affaires, les heures que tu mets à ton mémoire. Et je sais bien que j'ai été privilégiée...

— Ce n'était pas un reproche. Tu m'as posé une question, je t'ai répondu honnêtement. Être riche, moi aussi je ferais tout pour maximiser les chances de réussite de mes enfants.

À cet instant, Michèle sortit des toilettes et posa son regard sur eux. Peut-être réalisa-t-elle trop tard son manque de tact.

Le vendredi suivant, lors du dîner sur l'herbe, Charlotte se montra juste un peu plus distante avec Jacques. Cela s'exprima par des apartés moins nombreux, une participation plus grande aux conversations des autres.

— As-tu des projets pour la fin de semaine ? lui demanda Marie.

— Des gens que je connais viennent de Colombie-Britannique. Je dois leur faire visiter la ville.

La suite de la conversation apprit au jeune homme qu'elle hésitait entre leur faire connaître les cafés de la rue Saint-Jean ou la discothèque de l'hôtel le Concorde. «Avec une visite au restaurant qui tourne, pour un dernier verre.»

Le lundi 18 juillet, quand Jacques se présenta à la terrasse pour le souper, il aperçut une silhouette familière : Sylvain Morin. Le jeune homme était inscrit à la maîtrise en archéologie. Il déposa son plateau sur sa table et tendit la main en disant :

— Je me suis peut-être trompé de programme. Je passe l'été dans le sous-sol d'un musée et toi sous le soleil de la Méditerranée.

Son interlocuteur avait été assistant d'enseignement auprès des étudiants en archéologie au cours d'un stage de fouilles dans la région de Herculanum. Voilà qui expliquait son teint hâlé.

— Il n'est pas trop tard pour changer de programme.

— Je vais y songer.

C'était manière de parler. Jamais Jacques ne recommencerait des études dans un domaine où les perspectives d'emploi étaient pires qu'en histoire. Dans les minutes suivantes, Jean-Philippe, Groslouis et Beauregard vinrent se joindre à eux.

Tout le repas se passa à parler de l'Italie et de ses charmes, et à échanger sur les événements survenus au cours des dernières semaines. À un moment, Sylvain regarda Jacques en disant :

— Aimerais-tu avoir des nouvelles de Sylvie-Nicole ?

— Pourquoi pas ?

— Herculanum, c'est à côté de Pompéi. Elle y a rencontré un touriste, un médecin new-yorkais, et en vingt-quatre heures – il claqua des doigts pour exprimer l'immédiateté du coup de foudre –, elle a abandonné son stage pour partir avec lui vers la grande métropole.

Ainsi, elle avait trouvé quelqu'un offrant de meilleures perspectives qu'un vice-doyen dans une obscure université. L'événement ne le surprenait guère. Au contraire, c'est la durée de ce mariage qui l'étonnait plutôt.

— L'histoire a un épilogue. Une fois arrivé dans sa belle demeure donnant sur Central Park, le médecin a découvert que sa nouvelle amoureuse lui avait refilé une infection qui ne s'attrape pas sur le siège d'une toilette. Il l'a jetée dehors.

Jacques ne put réprimer un sourire. Une autre preuve de la justice immanente, à laquelle il ne faisait pourtant pas vraiment confiance. Curieux, il demanda :

— Le vice-doyen est au courant de cette mésaventure ?

— Ça, je n'en doute pas.

— Va-t-il passer l'éponge ?

Le pauvre devait déjà avoir fait preuve d'indulgence à quelques reprises.

— Je ne crois pas, mais qui sait ?

Ensuite, Jean-Philippe et Groslouis dirent qu'ils partaient pour se rendre au Cartier afin de voir *Rencontres du troisième type*.

— Tu viens avec nous ? demanda ce dernier.

— Malheureusement, je vous ai devancés l'année dernière. Mais je ne vous dirai pas comment ça se termine.

— Écoute, j'ai un rendez-vous ce soir. Pourrais-tu raccompagner Lyne au Parent ? lui demanda Beauregard.

Jacques accepta. Un peu après neuf heures trente, quand Lyne Côté sortit du De Koninck, son visage trahit sa surprise.

— Eh oui ! Tous les autres se sont envolés. J'espère que ta session se termine bientôt.

— Vendredi !

— Tant mieux, parce que les chevaliers servants ne sont plus ce qu'ils étaient, en ce vingtième siècle.

Pendant cet échange, ils s'étaient mis en marche.

— Mais pourquoi diable prends-tu un cours de latin ?

— En archéologie, c'est une nécessité. Comme je n'en ai pas fait au secondaire...

— ... Il te faut faire un peu de rattrapage. Je connais la chanson.

❁

Le lendemain, comme d'habitude, Jacques s'arrêta pour prendre son courrier dans son casier. Depuis deux ou trois semaines, un petit pincement au cœur accompagnait ce geste. D'importantes nouvelles se faisaient attendre : celles provenant d'Aix-en-Provence et des organismes accordant des bourses d'études. L'un de ses sujets d'inquiétude disparaîtrait ce 18 juillet. La lettre du Conseil de recherches en sciences humaines était là. Il la prit et se dirigea vers l'ascenseur du bloc D.

Une fois dans sa chambre, il la déposa sur sa table de travail et la regarda, incertain. Une mauvaise nouvelle lui couperait totalement l'appétit. Comme l'incertitude aurait le même effet, il l'ouvrit. Au premier coup d'œil, il sut que c'était positif. L'émotion l'amena à s'asseoir sur le rebord de son lit.

Ce bout de papier l'assurait de pouvoir vivre décemment pendant les trois prochaines années. Comme il n'aurait pas besoin de travailler pour assurer sa subsistance, ce laps de temps lui permettrait de terminer le programme de doctorat. Ce ne serait pas la richesse – dix mille dollars par an –, mais sur une base hebdomadaire, cela donnait cent quatre-vingt-douze dollars ; divisés par quarante heures, quatre dollars quatre-vingts. Présentement, il recevait un dollar de moins pour effectuer un travail de moine.

En se rendant au pavillon Pollack pour souper, il eut l'impression que ses pieds ne touchaient plus le sol. Pourtant, cela ne le conduisit pas à s'attarder pour célébrer avec un second hot dog. Ça, ce serait pour le lendemain. Au contraire, il mangea très vite : la nouvelle le rendait encore plus déterminé à terminer son mémoire dans les délais prévus.

❁

Le lendemain, à la pause de la matinée, Jacques alla passer un coup de fil. Diane décrocha à la troisième sonnerie, le temps de passer de son bureau au salon. Après son « Allô », il dit tout de suite :

— Ça te dit de manger un hot dog ce soir ? Je te l'offre.

— Ceux qui sont longs comme un bâton de baseball ? Je ne pensais pas en venir là, mais je préférerais La Résille.

— Bon, je pense pouvoir me le permettre.

— Cette générosité signifie que tu as reçu une bonne nouvelle ?

— Plutôt, oui. Mais elle ne vient pas d'Aix-en-Provence.

— Donc c'est pour ta bourse.

— Oui. Nous pourrons en parler de vive voix ce soir.

Tous les deux s'entendirent pour se rencontrer à six heures dans l'entrée du Pollack.

❁

Après s'être servis au comptoir de La Résille, ils occupèrent une table placée à l'écart. Durant quelques minutes, ils échangèrent sur l'état d'avancement de leur mémoire de maîtrise, puis Diane demanda :

— Tu vas finir par me le dire ?

— Que j'ai reçu une bourse ? Je pensais te l'avoir dit, déjà.

— Laquelle ?

— Celle du Conseil de la recherche en sciences humaines.

Il l'informa sur le montant accordé et la date du premier versement, en septembre.

— Ça veut dire que tu es partant pour Aix ?

— Pour un homme vivant en résidence, capable de se contenter d'un steak haché et d'un Coke à La Résille pour célébrer un grand événement, le montant est satisfaisant. Pour un séjour en France, ce sera juste. Là, le taux de change est de trois virgule huit francs pour un dollar. Il faudrait voir combien coûte le logement, à Aix.

— Où penses-tu pouvoir trouver une information de ce genre ?

— Au consulat de France ? Peut-être que tu pourrais... Moi, je suis occupé toute la journée pendant les six prochaines semaines.

Il y avait là un appel du pied que Diane ne pouvait ignorer. Jusque-là, il s'était occupé de tout. Après avoir accepté de se rendre au consulat, elle demanda :

— Mais si tu considères qu'au point de vue financier ce sera difficile...

Elle-même recevrait presque deux fois et demie ce montant au cours de la prochaine année, et le coût de l'aventure lui pesait. Aussi, impossible de ne pas comprendre sa réticence.

— Je dois encore recevoir la réponse pour ma demande de bourse à la Direction générale de l'enseignement supérieur. Elle est réputée plus facile à obtenir que l'autre.

— Tu peux recevoir les deux ?

— Oui et non. C'est-à-dire que je peux recevoir la moitié du montant de la deuxième bourse si j'ai reçu la première. Et si je l'obtiens, je serai certain d'arriver.

C'était l'avantage de ces bourses au mérite : elles ne visaient pas qu'à satisfaire les besoins essentiels des étudiants. La somme autorisait à faire des projets.

❀

Jacques avait participé au déjeuner sur l'herbe avec des sentiments mitigés. Charlotte continuait de se montrer charmante, tous les deux mangeaient à la même assiette, partageaient la même bouteille. Malgré tout, la jeune femme demeurait un peu distante. Une fois le repas terminé, un petit groupe s'était arrêté chez elle, avant de rentrer, sans qu'il profite de l'opportunité offerte de reprendre la conversation ratée au restaurant.

C'était une situation étrange. Déjà, il se taisait parce qu'il ne croyait pas à une histoire possible entre eux. Et voilà que maintenant s'ajoutait un autre « empêchement » :

la perspective d'une année en France. Dans les deux cas, c'étaient de mauvais prétextes. Cela se limitait à une seule chose : un rejet lui aurait été intolérable.

Au souper, Gilles Groslouis demanda :

— Ça vous dit de venir voir les étoiles ? Il est possible de visiter l'observatoire de l'Université Laval, près de Lac-Mégantic.

En plus de Jacques, Jean-Philippe et Yves Beauregard étaient à une table de la terrasse de l'université.

— C'est loin, remarqua ce dernier.

— En partant à sept heures, nous arriverons à neuf heures trente. Le propre des observatoires, c'est de fonctionner la nuit.

Jacques fut le premier à exprimer son intérêt. Jean-Philippe répondit de la même façon, heureux de se laisser entraîner au repos. Le quatrième larron ne souhaita pas passer la soirée seul : il se joignit aux autres.

Ce fut donc un club de vieux garçons qui monta dans l'Impala pour prendre la route de la Beauce. Les fenêtres baissées, ils profitèrent du paysage. Ils venaient tous de la campagne – Thetford-Mines se qualifiait mal comme une grande ville –, ce cadre bucolique leur était familier. Afin de prendre leur temps, ils s'arrêtèrent pour voir le pont couvert de Saint-Éphrem-de-Beauce.

L'observatoire était bien modeste comparé à ceux que l'on voyait dans les films américains, mais quand même impressionnant pour eux. L'un après l'autre, ils placèrent un œil contre l'oculaire. Après avoir contemplé les cirques et les mers de la lune, et quelques planètes, dont Saturne avec ses anneaux, ils sortirent de l'édifice surmonté d'un dôme.

— Rien ne presse pour rentrer, dit Groslouis. Le temps est doux et le parc est très beau, restons encore quelques minutes.

Peu après, ils s'étendaient dans l'herbe pour admirer le ciel.

— Dans le film, dit Jean-Philippe, l'extraterrestre avec une grosse tête et de grands yeux ressemble à l'enfant. C'est pour ça qu'il y a une complicité entre eux.

La remarque tira un sourire à Jacques. Depuis la parution du film *Rencontres du troisième type*, tout le monde s'interrogeait sur l'existence des extraterrestres, les imaginant hauts de trois pieds, hydrocéphales et avec des yeux globuleux.

Groslouis se passionnait plutôt pour un autre mystère, plus terrestre.

— Que penses-tu de Charlotte?

La question devait le tenailler depuis longtemps. À cinq semaines de la fin du projet de recherche du musée de l'Homme, après avoir mesuré sa mansuétude, il ne devait pas craindre les conséquences des sautes d'humeur de son patron. Ce soir, il osait.

— Beaucoup de bien... Elle est charmante, assidue, talentueuse. En plus, j'aime ses dessins.

C'était vrai. Elle ne se présentait jamais à l'avance et n'allongeait pas ses journées de travail après cinq heures. D'un autre côté, elle ne gaspillait aucune minute. Et ses dessins étaient vraiment jolis. Beaucoup trop, sans doute, car il devait flotter sans cesse une odeur écœurante au-dessus des maisons plantées les unes contre les autres, avec chacune une bécosse sur un terrain minuscule. Ses illustrations montraient un petit romantisme dans la perception.

— Je ne m'adressais pas à son boss.

— J'ai dit qu'elle est charmante. Dois-je énumérer ses charmes?

— Non. Compte tenu de ton emploi, ce serait risqué.

Comme cela vint avec un éclat de rire, Jacques conclut que ses regards permettaient de juger de son évidente appréciation de la jeune femme. Le rapport entre patron et employé rendait toutefois la situation un peu délicate.

— Quand elle attache ses pans de chemise comme ça...

Jacques ne vit pas le geste des mains de Groslouis, mais il le devina. Sa tenue du vendredi après-midi, avec ses jambes, son ventre et la naissance de sa poitrine au soleil, s'imprimait dans son cerveau. Il le lui confirma :

— On dirait Marianne dans *Les joyeux naufragés*.

Ils étaient une génération complète à avoir appris à apprécier les charmes féminins des ingénues grâce à cette émission. Il existait une seule différence : la vedette de l'émission était trop plantureuse pour porter des Dici or nothing.

— Tu parais lui plaire beaucoup aussi. Tout le monde peut voir que c'est réciproque.

Si Jacques acceptait d'évoquer sa vie intime avec Solange, sa réticence devenait plus grande avec un étranger. Même avec quelqu'un qui lui permettait de s'évader dans les étoiles, un soir de vague à l'âme.

— Elle se montre très gentille, et j'essaie de le lui rendre. Mais nous vivons sur des planètes différentes. Autant que les extraterrestres dont parle Jean-Philippe depuis que nous sommes ici. Mes journées au musée, mes soirées dans mon mémoire...

— Ne dois-tu pas terminer d'ici l'automne ?

— Ce ne sera pas très différent après, avec le doctorat. Un gars comme moi doit se montrer besogneux. Le dilettantisme serait mortel.

Ces mots contenaient un sous-entendu : Charlotte était une dilettante. C'était la fille du juge qui faisait des études parce qu'il fallait bien faire quelque chose en attendant un bon parti. Et lui, un tâcheron. Sa dernière répartie était suffisamment acerbe pour que son compagnon veuille changer de sujet.

Une demi-heure plus tard, le petit groupe remontait en voiture. Jean-Philippe et Beauregard discutaient encore des extraterrestres et des voyages intersidéraux. Ils montèrent derrière. Jacques occupa le siège du passager à l'avant. Pour s'excuser de son mouvement d'humeur, il déclara :

— Désolé de ne pas pouvoir partager la conduite de la voiture. Sur un gros tracteur John Deere, ça va. Mais ça roule à peu près à huit milles à l'heure.

— Conduire ne me dérange pas trop. Un vendredi soir après minuit, ce sont surtout les gars saouls que je redoute.

Les facultés affaiblies et les *muscle cars* représentaient une menace mortelle. Tous les lundis d'été, les journaux faisaient l'inventaire de dizaines d'accidents.

Chapitre 15

Le premier jour du mois d'août, Jacques reçut enfin une lettre de la Direction générale de l'enseignement supérieur lui apprenant qu'il avait droit à une seconde bourse. Une demi-bourse, en réalité. Tout de même, cela portait son revenu à quinze mille dollars, le salaire d'un jeune professionnel : tout près de trois cents dollars par semaine.

Et avec cette bonne nouvelle, il y en eut une seconde, celle-là venue de l'Université d'Aix. L'établissement créé en 1409 voulait bien accueillir un étudiant canadien au programme de Diplôme d'études approfondies.

Sa première pensée fut de téléphoner à Diane. Après une hésitation, il se rendit plutôt à sa chambre pour s'asseoir à sa table de travail, les deux lettres déposées sous ses yeux. La première confirmait que sa situation matérielle, pour les trois années à venir, serait non seulement satisfaisante, mais confortable.

Cependant, la deuxième missive le rendait songeur. Aix paraissait une ville si enchanteresse, quand il y était de passage. Maintenant, il comprenait que ce serait sortir de sa zone de confort si durement acquise. Se sentir chez lui sur le campus de l'Université Laval avait demandé des efforts considérables. Là, tout serait à recommencer dans un cadre totalement inconnu.

Son trac était si grand qu'il se surprit à espérer que Diane ne soit pas admise. Cela lui permettrait de reculer sans trop perdre la face. Comme faire la conversation avec ses compagnons habituels aurait été trop difficile, au lieu de se rendre à la cafétéria, il obliqua à travers la pelouse du Grand Séminaire pour se rendre au A&W, maintenant situé chemin Sainte-Foy.

❊

Le lendemain, après le dîner, en se dirigeant vers la salle de consultation, Jacques s'arrêta à la cabine téléphonique. Diane répondit à la première sonnerie.

— J'ai reçu des nouvelles, dit-il.

— Moi aussi !

— Aix ?

— Ils m'ont acceptée.

Un très bref instant, il eut envie de lui cacher la réponse de la DGES, pour se lancer dans une lamentation sur ses moyens financiers. Puis il se sentit mesquin. S'il décidait de reculer, il le ferait comme un homme en disant la vérité, mais à la place, il préféra plonger :

— Moi aussi. En plus, ma situation matérielle vient de s'améliorer nettement.

— Tu as reçu ta seconde bourse !

Elle paraissait si heureuse pour lui qu'il eut honte de son envie de la laisser tomber, la minute précédente.

— Viens manger à la maison. Nous pourrons parler de nos projets.

— Avec plaisir. Je serai là vers six heures.

Le jeune homme revint finalement dans la salle de consultation en se sentant penaud. Assis à une table, il eut l'impression que des yeux étaient fixés au milieu de son dos. Des yeux noirs, probablement.

❀

Quand, vers six heures, Jacques frappa à la porte de l'appartement de Diane, il la trouva toute souriante.

— Je ne pense pas que ce sera meilleur qu'à la terrasse du Pollack, dit-elle. J'espère que tu ne seras pas trop déçu.

Il reconnaissait très bien l'odeur du thon en boîte.

— Viens dans la cuisine !

Il la suivit, pour prendre place à la table pendant qu'elle s'affairait devant la cuisinière.

— Après ton coup de téléphone, je suis allée au consulat de France.

Elle avait convenu de le faire lors de leur dernière conversation, mais Jacques se montrait alors si inquiet de sa situation financière que la démarche lui était apparue prématurée.

— Le centre de documentation contient les annuaires de plusieurs universités. Il y avait des informations sur le restaurant universitaire et la résidence. Mais rien sur les logements en ville. L'employé m'a tout simplement dit qu'à Aix, tout est cher.

Bientôt, elle déposa une assiette devant lui, puis s'installa juste en face.

— Il est trop tard pour recommencer nos démarches dans une ville tristounette, froide, pluvieuse et peu coûteuse comme Lille, dit Jacques.

Pourtant, il ne connaissait cet endroit que grâce à la télévision.

— De toute façon, ça te dirait, une ville de ce genre ?

— Sérieusement, non. Ce qui m'attire le plus à Aix, c'est le soleil. Tu as déjà connu un hiver sans un flocon de neige ?

— Un hiver complet, non. Seulement une semaine ou deux, parfois.

Depuis qu'il la connaissait, les courts séjours aux Antilles ou au Mexique avaient égayé ses hivers, sauf le dernier.

— Quand tu as reçu la nouvelle au sujet de ta bourse, tu as dû te sentir très fier. Recevoir les deux, c'est une reconnaissance de ton talent.

— J'ai surtout été soulagé. Maintenant, je suis assuré de me rendre au terme du doctorat. Même si je ne sais pas trop ce que je ferai quand je l'aurai en poche.

Pendant une partie du repas, ils commentèrent les affichages des postes disponibles dans les diverses universités de la province. Ils en venaient à devenir des spécialistes des mouvements de personnel dans les divers départements d'histoire.

❁

Après le souper, tous les deux se retrouvèrent assis sur le canapé du salon, un gimlet à la main. Si Jacques ne raffolait pas tellement de ce cocktail, cela lui semblait être une bonne façon de célébrer. Diane demanda :

— Tu n'as pas d'hésitation à l'idée de partir ?

Le jeune homme essaya de deviner quelle réponse Diane souhaitait entendre. Il n'eut pas l'impression qu'elle cherchait à se défiler. Il s'agissait d'autre chose. Le souvenir de la conversation entre elle et Monique, entendue en secret, lui revenait en tête.

— Je n'ai pas d'hésitation pour la France... ce qui ne veut pas dire que je ne sois pas effrayé.

— Tu n'as jamais eu de difficulté avec les études. D'ailleurs, tu es boursier.

— Je présume que l'adaptation posera un défi.

— Alors, tu te sens prêt ?

— Et toi, es-tu à l'aise avec l'idée de passer des mois en ma compagnie ? Enfin, même si nous n'habitons pas au même endroit, nous serons un peu comme des naufragés sur la même île.

Il reprenait l'exacte formulation de Monique ; pourtant, son interlocutrice ne cilla pas.

— Nous nous entendons bien !

— Trop bien, peut-être. Tout à l'heure, quand tu préparais le repas, je ne t'ai pas quittée des yeux. Je ne voudrais pas... être déplacé.

— Tu ne l'as jamais été.

— Tu avais un mari. En plus, nous ne nous sommes jamais trouvés ensemble jour après jour.

Comme elle demeurait muette, il se pencha vers elle, assez lentement pour lui laisser le temps de reculer, de lui dire d'arrêter. Puis ses lèvres touchèrent les siennes, très légèrement. Après quelques secondes sans bouger, il se fit plus entreprenant et allongea la main pour esquisser une caresse sur sa joue, jouer ensuite dans ses cheveux noirs. Cela agit comme un déclencheur, le baiser se fit goulu.

Jacques recula, le temps de déposer son verre sur le plancher, et prit celui de Diane en disant :

— Sinon, nous allons tout droit vers un petit dégât.

Ils reprirent là où ils s'étaient arrêtés. Le jeune homme se fit plus audacieux. Les doigts de sa main gauche jouèrent dans ses cheveux et sa paume droite se posa sur la cuisse nue et monta jusque sous le short. Ses doigts touchèrent le bord de la culotte.

Diane s'écarta un peu et murmura :

— Maman, viens chercher ta fille...

— Oh ! Je m'excuse.

— Idiot, ne t'excuse pas. C'était une blague !

Pour le convaincre de ne pas prendre ses mots au pied de la lettre, ce fut elle qui l'enlaça, qui retrouva sa bouche. Pour Jacques, seul le premier pas avait coûté. Même si la position assise n'était pas idéale pour cela, ses mains réalisèrent l'inventaire des charmes de Diane : ses seins, son ventre et ses fesses.

— Tu ne penses pas que nous devrions passer à côté ? dit-elle.

— Je n'osais pas te le demander.

Dans la chambre, les rideaux assuraient une certaine intimité, Diane se garda bien d'allumer la lampe. À trente-quatre ans, c'est-à-dire exactement dix de plus que son compagnon, la pénombre lui paraissait une complice bienvenue. Jacques de son côté se sentait terriblement intimidé. Toutefois, l'enthousiasme de sa compagne eut le don de le rassurer.

❀

Les deux verres étaient demeurés sur le plancher du salon. Passé minuit, ce fut toute nue que Diane alla en préparer d'autres. À son retour, elle lui tendit son *drink* en disant :

— Quelqu'un t'a déjà dit que tu gagnais à être connu ?

— Non... et je ne suis pas certain que ce soit un compliment. J'ai l'air si empoté ?

À nouveau, la discussion des deux amies lui revenait.

— Plus précisément, j'ai l'air pogné ?

— Tu ne m'as pas paru particulièrement empoté ou pogné au cours des dernières heures. Je suppose que tu es plutôt discret, secret même. En tout cas, tu as l'énergie de la jeunesse.

— C'est plutôt l'enthousiasme.

C'étaient bien des circonvolutions pour exprimer leur satisfaction réciproque. Il continua :

— Selon mes lectures de livres défendus, à nos âges respectifs, nous sommes tous les deux au sommet de nos capacités dans ce domaine.

— Justement, au sujet de l'âge... Le mien ne te dérange pas ?

— Voilà des années que j'entends tes idées féministes. Si j'avais ton âge, et toi le mien, tu t'exprimerais de la même façon ?

Elle préféra ne pas répondre, bien consciente que son comportement ne s'ajustait pas toujours à ses discours sur l'égalité des femmes. Parce que tout le monde acceptait que l'homme soit plus âgé. Le contraire la troublait.

— Quand même, ça ne peut pas conduire très loin...

Diane tenait à poser les limites de cette aventure.

— Jusqu'en France, aller-retour ? proposa Jacques.

— Aller-retour.

C'était comme signer un contrat : cette relation durerait le temps du diplôme en France. Cela signifiait que Jacques s'accordait la permission de laisser Charlotte dans les limbes de sa vie. Il se trahissait lui-même.

❀

— Il est huit heures ! Je vais être en retard, dit Jacques en se redressant, les yeux sur sa montre.

Le jeune homme sortit du lit vivement. Cela réveilla sa compagne, qui s'exclama :

— Sauter du lit avec une telle énergie... Moi, je rampe jusqu'à ce que j'aie bu mon second café.

— Désolé de t'avoir réveillée, mais je dois partir. Sinon, je ne réussirai pas à être au musée à neuf heures.

— Penses-tu vraiment perdre ton emploi pour un retard ?

Il ne le croyait pas, et la voir étendue sur le lit ne l'incitait pas à se montrer particulièrement ponctuel.

— Me permets-tu de prendre une douche ? demanda-t-il.

— Me permets-tu de la prendre avec toi?

Jacques acquiesça d'un geste de la tête.

— Tu me donnes une minute? Ensuite, je mettrai la cafetière en marche et j'irai te rejoindre.

Diane alla à la salle de bain. En attendant, Jacques s'assit dans le salon, toujours nu. Quelques minutes plus tard, en passant, elle lui dit:

— Tu peux utiliser ma brosse à dents. Depuis hier soir, tous nos microbes et tous nos germes ont eu le temps de faire connaissance.

La remarque lui tira un sourire. Il venait tout juste d'ouvrir les robinets quand il entendit qu'on tirait le rideau de la douche. Les ablutions commencèrent par un échange gourmand de dentifrice de bouche à bouche. Ensuite, les mains savonneuses, prête à se dévouer, elle lui dit:

— Avec toutes ces jeunes femmes avec qui tu travailles, il ne faudrait pas que tu sentes... la transpiration.

Jacques entendit rendre la politesse à sa compagne. Ce qui, finalement, allongerait son retard d'au moins une heure.

❁

Le vendredi suivant, assis sous un arbre, Jacques et Charlotte se tenaient un peu à l'écart des autres.

— Alors, penses-tu arriver à terminer ton mémoire d'ici la fin du mois?

Jacques devinait que depuis quelques semaines, elle évitait de se faire trop insistante à propos de son emploi du temps. Il avait un travail important à terminer, mais ça ne durerait pas toujours. De plus, bientôt, il ne serait plus son patron.

— Fort probablement. J'ai achevé le premier jet à la main et j'en ai tapé la moitié jusqu'à maintenant.

— Tu as essayé d'écrire directement au clavier?

— Je n'y arrive pas. Tu sais, je tape avec deux doigts. Je préfère la plume.

— La plume d'oie?

— Je ne suis pas si vieux, quand même. J'ai un stylo Schaeffer.

— Ça fait quand même un peu démodé.

Comme à son habitude, elle lui faisait la conversation étendue sur le côté, la tête appuyée sur sa main. Jacques s'adossait au tronc d'un arbre. De cet endroit, son point de vue sur son corps était parfait. Comme Diane, elle était brune, hâlée, et ses yeux étaient noirs. Charlotte était plus petite, plus menue. Une douzaine d'années plus jeune, aucun pli ne marquait la commissure de ses yeux et de ses lèvres. Dans sa position, son short béait un peu et révélait un petit bout du tissu blanc de la culotte.

C'est avec une solide érection qu'il répondit:

— … Et c'est salissant! Quand je rédige quelque chose, tout le monde le sait.

Il lui montra ses doigts. Des taches sombres marquaient le pouce, l'index et le majeur. L'encre résistait à l'eau tiède et au savon. Charlotte esquissa un sourire. Depuis des semaines, ces marques la rassuraient. Il passait vraiment ses soirées au travail.

— Combien de pages te reste-t-il à taper?

— Cinquante.

— Ensuite, tu remettras le texte à ton directeur?

— Pas tout de suite, ne serait-ce que parce que je fais trop d'erreurs. De vraies fautes d'orthographe, mais aussi une multitude de fautes de frappe. En plus, avec ma vieille Smith-Corona, le résultat fait un peu trop négligé.

Cela d'autant plus que, par souci d'économie, il utilisait son ruban jusqu'à ce qu'il se déchire.

— J'écris sur des feuilles de format légal à triple inter-ligne, continua-t-il, de façon à pouvoir faire d'interminables corrections. C'est une connaissance de ton père qui va mettre tout ça au propre.

— Une connaissance de mon père?

— Suzanne, son ancienne secrétaire. Elle étudie en droit, et c'est maintenant la compagne d'un de mes professeurs. Elle a bien voulu accepter de taper la copie finale.

— Je l'ai rencontrée quelques fois. Mon père avait de l'estime pour elle.

C'est après une hésitation que Charlotte murmura, en jetant un regard de biais aux autres employés:

— Je peux te poser une question très personnelle?

— Oui, mais je ne promets pas d'y répondre.

— Que penses-tu du mariage *open*?

Puis après une pause:

— Tu sais ce que je veux dire?

Le jeune homme eut un rire bref.

— C'est vrai que je suis plutôt innocent, dans le sens de niaiseux. Mais je vais au cinéma et je lis beaucoup.

— Alors, qu'en penses-tu?

— Je connais ces choses grâce à mes lectures et les réflexions qu'elles m'inspirent. Mais je ne suis pas un interlocuteur crédible à ce sujet.

— Moi, je pense que oui.

— Bon, si tu insistes. Je vais faire la distinction entre la théorie et la pratique. En théorie, l'amour devrait toujours être libre, tu ne penses pas?

Visiblement, c'est à contrecœur qu'elle hocha la tête. Sa conception du mariage n'était pas celle des publications à la mode.

— Sans contrainte aucune. Libre et spontané.

— Et en pratique? demanda-t-elle.

— Je pense que pour la plupart des êtres humains, l'engagement est essentiel. Chacun aime faire confiance à quelqu'un et profiter de sa confiance en retour. De façon à affronter les aléas de la vie avec cette personne. Parce que si on obéit à toutes ses pulsions sans s'engager avec personne, cela signifie qu'on est toujours absolument seul.

Charlotte essaya de dissimuler un sourire satisfait. Ces principes lui allaient tout à fait.

— Mais si tu me parles de mariage *open* tout de suite après avoir évoqué Suzanne...

— Non, non, ça n'a rien à voir.

— D'accord, consentit-il, un peu moqueur.

Jacques doutait qu'un homme «moderne» comme Louis Gervais s'encombre de la tradition. Le monde offrait trop de belles occasions. Cela comptait peut-être parmi les griefs de Suzanne.

Après encore quelques babillages, il annonça :

— Maintenant, je dois rentrer.

— Tu ne veux pas arrêter à la maison ?

Cet arrêt du vendredi devenait aussi habituel que les dîners sur l'herbe.

— Non, pas aujourd'hui.

— Dans ce cas, je vais rentrer tout de suite, dit Charlotte.

❀

Fréquenter quelqu'un allait changer la vie de Jacques. Même si son engagement avait un terme établi à l'avance, cela restait un engagement. Il descendit de l'autobus au pavillon Parent, le temps de monter à sa chambre afin de déposer ses affaires et d'en redescendre. Ensuite, il marcha en direction de l'avenue Chapdelaine.

Diane lui ouvrit, mais demeura un peu hésitante. Ils n'avaient pas vraiment parlé depuis la nuit passée en tête à tête. Spontanément, ils revenaient à leurs rapports d'avant. Cependant, comme elle le recevait avec son petit short bleu pâle, un T-shirt de la même couleur, et visiblement sans soutien-gorge, rapidement, ils renouèrent avec l'état d'esprit qui les habitait la veille au matin. Le premier baiser fut plutôt chaste, le second chaleureux et le troisième, fougueux.

— As-tu changé d'avis à propos du film? demanda-t-elle, tellement il montrait d'enthousiasme.

— Non, pas du tout. Il n'y a pas qu'une seule représentation.

— Ah!

Oui, certaines nouvelles habitudes se prenaient rapidement. Ils se retrouvèrent dans la chambre à coucher.

❁

Ce soir-là, ce ne serait pas du riz au thon. Comme ils s'étaient attardés un peu longuement dans la chambre, elle proposa d'aller à la représentation de sept heures, pour manger ensuite au restaurant.

Un film de Lina Wertmüller était à l'affiche au Canadien. Sorti en Italie en 1974, *Vers un destin insolite sur les flots bleus de l'été* était une sorte de fable sociale. Il avait fallu quatre ans et un prix international avant que cette production atteigne les écrans de Québec. Cela tenait beaucoup au fait que les comédiens principaux, Giancarlo Giannini et Mariangela Melato, étaient d'illustres inconnus pour la plupart des cinéphiles québécois.

À ce sujet, Jacques se trouvait dans une classe à part: il avait vu Giannini dans *Mimi métallo blessé dans son honneur,* puis dans plusieurs autres films. En réalité, sa connaissance des productions italiennes tenait au fait que les cinémas de répertoire semblaient en être friands.

— J'aime beaucoup ce comédien, glissa-t-il à l'oreille de sa compagne au début de la projection. Il joue toujours l'ahuri surpris de découvrir l'injustice du monde.

Ça n'allait pas manquer dans ce film. Il incarnait un militant communiste prénommé Gennarino. Il devait faire le domestique sur un bateau de plaisance pour le compte de bourgeois particulièrement arrogants. Et dans ce groupe, une femme, Raffaella, s'avérait horriblement blessante à son égard. Quand le hasard les plaça sur une île déserte, les rapports s'inversèrent : elle devint littéralement son esclave, et ensuite sa maîtresse soumise.

❁

Le couple se retrouva ensuite au Marie-Antoinette.

— Pas de gimlet ce soir ? demanda-t-il quand la serveuse fut repartie.

— Non, et tu viens de me donner une excellente raison de faire attention.

— Que veux-tu dire ?

— Ta remarque revient à souligner que c'est devenu une habitude. J'ai toujours aimé prendre un verre. Mais ces dernières années, avec Robert, la consommation a augmenté au point de devenir quotidienne.

— Il était une mauvaise influence pour toi ?

— Oh ! Pas du tout. Le mauvais exemple n'est pas venu de lui… C'était plutôt à cause de mon inquiétude face aux études et de la tension à la maison. Comme maintenant ça va mieux à l'université, et que je vis chez moi, ça va être plus facile de reprendre le contrôle.

Le jeune homme hocha la tête pour indiquer qu'il comprenait.

— À propos du film, cette histoire avait quelque chose de troublant, remarqua Diane. Et je ne parle pas de la sodomie et de la femme qui aime ça. À en croire cette histoire, personne ne peut quitter sa place : la bourgeoise demeure une bourgeoise, le domestique, un domestique.

— Cela tient aux circonstances. Sur une île déserte, elle n'avait aucune chance de survivre, mais lui, oui. Il était capable de pêcher ou de trouver de quoi manger sur la terre ferme. Elle, elle n'avait d'autre choix que de laver ses sous-vêtements, préparer ses repas et consentir à toutes les petites gâteries qu'il lui demandait. Autrement, elle aurait crevé de faim. S'ils étaient demeurés sur cette île, la relation se serait poursuivie sur cette base. Le pouvoir appartient toujours à celui ou celle qui nourrit l'autre.

— Comme à la maison, avec Robert.

— C'était le cas chez moi aussi, dit Jacques.

Le repas fut bientôt devant eux. Il se passa à évoquer différentes situations où le pouvoir pouvait changer de mains. Cela revenait toujours à placer deux personnes dans un milieu familier à l'un, mais pas du tout à l'autre.

— Si on continue la métaphore, la seule façon de changer ça, c'est d'apprendre à pêcher et à trouver ce qui est comestible. Et dans toutes les histoires, c'est toujours la fille qui ne sait pas.

— Je ne suis pas certain de ça. Ma sœur aurait pu le faire mieux que son ex-mari. Et présentement, à l'université, nous sommes en train d'apprendre comment survivre. Moi, quand je suis arrivé en 1974, j'étais aussi démuni que cette bourgeoise sur une île de la Méditerranée.

Quand ils revinrent à la maison, Jacques fit connaissance avec le « sexophone ». Rien ne prédisposait mieux Diane à des ébats à l'horizontale qu'une musique de jazz jouée au saxophone. Ce fut deux heures plus tard, dans l'obscurité, qu'il osa demander :

— Tu m'as dit que l'exemple était venu d'ailleurs pour les gimlet.

— Pas les gimlet, mais le gin. Mon père était saoul tous les jours. Je n'osais jamais inviter quelqu'un à la maison.

— Il n'y a rien comme les pères pour nous apprendre la honte. Mais parfois, les mères ne donnent pas leur place. Et quand les deux s'y mettent...

Tout de suite, il regretta d'avoir trop parlé.

— Que se passait-il chez toi ?

— Oh ! Des histoires de cultivateurs. Je pense que nous avons mieux à faire que de parler de Manseau.

Après tout, il était à peine une heure du matin, et tous les deux souhaitaient rattraper le temps perdu.

Chapitre 16

Le vendredi 25 août, Jacques monta dans l'autobus pour se rendre au musée. Il se sentait profondément morose, car une expérience très agréable prendrait fin le jeudi suivant. Les relations au sein du groupe étaient demeurées harmonieuses, malgré les tensions du début, et le travail effectué présentait un intérêt certain. Sa situation personnelle rendait la fin de cette expérience plus difficile encore. Pour la seconde fois depuis son arrivée à Québec, il se faisait l'impression de passer à côté d'un bonheur possible. Il avait laissé Catherine passer dans sa vie sans jamais évoquer vraiment ce qu'il ressentait. La même chose s'était répétée avec Charlotte. Et là, c'était trop tard : il partait pour Aix avec une autre.

Il descendit sur le trottoir juste en face du musée. Groslouis occupait déjà un banc dans l'allée y conduisant. Une fois assis, Jacques demanda :

— Tu as passé la nuit ici ?

— Tant qu'à attendre ici ou dans ma chambre…

— As-tu récupéré ta chambre au Lemieux ?

L'université préférait regrouper les étudiants réguliers au Parent pendant l'été, afin de pouvoir loger les étudiants venus apprendre le français, et les touristes qui profitaient d'une chambre à rabais, dans les autres pavillons. Les étudiants retrouvaient leurs pénates avant le début de la session d'automne.

— J'y ai consacré mon dimanche.

Marie Lemay apparut ensuite, puis tous les autres employés l'un après l'autre. Charlotte fut la dernière, à neuf heures pile, comme à son habitude.

— Vous m'attendiez pour rentrer ?

— Ton apparition, c'est comme le sifflet d'une usine, dit Jacques en quittant sa place pour se diriger vers le musée.

❁

À la pause du matin, Jacques annonça :

— Comme je m'y attendais, Robson a confirmé sa venue lundi prochain. Je présume qu'il voudra nous rencontrer à tour de rôle afin de faire le point sur nos progrès. Dans son mot, il laissait entendre que ce projet pourrait se prolonger l'été prochain. Alors il conviendra de faire bonne impression sur lui.

— C'est vrai, ricana Groslouis. Les gens vont se battre pour gagner le salaire minimum.

— Je pense que parmi toute la clientèle du département d'histoire, nous sommes les seuls à avoir eu un travail d'été en lien avec notre formation. Mais c'est vrai que gagner le salaire minimum au rayon des sous-vêtements masculins chez Paquet, c'est certainement mieux.

Quand on faisait l'addition de la crise du pétrole, de la hausse du coût de la vie, des taux d'intérêt très élevés, du chômage, des politiques fédérales de contrôle des prix et des salaires, les perspectives paraissaient effectivement bien sombres. Mieux valait garder toutes les portes ouvertes.

— Toi, tu as les meilleurs arguments pour que je rêve de devenir l'employé du mois d'août.

— Je n'ai pas fini de compter les points pour savoir qui aura une belle étoile dorée dans son cahier la semaine prochaine. Il est encore temps de m'impressionner par votre acharnement au travail, dit Jacques en se levant pour retourner à la salle de consultation.

❧

Un peu avant une heure, le groupe se rendit sous son arbre de prédilection pour un dernier pique-nique. Jacques et Charlotte rejouaient la même scène semaine après semaine : s'asseoir ensemble, manger à la même assiette. Raymond et Judith obéissaient au même scénario et, depuis peu, ô surprise ! Bertrand et Véronique également.

— Mes parents ont décidé de venir passer la fin de semaine à l'appartement, expliqua Charlotte à Michèle. Je vais coucher sur le futon dans le salon pour leur laisser ma chambre, et maman va en profiter pour me rappeler tout le programme des cours de cuisine offerts par les Ursulines.

— Ils ont à faire à Québec ?

— Oui. Pour s'assurer que fille et fils s'entendent bien, se nourrissent bien, se couchent tôt, et sont prêts à reprendre leurs études avec le plus grand sérieux dans dix jours.

L'énumération venait avec un sourire. Depuis des semaines, rien dans ses paroles n'avait trahi le moindre ressentiment à l'égard de sa famille. Aux yeux de Jacques, la vie chez les Morin de Sillery ressemblait à une version améliorée de celle des Tremblay de l'émission *Quelle famille !*

Charlotte enchaîna en se tournant vers lui pour demander :

— Jacques, je suppose que tu iras voir ta mère la fin de semaine suivante ?

Le 4 septembre, ce serait la fête du Travail, un week-end de trois jours. D'habitude, il attendait l'Action de grâce, mais il se trouverait sous d'autres cieux le 9 octobre.

— Tu as raison, j'irai la voir.

— Ça ne semble pas te faire plaisir.

— C'est un plaisir très mitigé. Tiens, chez moi, l'ambiance ressemble à celle entre les proches de Germaine Lauzon, des *Belles-Sœurs* de Michel Tremblay. Crois-moi, toi non plus tu ne t'amuserais pas beaucoup pendant une visite chez les Charon de Manseau.

Le ton, plus que les mots, contenait une rebuffade. Ensuite, Charlotte demeura chagrine. Aucune invitation à passer chez elle ne vint à la fin du repas.

❀

Jacques s'arrêta à la salle de bain en regagnant sa chambre. Il ressentait une certaine colère contre Charlotte. Pourquoi le relancer ainsi en public? Qu'elle évoque les félicités familiales des Morin était une chose, mais le forcer à parler des Charon en était une autre.

Très jeune, avant de comprendre ce qu'étaient les prêts et les échéances, l'extraordinaire tension qui accompagnait la nécessité de verser régulièrement de l'argent à la Household Finance le terrorisait. C'était comme attendre la fin du monde, annoncée pour le premier de chaque mois. Plus tard, il avait compris que ce climat tenait à l'incompétence de ses parents, tant pour les relations familiales que pour les conditions matérielles.

Comment expliquer ces blessures à la princesse de Sillery, sans se sentir en dessous de tout? De plus, ces misères faisaient de lui un compagnon triste, morose, peut-être même insupportable. Il se connaissait assez, il avait lu suffisamment pour comprendre que, parfois, on ne survivait pas à son enfance.

Ce fut étendu sur son lit qu'il ressassa ces sombres pensées. L'absence d'un arrêt chez Charlotte l'avait mis trop en avance pour aller directement chez Diane. La veille, elle lui était apparue très excitée au téléphone : Nadine Doyle devait la contacter à propos d'un logement disponible à Aix.

❀

Le lundi matin du 28 août, Terry Robson arriva dès l'ouverture du musée, c'est-à-dire trente minutes avant ses employés. L'homme portait ses vêtements habituels : un pantalon en lin léger avec une chemise bleue à fines rayures et un panama sur la tête. Jacques était également là.

Ils occupèrent une table dans un coin de la pièce de repos. Tout de suite, le jeune homme sortit quelques factures de son sac de postier, et aussi ses statistiques vitales sur la paroisse Notre-Dame de Québec.

— Tu as trouvé des informations intéressantes ?

— J'espère, après tout le temps investi. Par exemple, les mouvements des décès chez les enfants signalent toutes les périodes de famines. Et la mortalité, en général, des épidémies.

— Comme le choléra de 1832 ?

Cette année-là, les travailleurs aux abois avaient cessé de se présenter au travail pour éviter la contagion. Les descriptions des témoins évoquaient la terreur qu'inspirait cette maladie.

— C'est l'événement le plus marquant. Il a fallu les naissances de plusieurs années pour compenser les pertes de 1832. Mais il y en a d'autres : la grippe, la tuberculose, le mal de Baie-Saint-Paul. Ce serait facile de corroborer ces informations en parcourant les journaux.

— Alors nous le ferons ! Et si nous passions maintenant en revue le personnel ? J'aimerais avoir ton avis. Que penses-tu de Michèle ?

— Beaucoup de bien. Elle rêve déjà de faire des inventaires après décès le sujet de son mémoire de maîtrise.

Évidemment, inutile de dire qu'elle parlait beaucoup, et pas toujours à propos. Mais cela ne nuisait en rien à son travail. Finalement, même si certains étaient plus productifs que d'autres, Jacques trouva des bons mots au sujet de tout le monde. Au point de répondre positivement chaque fois que Robson demandait :

— Donc, si j'ai de l'argent l'an prochain, je devrais réengager cette personne ?

À la toute fin, le fonctionnaire conclut :

— Toi, ça t'intéresse de reprendre du service ?

— Certainement. Je veux profiter de toutes les occasions de me familiariser avec le travail de recherche en histoire.

— C'est réglé ! Si j'ai le budget, tu retrouveras ton emploi.

Ils scellèrent l'engagement avec une poignée de main.

— Je pencherais aussi pour reprendre les autres, continua Robson. Ils ont un peu d'expérience, maintenant. Parce que tu ne pourras pas les surveiller d'aussi près, l'an prochain. Je voudrais que tu consultes les journaux publiés à Québec de 1760 à 1840.

Ils étaient très peu nombreux, et très brefs dans les années 1760. Mais la tâche deviendrait plus complexe et plus lourde pour la fin de cette période.

— Il y en a à l'université, dit Jacques, sous forme de microfilms, mais la plupart sont à la bibliothèque de l'Assemblée nationale, en version papier. Je pourrai arrêter ici tous les matins, pour y aller ensuite. C'est à dix minutes.

— Ton mémoire de maîtrise est-il terminé ?

— Depuis trois bonnes semaines. Ensuite, je l'ai lu et relu et relu. Dumont l'a lu à son tour en ajoutant ses commentaires. Je devrai reprendre certaines pages à la machine, celles rendues illisibles à cause de l'abondance des corrections. Quelqu'un tapera la version finale.

— Donc tu ne pourras pas t'inscrire au doctorat la semaine prochaine.

— Oui, parce que j'ai demandé un passage accéléré. Mais je tiens tout de même à le terminer. Il sera évalué d'ici décembre.

C'était prendre un risque. Le jury d'évaluation devrait le trouver suffisant et, de préférence, excellent. En cas d'échec, tous ses projets s'effondreraient. Mais il avait assez confiance en son travail pour ne pas s'inquiéter plus que de raison.

— Et ton projet d'aller en France ?

— Je partirai début octobre.

Finalement, Nadine Doyle leur avait appris l'existence d'un appartement de deux chambres à louer, chez la mère d'un professeur du département d'histoire de l'Université d'Aix. Un coup de téléphone outremer, la veille, avait permis de s'entendre sur un prix.

— Tu profiteras certainement de l'expérience. Bon, tu m'envoies mademoiselle Duquette ?

Robson rencontra chacun des employés, une corvée qui s'allongea jusqu'en après-midi. Il leur demanda assez d'éclaircissements sur leurs travaux pour les tenir occupés le lendemain et le surlendemain.

✾

Les contrats de travail des étudiants se terminaient le jeudi 31 août. Tout le monde se présenta au musée à l'heure habituelle. Finalement, malgré la médiocrité du salaire, la perspective d'un emploi l'année suivante les rendait ponctuels. Cependant, tous les regards se portaient régulièrement vers l'horloge accrochée au mur. Ils avaient convenu de s'arrêter à midi.

À l'heure pile, devant la porte du musée, Bertrand Péladeau demanda à la ronde :

— Alors c'est entendu, vous venez tous ?

Il y eut un murmure d'acquiescement. L'emploi d'été ne se terminerait pas avec un dîner sur l'herbe, mais avec un souper dans un bungalow de Charlesbourg.

— Mon offre de revenir chercher ceux qui n'ont pas de voiture tient toujours.

— Je prendrai Jacques et Marie avec moi, dit Groslouis. Charlotte ?

— Merci, mais je me suis déjà entendue avec Michèle.

Jacques comprit surtout que l'idée de faire le trajet dans la même voiture que lui répugnait à la jeune femme. Le climat était devenu glacial entre eux au cours de la dernière semaine. Elle attendait des paroles qu'il ne pouvait prononcer : j'aimerais continuer de te voir après la fin du contrat. De son côté, elle n'osait prendre l'initiative de les formuler.

Péladeau répéta son adresse, ajouta quelques informations sur le trajet et leur rappela son numéro de téléphone. Ensuite, tout le monde rentra chez lui.

❁

De retour dans sa chambre, Jacques s'étendit sur son lit.

— Je serais aussi bien de rester ici, murmura-t-il.

S'isoler comme une marmotte dans son trou, en attendant que le plus dur de l'hiver soit passé. Il pourrait même dire à Groslouis ne pas se sentir bien, au point de préférer se coucher tout de suite, pour se relever seulement le lendemain. Ces derniers jours, son visage paraissait assez morose pour que l'histoire d'une maladie soit plausible. Personne ne serait vraiment dupe, toutefois. Tous les membres de l'équipe connaissaient la raison de son malaise.

Cependant, il appréciait vraiment ces personnes, au point d'espérer renouer avec toutes à l'été 1979. Bouder cette dernière réunion serait tout à fait indélicat. Donc, un peu avant trois heures trente, il se releva pour se préparer et ensuite aller s'asseoir dehors sur l'un des bancs placés près de l'entrée du pavillon. Bientôt, l'Impala noire s'arrêta devant lui.

— Alors, as-tu étudié tes cartes routières afin de te rendre là-bas? demanda-t-il en occupant le siège du passager.

— Oui, et j'en conclus qu'en évitant les autoroutes, j'arriverai à destination. Ce sera juste plus long. Que veux-tu, je suis un gars de la campagne...

— Je connais ça. Sans le chauffeur d'autobus le soir de mon arrivée à Québec, quatre ans plus tard, je serais peut-être encore coincé à la gare d'autocars du boulevard Charest.

Les difficultés des déplacements les occupèrent jusqu'à ce que Groslouis s'arrête devant un immeuble à logements multiples de la rue Maguire. Marie Lemay prit place sur la banquette arrière, même si Jacques lui offrit de s'asseoir à l'avant. Il se tourna à demi pour lui demander :

— Penses-tu changer de programme mardi prochain afin de continuer tes études en histoire ?

— Non. Si jamais j'abandonne l'anthropologie, ce sera pour des études enthousiasmantes.

— Tu as raison. Je te vois en comptable.

La jeune femme lui adressa une grimace pour toute réponse. Gilles Groslouis continua vers le nord pour se rendre au boulevard Charest et s'engager en direction de Québec. Il entendait traverser tout Limoilou pour atteindre

Charlesbourg. C'était effectuer un très long détour. Ils arrivèrent devant le bungalow des Péladeau un peu après l'heure convenue.

— Vous vous êtes perdus ? questionna le jeune homme, moqueur.

— Presque, presque, dit Groslouis. C'est à cause de Michèle. Je lui avais pourtant demandé de semer des petits cailloux blancs le long du chemin.

— Désolée...

La châtaine avait profité de son passage chez elle pour se vêtir de façon plus élégante. Elle portait une jupe lui allant à mi-mollet et un chemisier lui découvrant les épaules. Son soutien-gorge était resté dans son tiroir. Le tout était assez joli pour retenir les regards.

Tout à côté, Charlotte ne lui cédait en rien, côté charme. Sa petite robe d'été bleue avec des bretelles spaghetti lui allait à ravir. Cela lui donnait une drôle d'allure à cause des épaules beaucoup plus pâles que les bras, le cou et la naissance de la poitrine. Tous les repas pris sur les Plaines lui laissaient un joli hâle.

Elle posa sur Jacques un regard intimidé. Elle se sentait mal à l'aise de lui avoir fait la moue au cours des derniers jours. Elle lui adressa une petite inclinaison de la tête en guise de salut. Véronique s'approcha pour dire :

— J'ai préparé de la sangria. Vous en voulez ? C'est dans la salle à manger.

Elle se comportait comme l'hôtesse ; le résultat de sa connivence avec Bertrand construite au cours de l'été. Évidemment, les nouveaux venus en voulaient. Ils se servirent eux-mêmes, puis passèrent au salon. Quelques-uns des invités s'y trouvaient déjà ; d'autres s'étaient réunis dans la cour arrière où il y avait une balançoire, une table et des chaises.

Quand Jacques fut assis sur le canapé, Charlotte vint se placer à ses côtés.

— Ça va ? demanda-t-elle. Tu dois avoir terminé ton mémoire de maîtrise, maintenant.

— Mon directeur de recherche a été un peu sévère dans ses derniers commentaires, alors je devrai en réécrire de petits bouts. J'espère quand même remettre le tout à Suzanne d'ici vendredi prochain. Je devrais donc le déposer peu après.

Une autre phrase aurait dû suivre : « Maintenant, nous pourrions passer un peu de temps ensemble, dans un autre contexte que ce petit groupe de joyeux lurons. » Il demanda plutôt :

— Es-tu contente de renouer avec les études en architecture ?

— Oui. Je me suis sentie un peu comme un poisson hors de l'eau, cet été.

— Pourtant, tu t'es adaptée sans mal, et Robson a beaucoup apprécié ton travail. Et moi aussi.

Elle souhaitait sans doute un compliment d'un autre genre. Après avoir vidé son verre, elle le déposa sur le plancher :

— Je suis mûre pour mon petit somme de fin d'après-midi.

Elle se coucha en ramenant ses jambes sur le canapé. Dans cette posture, ses pieds touchaient la cuisse droite de Jacques. Comment aurait-elle réagi si ses doigts s'étaient posés sur sa jambe ?

Mais quelle que soit sa réaction, ça ne changeait rien. Dans un mois, il prendrait l'avion. Alors il s'abstint.

Comme d'habitude, le somme de Charlotte dura peu de temps. Si cette fois ils ne mangeraient pas sur l'herbe, ce serait tout de même à nouveau un « vin et fromages ». Jacques commença par apporter un verre de rouge à son amie, ensuite il déposa sur le divan une assiette de carton remplie de nourriture. L'habitude aidant, il savait très bien quoi choisir pour Charlotte.

Après une pause, elle demanda :

— Au doctorat, tu devras suivre de nombreux cours ?

— Non. Il y a deux ou trois séminaires pour préparer la rédaction de la thèse ou élargir la culture personnelle des étudiants. L'essentiel se fera dans ma chambre. Pour toi, ça se passera en classe ?

— Surtout. Les ateliers pratiques prennent presque toute la place.

— Avec les charrettes en fin de parcours.

Elle lui adressa un sourire.

— Tu connais cette expression ?

— On dit "être en charrette", je crois. Quand il faut travailler comme un fou pour remettre un projet au professeur.

— C'est ça. Parce qu'au siècle dernier, les étudiants en architecture ou aux beaux-arts empruntaient une charrette pour transporter leurs plus gros travaux. Alors à la fin de chacune des sessions, je me trouve en charrette.

Les travaux réalisés lors de ces ateliers firent l'objet d'un bout de conversation. À la fin, Michèle déclara :

— On ne va pas rester assis toute la soirée. Bertrand, tu as des disques ? Quelque chose pour danser ?

Il en avait, même si avec son gabarit, il était difficile de l'imaginer sautillant sur une piste de danse. Il possédait tous les derniers disques « disco », parmi lesquels *Saturday Night Fever*, des Bee Gees. Le film avait été présenté en anglais à Québec à la toute fin de 1977, et en français au printemps 1978. La chanson thème du film, tout comme les autres présentes sur la bande sonore, tournait sans arrêt à la radio et dans toutes les discothèques de la ville. Même pour Jacques qui ne fréquentait pas ces endroits, les premières paroles étaient familières.

Listen to the ground
There is movement all around
There is something goin' down
And I can feel it

— Venez, venez ! dit Michèle en se plantant au milieu du salon pour commencer à danser.

Marie, Véronique et Charlotte vinrent se joindre à elle en formant une ligne. Puis elles reprirent tant bien que mal les pas rendus populaires par John Travolta, élevant leur main droite.

Pendant tout ce temps, Charlotte fixa son regard dans celui de Jacques, l'air de dire : « Fais quelque chose. C'est maintenant ou jamais… » Embarrassé, certain que tous les yeux étaient fixés sur lui, le jeune homme sentit soudain l'envie irrépressible d'un autre verre de sangria. Après en avoir avalé une lampée, il se rendit à la salle de bain.

Quand il en sortit, quelqu'un avait arrêté la musique. À son retour dans le salon, il se sentit comme une bestiole répugnante placée sous un microscope. Ses amis paraissaient hésiter sur le parti à prendre. Difficile de lui reprocher quoi que ce soit au sujet de son attitude avec Charlotte. Il n'avait rien promis, ni tiré profit de la situation. En même temps, il avait multiplié les gentillesses, avait écouté ses confidences et avait parlé de ses propres aspirations. Tout pour alimenter des attentes.

— Charlotte ne se sentait pas bien, expliqua Péladeau. Elle va rentrer chez elle avec Michèle.

Devant la maison, il vit la petite Renault 5 rouge dans laquelle les deux jeunes femmes étaient venues. Quand il fit mine de sortir, Véronique murmura :

— Non. C'est assez.

Ensuite, elle retourna vers la chaîne stéréo pour remettre le disque des Bee Gees. Mais il manquait maintenant des danseuses pour rendre justice à ce grand succès. Jacques fit le plein de sangria à nouveau et sortit dans la cour arrière. Raymond était assis dans la balançoire avec Judith. Celui-là avait certainement trouvé les mots pour bien conclure cet été de travail, et à voir la jeune femme assise à ses côtés, souriante, la suite à donner semblait convenir à tous les deux.

Plutôt que de les déranger dans ce moment d'intimité, il alla s'installer sur l'une des chaises placées près d'une table, sous un parasol. Sa mine découragea tous les autres de venir lui faire un bout de conversation. Une heure plus tard, Groslouis vint lui dire qu'il s'apprêtait à partir. Les « Au revoir, à l'été prochain peut-être » furent sans entrain, tout comme ses remerciements à Bertrand Péladeau pour avoir organisé la petite réception.

Quand il arriva près de l'Impala, il vit Marie assise à l'arrière. Il ouvrit la portière pour lui dire :

— S'il te plaît, va devant. Ce soir, je préfère demeurer à l'écart, dans mon coin.

Sans discuter, elle alla occuper la place près de Groslouis. Le trajet se fit en silence, comme si tous les trois revenaient d'une visite au salon funéraire. Tout de même, rendu rue Maguire, il souhaita bonne chance à Marie dans la poursuite de ses études en anthropologie. Elle reprit ses paroles pour lui souhaiter la pareille. Devant le Parent, après avoir ouvert la portière de la voiture, il dit simplement :

— Nous nous reverrons la semaine prochaine à la cafétéria.

Car d'ici le mardi suivant, pour ne voir aucune de ses connaissances, il entendait prendre ses repas au A&W.

❁

Jacques préféra ne pas allumer la lampe dans sa chambre. Lorsqu'il se fut dévêtu, la pénombre l'empêcha de bien distinguer ses traits dans le miroir au-dessus du lavabo pendant qu'il se brossait les dents. Il lui faudrait un moment avant de se réconcilier avec ses traits de faux-jeton.

Ensuite, il se recroquevilla sur son lit. Les choses s'étaient déroulées aussi mal que possible. Une curieuse image lui vint à l'esprit : debout sur le trottoir du boulevard Saint-Cyrille, il voyait l'autobus de la vie partir sans lui. Le numéro 8, celui qui allait vers le musée. Pourtant, aucune larme dans les yeux, aucun sanglot. Pleurer, c'était communiquer sa douleur, son inquiétude, son désarroi dans l'espoir que quelqu'un vienne le consoler. Mais il n'y avait personne.

Un souvenir repassait en boucle dans sa mémoire : la noyade d'un petit voisin sous ses yeux. Personne n'était venu vers lui. Ses parents devaient être occupés ailleurs. À s'inquiéter du prochain paiement à la Household Finance. Ou à se remémorer leur dernière querelle. Tout comme sa mère avait été absente pour Solange. À la longue, ce genre d'absence l'avait conduit à désapprendre à pleurer, pour ne pas revivre la même situation. Malheureusement, son attitude stoïque avait fini par convaincre les autres qu'il n'avait besoin de personne.

Chapitre 17

Le dimanche 3 septembre, en compagnie de sa sœur Solange et de son neveu, Jacques se présenta à la porte de l'appartement de sa mère, à Manseau. Quand elle ouvrit, ses premiers mots de bienvenue furent:

— Ah! D'habitude, t'attends l'Action de grâce pour me visiter. Qu'est-ce qui t'amène à changer tes habitudes?

— Début octobre, je serai en France, et j'y resterai plusieurs mois. C'était aujourd'hui, ou alors tu aurais souffert de mon absence jusqu'à la Saint-Jean de 1979.

Cette fois, il avait trouvé le moyen de la rendre muette. Au moins pour un temps. Comme ils étaient arrivés quelques minutes avant midi, la mère put ruminer la nouvelle tout en mettant le repas sur la table.

Ce ne fut qu'en s'assoyant qu'elle demanda, bourrue:

— C'est quoi, c't'histoire de voyage? T'es allé en France l'année passée. Ça t'a pas suffi?

— Faut croire que non. Cette fois, j'aurai le temps de regarder plus attentivement.

— Pendant presque un an?

— Je suppose que je ne suis pas un bon observateur.

Comme il avait annoncé la nouvelle à sa sœur pendant le trajet depuis Trois-Rivières, Solange avait déjà eu l'occasion d'exprimer sa surprise, et de poser ses questions. Sa mère avait donc le monopole de la conversation.

— Tu vas être tout seul, là-bas ?

— Il y a tout près de cinquante-cinq millions de Français en France, et c'est pas mal plus petit que le territoire du Québec. Alors non, je ne serai pas seul.

— Tu sais ce que je veux dire.

— Ah ! Tu veux dire tout seul, sans quelqu'un de familier ?

Un bref instant, Jacques se questionna sur la pertinence de parler de Diane. Cela provoquerait un lot de questions. D'un autre côté, son silence en amènerait tout autant, celles-là chargées de sous-entendus.

— Non, je ne serai pas tout seul… J'y vais avec une femme qui est aussi inscrite au doctorat.

Aline avait souvent été surprise par les choix de son petit dernier. Mais jamais autant que cette fois.

— Tu la connais depuis longtemps ?

— Ça fera quatre ans mardi prochain.

— T'en as jamais parlé avant.

— Parce que jusqu'en mars dernier, elle était mariée. Je l'ai d'ailleurs aidée à emménager dans son nouvel appartement.

Cette fois, la mère demeura bouche bée. Une occurrence rare : elle les avait habitués à des réparties intempestives, pas à des silences.

— Tu pars en France avec une divorcée…

— Maman, là fais très attention à ce que tu vas dire, dit Solange. Je peux très bien être au volant dans trois minutes, et ne pas revenir avant la Saint-Jean 1979.

La vieille femme regarda sa fille, comme si elle ne comprenait pas le sens de l'intervention.

— Tu as peut-être oublié, mais je suis également divorcée.

Pour troubler un peu plus sa mère, Jacques précisa :

— Diane n'est pas encore divorcée, seulement séparée. Alors, techniquement, il s'agit toujours d'une femme mariée.

Ce fut seulement en lavant la vaisselle avec Solange qu'Aline reprit la parole en tournant le dos à son fils :

— T'as pas été capable d'en trouver une qui était encore fille ?

Le visage de Charlotte lui passa en mémoire.

— Il y aurait pu en avoir une… En réalité, je n'ai pas osé lui poser la question. Il y a quelques mois, tu t'inquiétais encore de ma virginité ou de mon orientation, je ne sais trop. Je me suis dit que si j'étais aussi empoté que tu le penses, mieux valait que je choisisse une personne sachant très bien comment ça se passe. Je fais du rattrapage avec une femme compétente.

— Niaiseux. Tu dois savoir quoi faire, t'as grandi sur une ferme !

— Pour la première fois, j'ai pitié de toi et de Paul. Parce que si c'était là votre seule source d'inspiration...

Il entendit un bruit et un « criss » étouffé. Elle se retourna en lui montrant ses mains.

— R'garde c'que tu m'fais faire !

Elle tenait une tasse brisée en deux, et du sang coulait de l'une de ses mains savonneuses.

— Viens avec moi, dit Solange en lui prenant le bras.

Elle l'entraîna vers la salle de bain. Il entendit des paroles murmurées, un robinet qui coule et la porte de l'armoire à médicaments au-dessus du lavabo s'ouvrir et se refermer. Quand Aline revint, elle avait un pansement à la main gauche, et un visage plutôt pâle.

Comme elle ne pourrait se plonger à nouveau les mains dans l'eau de vaisselle, Jacques se leva pour aller prendre sa place devant l'évier.

— Ce n'est pas nécessaire, dit Solange en revenant de la salle de bain. Je peux m'en occuper seule.

— Tant qu'à ça, moi aussi. Mais je te jure qu'avant d'avoir une cuisinière électrique ou un réfrigérateur, j'aurai un lave-vaisselle.

Sa sœur reprit le linge pour essuyer. Jacques ne résista pas à la tentation de narguer encore un peu sa mère.

— En plus, elle a une belle voiture sport rouge.

— Quelle sorte ? Quelle sorte ? demanda Alain, soudainement très intéressé.

— Une Mustang II. Le gros modèle.

— Je conviens que c'est mieux que ma Gremlin, murmura Solange.

Une fois la vaisselle terminée, ils s'attardèrent encore un peu. Jacques consentit à répondre à quelques questions sur son projet français. Cependant, il douta que sa mère et sa sœur aient bien compris l'intérêt d'aller faire la première année d'un doctorat en France, sur un sujet français, pour revenir ensuite faire un doctorat au Québec, sur un sujet québécois.

En le leur expliquant, le jeune homme trouva lui-même le projet étrange.

De retour à Trois-Rivières, Solange attendit qu'Alain ait regagné son lit avant de revenir sur le sujet de la vie affective de son frère. Jacques redoutait bien un peu les questions à venir, cependant, impossible de refuser de répondre à la seule personne de sa famille réellement soucieuse de savoir ce qui lui arrivait.

— Cette femme avec qui tu vas aller en France, ce n'est pas celle dont tu m'as parlé à mots couverts à la Saint-Jean ?

— Non. À la Saint-Jean, je te parlais d'un amour impossible : une princesse avec un Cendrillon de sexe masculin né à Manseau. Celle-là s'appelle Charlotte. J'irai à Aix-en-Provence avec Diane.

— C'est vrai que tu la connais depuis quatre ans ?

— Oui. Je l'ai remarquée dès le premier cours, un peu parce que c'était une belle femme et un peu parce qu'elle était plus vieille que les autres étudiants. Elle avait trente ans en 1974. C'était un mardi. Le jeudi, j'ai parlé avec elle pour la première fois. Ensuite, je me suis assis près d'elle pour la plupart des cours.

— Mais tu n'es pas amoureux d'elle.

— Non… Même si je l'apprécie beaucoup. Disons qu'elle est devenue une excellente amie. Une amie avec qui je couche.

— Ça fait changement. Nos parents étaient des ennemis qui couchaient ensemble.

Jacques eut un sourire sincère. Oui, présenté de cette façon, il s'agissait d'un réel progrès. La suite le rendit plus morose :

— Mais tu étais amoureux de Charlotte, c'est ça ?

— J'étais infatué.

— Ne joue pas sur les mots.

Il se retint de l'entretenir de toutes les nuances de la langue française quand il s'agissait d'évoquer l'attirance entre les hommes et les femmes.

— Je ne joue pas. Si quelqu'un te plaît beaucoup, mais que tu refuses qu'il se passe quoi que ce soit, que tu n'essaies même pas que ça arrive, tu ne peux pas être amoureux.

Il ne voulait pas confondre les deux concepts. Un amoureux exprimait son amour d'une quelconque façon. Lui était demeuré muet et paralysé. Il continua :

— Pourtant, les occasions n'ont pas manqué. Si je mets tout bout à bout, en seize semaines, nous avons parlé environ quatre-vingts heures les yeux dans les yeux.

— Seigneur! Je ne pense pas en avoir fait autant pendant tout mon mariage.

— D'un autre côté, je ne me suis jamais arrangé pour nous ménager un vrai tête-à-tête. Je ne l'ai jamais touchée, ne serait-ce que du bout du doigt.

— À cause de cette histoire de classe sociale?

Jacques demeura silencieux un instant, songeur. Tant qu'à procéder à l'autopsie d'une relation mort-née, autant le faire avec soin.

— La dernière fois que je suis venu ici, nous avons parlé d'elle. En retournant à Québec en autobus, j'ai soupesé la question. Tu parles de classe sociale. Mais la distance entre nous, ce n'est pas juste l'argent, la maison à Sillery, le prestige de la fonction du père, le couvent des Ursulines... Je mets aussi là-dedans la dimension affective. Elle est arrivée à l'âge adulte tout à fait saine. Je pense que la plus grande agression qu'elle a subie de la part de ses parents, ç'a été quand ils lui ont demandé de manger tous ses légumes, à huit ans.

— Ce n'est pas parce que les gens sont riches qu'ils traitent nécessairement bien leurs enfants.

— Je sais. Et ce n'est pas parce qu'ils sont pauvres que ce sont des brutes. Mais dans son cas, ils étaient riches et bienveillants. Tu connais Paul et Aline. Je pense être sorti trop profondément blessé de mon enfance pour être aujourd'hui un amoureux décent.

Solange était la dernière personne sur terre capable de le contredire. Après un long silence, il ajouta:

— Je ne crois pas être un partenaire convenable, capable de rendre une femme heureuse. Et dans ce cas, je ne supporterais pas de m'exposer à être repoussé, ou simplement à la décevoir. Cependant, si ça m'arrive avec Diane, je ne serai pas atteint de la même façon. Je ne m'embarque pas pour la France avec l'espoir de faire ma vie avec elle. J'espère seulement faire un beau voyage. Ne serait-ce qu'à cause de la différence d'âge, je n'ai pas d'attentes à long terme. Tu comprends?

— Je comprends que tu encaisserais plus facilement un rejet de sa part, parce que tes attentes sont moins élevées. Il s'agit simplement d'une bonne amie avec qui tu couches, avec qui tu souhaites aller en France.

Solange décrivait exactement sa façon de voir la situation.

— Et en prime, elle te promène en voiture sport.

— Précisément.

— Je vais me chercher quelque chose à boire. Quelque chose de fort. Tu en veux?

Le jeune homme hocha la tête. C'était tout à fait inédit, cette offre. Évidemment, il l'avait déjà vue un verre à la main, mais jamais pour essayer de se donner une contenance. À son retour, elle lui tendit un whisky avec un glaçon. La première gorgée lui brûla la gorge.

— Tu as été redoutable avec Aline, aujourd'hui.

Il regarda sa sœur en attendant la suite.

—… Quand tu lui as dit avoir choisi une femme mariée pour que l'un des deux sache ce qu'il fait…

Jacques commença par s'amuser franchement de la remarque.

— C'était pour la faire taire. Dans les faits, ce n'est pas tout à fait ce qui se passe. Diane a l'expérience qui vient avec dix ans de mariage, mais en réalité, elle est un brin timide dans ce domaine.

— Et toi?

— Comme elle n'a pas renoncé au voyage, je présume que ça va. Mais je te rappelle, on ne parle pas ici de s'engager pour la vie. Dans ce contexte, peut-être que mes insuffisances sont plus faciles à supporter.

Solange préféra changer de sujet :

— Et dis-moi, as-tu apprécié ton été à titre de petit boss, finalement ?

— Beaucoup, au point de me réjouir qu'il y ait une possibilité de recommencer l'an prochain.

— Avec les mêmes employés ?

— Je suppose que oui, puisque tous semblaient disposés à revenir. À part Charlotte, sans doute. Cela dit, je suppose que chacun sera revenu de ses émotions en mai prochain.

Cependant, un aspect de la question le chicotait. Il avait soigneusement évité de faire allusion à son voyage en France devant ses collègues ou ses confrères de l'université. Seul Robson était dans la confidence. Comme s'il craignait que Charlotte l'apprenne. Comme un amoureux qui cache ses aventures.

❀

Maintenant, il convenait de régler les aspects pratiques de ce séjour en France. Le mardi 5 septembre, Jacques et Diane montèrent dans la Mustang afin de se rendre à l'agence de voyages Tourbec, rue D'Auteuil. Ce fut avec leur passeport à la main – et dans le cas du jeune homme, son chéquier – qu'ils se postèrent devant le comptoir de vente.

— Tu devrais en prendre une, dit Diane en lui montrant l'American Express qu'elle tenait dans sa main.

— Je n'ai pas une confiance absolue dans mon sens de la discipline. Je ne veux pas m'exposer à la tentation. Tant d'objets me font envie, tu imagines si j'avais la possibilité de tout régler avec un clic-clic ?

— C'est pratique.

— Les chèques de voyage aussi.

Le jeune homme fit une pause, puis admit avec un sourire en coin :

— Remarque, je suis content que tu aies la tienne. Si je me casse une jambe, je n'aurai pas à ramper jusqu'à l'hôpital le plus proche, tu pourras me payer un taxi.

Comme elle lui adressa une mine inquiète, il ajouta :

— Tu vois ce que c'est, voyager avec un enfant.

Elle grimaça. Comme la question de la différence d'âge entre eux la faisait toujours un peu sourciller, il se promit d'éviter ce genre d'humour, désormais. Une employée leur accorda finalement son attention. Ils auraient des places en classe économique sur le vol d'Air Canada quittant Mirabel en soirée le 30 septembre prochain, et ce serait sur les ailes d'Air Inter qu'ils iraient de Paris à Marseille.

— Vous préférez un billet ouvert ?

Jacques parut suffisamment intrigué pour que l'employée précise :

— Ça vous permettra de revenir le jour de votre choix, à condition que ce soit à l'intérieur d'un an. Ainsi, si vous désirez prolonger un peu votre séjour après l'année universitaire, ce sera possible. Autrement, il y aura une date de retour fixe. C'est un peu moins cher, si vous acceptez cette contrainte.

Jacques consulta sa compagne du regard.

— Ce serait peut-être mieux un billet ouvert... Je suppose qu'il faut tout de même contacter la compagnie aérienne un peu à l'avance afin de s'assurer que nous aurons des places ?

Sans le formuler à haute voix, ils se sentaient tous les deux soulagés d'avoir non pas la possibilité de revenir plus tard, mais celle de revenir plus tôt. Au fil des jours, diverses raisons exigeant un retour précipité leur passaient par la tête. «Par exemple, si mes parents mouraient», avait dit Diane. Jacques ne pensait pas que de voir de ses yeux le cercueil de sa mère s'enfoncer sous la terre soit essentiel à son deuil. D'autres motifs lui semblaient plus impérieux : le manque d'argent, des problèmes liés à ses études ou alors la mésentente entre eux.

— Nous prendrons donc des billets ouverts, avança Jacques.

Au moment de payer, il vit que l'employée cilla un peu à la perspective de recevoir un chèque, mais pas au point de lui conseiller à son tour de demander une carte de crédit. Jacques rangea soigneusement son précieux billet dans son sac de postier. Quand ils furent sur le trottoir, il proposa :

— Comme nous sommes en ville, as-tu envie de dîner dans les environs ?

— As-tu une suggestion ?

— Le Popeye Burger se trouve à deux pas. C'est le restaurant que je fréquente le plus souvent dans les parages, et tu es stationnée presque en face.

— Je suis certaine que tu peux faire un peu mieux.

— Tu m'as déjà entraîné dans une crêperie. Il y en a une rue Saint-Jean, avec des serveuses déguisées en Bretonnes.

Cette fois, il eut plus de succès. Quelques minutes plus tard, Diane dit en prenant place à une table :

— J'espère qu'on leur donne un peu plus, pour travailler attifées de cette façon…

La coiffe surtout les rendait ridicules.

— Comme je ne fais pas confiance à la générosité des employeurs, je me limite à souhaiter qu'on ne leur fasse pas payer le déguisement.

Quand ils eurent commandé, Diane remarqua encore :

— Tu parais un peu stressé. J'ai raison ?

— Tu as raison, et j'ai quelques motifs pour ça. D'abord, cadrerons-nous bien dans cette noble institution de haut savoir ? Ensuite, recevrai-je le premier versement de la bourse avant notre départ ? Y aura-t-il des pépins en ce qui concerne les transferts d'argent de la caisse populaire à une institution bancaire là-bas ?

« Une chance que j'apporte ma carte de crédit », songea Diane. Car si un retard survenait, il lui faudrait le dépanner.

Jacques, de son côté, préférait taire le principal motif à sa mine soucieuse. Il aurait voulu monter immédiatement dans l'avion, juste pour moins penser à la jeune fille aux yeux noirs. En se cachant dans les toilettes, il l'avait contrainte à fuir la petite sauterie du vendredi précédent sans un mot d'explication.

— Mais je crois que je ne suis pas le seul à me faire des soucis, observa-t-il bientôt. Toi aussi.

— Hier, j'ai téléphoné à notre future logeuse pour m'assurer qu'il y avait bien deux chambres dans l'appartement.

Son compagnon fronça les sourcils.

— Je parle à Robert parfois. Tu comprends que j'ai dû aborder le sujet de ce voyage. Il n'a pas reçu cette information de façon bien sereine.

En fait, il lui avait fait une grosse colère.

— Officiellement, je pars avec un camarade d'université, en ami. Il lui a fallu du temps avant d'accepter l'idée. Je ne pense pas qu'il irait jusque-là, mais s'il lui prenait l'envie de demander à une agence de détectives privés de vérifier nos arrangements domestiques à Aix...

Si Jacques avait aimé provoquer sa mère en évoquant son départ avec une femme mariée, l'idée de voir la situation tourner au vaudeville ne lui disait rien. En voyant son inquiétude, sa compagne ajouta :

— Je ne pense pas que ça puisse se produire. Mais je ne peux négliger ces précautions : comme il n'y aura pas de jugement de divorce avant l'été 1979, je me trouve un peu à la merci de sa mauvaise humeur.

Si Robert entendait devenir une nuisance dans cette histoire de divorce, inutile d'attendre leur départ. Depuis quelques semaines, Jacques s'était présenté à plusieurs reprises à l'appartement de l'avenue Chapdelaine, pour n'en sortir que le lendemain matin. Pas besoin de dépêcher des espions outremer pour comprendre la situation. La pensait-il chaste et pure depuis avril dernier ?

Cela dit, aux yeux des avocats qui faisaient une fortune avec les couples en démanche, partager la même demeure que sa maîtresse différait peut-être beaucoup de l'acceptation de son hospitalité pour la nuit.

— Je comprends que la question te préoccupe, dit-il avec un sourire contraint. Heureusement, je ne suis pas du genre à me donner en spectacle, alors personne ne prendra des photos compromettantes de nous. En revanche, il y a tout de même quelque chose de vexant pour moi dans le fait qu'il puisse vraiment croire que nous allons cohabiter pendant des mois "en amis".

— Je t'ai dit que tu gagnais à être connu. Le Jacques public et le Jacques intime ne sont pas tout à fait les mêmes personnes.

Ce qui présentait peut-être un avantage au moment de partir en voyage avec la femme d'un autre. Mais dans la vie de tous les jours, cela ne le servait pas. Tout en mangeant, ils cherchèrent d'autres sujets de conversation.

— Ah ! Je ne t'ai pas dit, mais à propos de mon logement, commença Diane, Normand Fecteau va y habiter à compter du 1er octobre jusqu'au 31 avril 1979.

L'auxiliaire d'enseignement qui lui avait fait la vie si dure, en 1974, n'était pas tout à fait disparu de sa vie. Il le croisait parfois sur le campus. Entre eux, les échanges de salutations n'avaient que les apparences de la courtoisie.

— Tiens, tu lui offres le gîte, maintenant?

— Il paie le gîte le prix qu'il me coûte.

— Il est fâché avec ses parents?

Qu'à trente ans il vive toujours avec papa et maman paraissait le comble du ridicule à Jacques.

— Il vient d'obtenir un poste administratif à l'université. Ces sept mois lui donneront l'occasion de chercher ce qui lui convient.

Cette fois, Jacques éprouva une pointe d'envie. Existerait-il un emploi de ce genre pour lui? Bientôt, ils retrouvèrent la Mustang. Quand Diane s'arrêta devant le pavillon Parent, elle revint sur son inquiétude au sujet de son mari.

— À part ta famille, as-tu parlé à quelqu'un de ce voyage?

— Non. Mais je pensais le dire bientôt à Jean-Philippe. Je ne peux pas disparaître du jour au lendemain.

— Il faudra être prudent lors de tes confidences.

— Nous partons entre amis et nous vivrons chez la maman d'un professeur de l'Université d'Aix… Mais même si je lui raconte seulement cette partie, ça ne veut pas dire qu'il ne comprendra pas ce qui se passe.

— Évidemment, il sait à quoi s'en tenir. L'important, c'est qu'il ne parle à personne de ce qu'il comprend.

— Puisque c'est un homme du monde, comme on dit dans les vieux films, il saura certainement être discret.

Après cette insistance sur le maintien des apparences, Jacques lui adressa seulement un petit salut du bout des doigts avant de descendre de la voiture.

✿

Pour le souper, Jacques retrouva la table des vieux garçons. Sa composition avait beaucoup changé au cours des dernières années. Des étudiants connus en 1974, il restait ceux qui s'étaient inscrits à la maîtrise et qui, pour diverses raisons, n'arrivaient pas à s'arracher du sein rassurant de la maman «université». Ensuite s'étaient ajoutés des plus jeunes qui s'étonnaient de les voir toujours là.

Quand il déposa son plateau sur la table, Groslouis dit :

— Ça fait drôle de ne plus nous rendre au musée. Ce matin, je me suis levé un peu plus tard. Pendant un instant, je me suis inquiété d'avoir raté l'autobus.

— Voilà le résultat d'avoir eu un trop bon patron. Ça crée un attachement dont il est difficile de se défaire.

— Et de charmantes collègues. Il ne faut pas oublier les collègues !

Le ton était sarcastique, Jacques craignit de l'entendre parler de Charlotte. Toutefois, quoique ce jeune homme se distinguât par son humour pince-sans-rire, impossible de l'accuser d'indélicatesse. Il enchaîna en disant :

— Alors, tu te sens différent, depuis que tu es au doctorat ?

— Ce serait peut-être le cas si je n'avais pas passé mon après-midi à faire des corrections à mon mémoire de maîtrise. Pour le moment, je ne pense pas être soudainement devenu plus savant.

Durant quelques minutes, ils parlèrent tous ensemble des mystères du passage accéléré au doctorat. Certains parmi les plus jeunes s'imaginaient sans doute profiter du même privilège plus tard. En quittant la table, Jacques murmura à l'intention de Jean-Philippe :

— Je peux te parler ?

— Là où sont les tables de billard ?

Rendus au Parent, ils s'installèrent à une table un peu à l'écart des joueurs. Ils négligeaient maintenant ce loisir qui avait occupé tant de leurs soirées, par le passé.

— Diane et moi, nous irons passer notre prochaine année d'études en France.

Jean-Philippe afficha sa surprise.

— Vous en aviez parlé, l'an dernier, mais je ne pensais pas que c'était sérieux.

— Ça paraissait irréalisable. Elle était mariée, je suis cassé, nous voulons faire notre thèse avec Dumont...

— Maintenant, elle n'est plus mariée et tu as une bourse...

Jacques n'avait pas ébruité la nouvelle de la seconde bourse, pour ne pas trop susciter d'envie.

— Mais tu peux étudier en France avec un directeur de thèse ici ?

Il fallut quelques instants pour lui expliquer que ce n'était pas tout à fait incompatible. Il ne s'agissait que de faire le diplôme d'études approfondies.

— Ça va te retarder, fit valoir Jean-Philippe. Tu as tellement parlé d'en finir au plus vite avec tes études.

— En même temps, tu sais comme j'ai adoré la France.

— C'est vrai. En plus, la bourse, c'est pour trois ans. Ça te donne du temps.

— À Aix, nous allons habiter chez une connaissance de Nadine Doyle, dans un appartement avec deux chambres à coucher. Diane s'inquiète un peu de ce que les gens vont penser. Elle est séparée, pas divorcée...

Jean-Philippe eut un sourire entendu.

— Il ne faudrait pas que des commères se mettent à faire des suppositions. Le monsieur ne serait pas content s'il entendait parler d'une escapade en amoureux.

— Exactement.

Ils échangèrent un sourire. Jean-Philippe comprenait l'intérêt de ne pas encourager les histoires scabreuses sur la trentenaire partie avec un jeune homme.

Chapitre 18

Quand l'autocar en provenance de Sainte-Foy s'arrêta devant les portes donnant accès à la zone des départs de l'aéroport de Mirabel, Jacques fut heureux de descendre. Voilà deux heures qu'il se rongeait les ongles ; s'il continuait, bientôt ce serait ses phalanges.

Devant l'aérogare, ils attendirent quelques minutes afin de pouvoir récupérer leurs valises placées sous le véhicule.

— Il y a beaucoup de passagers, un samedi soir, remarqua Diane un peu déçue. Nous ne pourrons pas prendre nos aises.

Elle avait espéré que des sièges demeurent disponibles dans le 747, afin de pouvoir relever ses jambes et dormir un peu. Lui ne s'en souciait pas trop, certain de ne pouvoir fermer l'œil une seule minute. À cause de sa nervosité, il ne pourrait même pas se concentrer sur le roman d'Agatha Christie acheté la veille dans une boutique de la rue Maguire.

Le chauffeur lui tendit sa grosse valise brune et la plus petite.

— C'est lourd en criss ! se plaignit l'homme.

C'était un appel un peu trop appuyé pour un généreux pourboire.

— J'ai mis ma vaisselle dedans, ricana Jacques.

Les deux valises venaient du Distribution aux consommateurs de la Place Laurier, de même que son bagage de cabine. Il s'agissait d'un ensemble en cuirette brune dont la principale qualité était de s'harmoniser avec son pantalon et sa veste de velours côtelé. Quant au chandail à col roulé, il était un ton plus pâle. Peut-être le trouverait-on à la mode, à Aix.

En entrant dans la grande bâtisse, Diane demanda :

— Tu plaisantes, j'espère ? Tu n'as pas mis de la vaisselle dans la valise qui ira dans la soute ?

— C'est ma machine à écrire. J'espère juste qu'elle arrivera là-bas en un seul morceau.

— Tu sais qu'il peut y avoir deux tonnes de bagages dessus.

— Mais elle peut se trouver sur le dessus de la pile... C'est comme acheter un billet de loterie.

Ils se dirigèrent tout de suite vers le comptoir d'Air Canada afin d'enregistrer leurs bagages. Même s'ils arrivaient tôt, la queue s'allongeait déjà, alors que les employées devant s'occuper des voyageurs en première classe, inoccupées, faisaient semblant de se concentrer sur des papiers imaginaires pour ne pas aider leurs collègues.

— Tu as déjà voyagé avec ces richards ? demanda le jeune homme.

— Parfois.

Elle paraissait un peu gênée de l'admettre. Devant son regard insistant, elle ajouta :

— Tu sais, un billet de première classe coûte quatre, cinq fois plus cher qu'en classe économique. Même pour un médecin, c'est beaucoup d'argent.

— Surtout s'il s'est déjà payé son propre avion, dit-il en lui faisant un clin d'œil. Je ne sais pas si j'y arriverai, mais j'espère me payer ce luxe-là, au moins une fois dans ma vie.

Ce fut enfin leur tour de mettre leurs valises sur le tapis roulant. La remarque du chauffeur avait un peu inquiété

Jacques ; il fut content de constater qu'il n'aurait pas à payer pour un excédent. Ensuite, il suivit sa compagne en traînant son sac de postier et son bagage de cabine.

— J'ai besoin d'un remontant, dit Diane. Il y a un bar, en haut.

— Moi aussi. Et cette fois, ce ne sera pas un Coke.

❀

Même s'il y avait quelques sièges de libres dans l'avion, ce n'était pas dans la section de l'appareil où ils se trouvaient. Diane dormit tout de même un peu. Jacques, de son côté, fit semblant. Pendant ce temps, aucun des bruits dans la carlingue, aucun des frémissements de l'appareil ne lui échappa.

L'avion se posa le lendemain matin à Charles-de-Gaulle. Après une nuit blanche, le passage à la douane parut prendre une éternité. Heureusement, ils n'auraient pas à récupérer les bagages avant Marseille. Alors que sa compagne s'éclipsait aux toilettes, Jacques s'appuya contre un mur, afin de regarder le va-et-vient des voyageurs.

Une jeune femme s'approcha, un peu penchée vers l'avant à cause du poids de son sac à dos.

— Tu comptes voyager longtemps en France ? demanda-t-elle.

— À moins d'un pépin, oui. J'ai un billet ouvert.

— Moi aussi. Si tu veux, nous pourrions voyager ensemble.

Le jeune homme esquissa un sourire. Il se souvenait de cette jeune personne à cause d'une scène dont il avait été témoin juste avant de passer la sécurité à Mirabel. À sa mère qui la tenait dans ses bras, visiblement très inquiète pour sa « petite », elle avait dit : « Mais non, maman, il ne peut rien m'arriver ! » Croisant son regard deux heures plus tard dans le véhicule les conduisant à l'appareil, il lui avait adressé un sourire.

Après quelques heures de vol, elle était visiblement moins assurée.

— Tu sais, je ne suis pas seul.

— Oh! Je m'excuse.

— Il n'y a pas de raison de t'excuser. Dans un autre contexte, j'aurais accepté avec plaisir.

Après des souhaits mutuels de bon voyage, elle s'éloigna. Il la suivait des yeux quand il entendit Diane :

— Qu'est-ce qu'elle voulait ?

— Savoir comment faire pour se rendre à Paris. Je dois avoir l'air d'un grand voyageur.

❀

Le vol vers Marseille durait tout au plus une heure quinze. En revanche, arrivé à destination, le couple dut encore attendre l'autobus qui faisait le service jusqu'à Aix-en-Provence. Ce fut tout à fait épuisés qu'ils descendirent tout près de la fontaine de la Rotonde, encombrés de valises.

— Difficile d'avoir l'air plus touristes que nous, remarqua Jacques.

— Tout pour intéresser les voleurs.

Évidemment, ils attiraient l'attention. De là à penser que leurs bagages excitaient la convoitise de tous les badauds qui s'arrêtaient pour les contempler, il n'y avait qu'un pas.

— Peut-être devrions-nous faire signe à un taxi, dit-il.

— Après avoir longuement étudié des plans de la ville, tu me disais que notre destination était tout près de l'édifice d'information touristique, non ?

— Nous devons marcher jusqu'au bout du cours Mirabeau, et près de la fontaine du roi René à l'autre extrémité, nous emprunterons le passage Agard pour arriver directement au palais de justice. La rue Émeric David donne dessus.

— On dirait que tu vis ici depuis vingt ans, alors je te suis.

Cours Mirabeau, parmi le beau monde qui profitait du dimanche pour faire une promenade ou s'asseoir une partie de l'après-midi à une terrasse, ils passaient certainement pour des gitans. « Les gens du voyage », commençait-on à dire en France, tellement le terme « gitan » était chargé de racisme. Une fois rendus à la statue du roi René, ils occupèrent un banc pendant un petit moment, pour s'engager ensuite dans l'étroit passage Agard.

Puis ils arrivèrent place de Verdun. Le palais de justice de dimensions monumentales se trouvait sur leur gauche.

— Tout à l'heure, nous pourrons venir manger ici, dit Jacques en lui montrant un café.

L'affreux petit-déjeuner avalé dans l'avion plus de six heures auparavant paraissait maintenant un lointain souvenir.

— C'est encore loin ?

— Nous en avons pour quelques minutes. La rue est juste devant nous.

Décidément, la jeune femme croisée à Charles-de-Gaulle l'aurait certainement apprécié comme guide. Il arrivait à donner l'illusion de bien connaître l'endroit. Vingt verges plus loin, ils s'engageaient à droite. Et après avoir parcouru encore cinquante verges, ils se trouvaient devant le numéro 8.

— Voilà.

Du doigt, Jacques montrait la plaque de bronze où était inscrit « Jules Colas, avocat à la cour ». La maison était plutôt basse, rébarbative comme une place forte. Le mur de pierre longeait le trottoir. Des soupiraux se découpaient dans le bas, quinze pouces au-dessus du trottoir, des fenêtres hautes et étroites perçaient le mur, et les volets métalliques étaient fermés, bien qu'on fût en plein après-midi. La porte plutôt imposante était juste un peu en retrait.

Intimidé, Jacques appuya sur le bouton de la sonnette. Dans un endroit pareil, il se serait attendu à un heurtoir en bronze. Il perçut un ding-dong lointain. Bientôt, un homme ouvrit. Trois pas derrière lui se tenait une petite vieille.

— Madame Chénier et monsieur Charon, je présume. Je suis Janvier Colas.

Il y eut un échange de poignées de main, il leur présenta « Madame ma mère », puis leur dit :

— Suivez-moi, c'est en bas.

Au passage, ils aperçurent un salon avec des meubles d'un autre âge et un papier peint orné de petites fleurs bleues. L'escalier permettait d'accéder à une aire d'habitation de huit cents pieds carrés, peut-être. Inutilement, il leur désigna les pièces :

— Voici la cuisine, ici la salle à manger qui sert aussi de vivoir. Les chambres sont au fond.

Il y en avait bien deux, de part et d'autre d'une salle de bain.

— Comme je devine que le voyage vous a fatigués, je vous donne tout de suite les clés et je vous laisse. Vous utiliserez la porte arrière, de façon à ne pas déranger ma mère.

Il leur remit deux clés de bonne taille.

— La deuxième permet d'ouvrir la porte du jardin. N'oubliez pas de toujours verrouiller. Aix n'est pas une ville dangereuse, mais il y a une petite délinquance... Bientôt, je vous inviterai à dîner chez moi. Maintenant, je dois rejoindre ma mère.

Puis il disparut après un nouvel échange de poignées de main. Quand ils eurent entendu la porte se refermer à l'étage, Jacques dit en ricanant :

— Je me demande bien dans quelle poche je pourrai mettre ça.

Il regardait la clé massive de la porte du jardin toujours dans sa main.

— Depuis que je te connais, tu as toujours ce sac à l'épaule.

Ce serait effectivement la seule façon de la garder avec lui. Très mal, il affecta d'adopter un accent du sud de la France pour dire :

— Chers cousins du Canada, bienvenue dans les quartiers de nos domestiques. Depuis que papa n'est plus avocat à la cour, non seulement nous ne pouvons plus nous les payer, mais maman doit louer leurs anciennes chambres pour payer son manger mou.

Si Diane s'amusa de sa description de la situation, elle précisa néanmoins :

— C'est quand même confortable. Je ne pense pas que les domestiques avaient une grande chambre donnant sur le jardin ou une immense salle de bain.

Jacques dut en convenir. Il prit les deux plus grosses valises, la sienne et celle de sa compagne.

— Autant mettre ça dans les chambres. Mon instinct me dit que tu vas hériter de la plus grande donnant sur le jardin.

— C'est la seule qui a un lit double ! On dirait la jungle, dit Diane en entrant dans la pièce.

Tout de suite, elle se planta devant les portes françaises donnant sur le jardin. Il s'approcha pour poser ses mains sur ses épaules.

— Ils ne sont pas du genre à passer des heures à tondre une pelouse, en tout cas.

Il y avait des arbustes, deux pins et des rosiers sur lesquels fanaient des fleurs.

— Avec un mur comme celui-là, difficile de croire que la délinquance est si petite.

Il devait faire huit pieds de haut, et au sommet, on avait mis une bande de fer hérissée de pointes afin de rendre l'escalade hasardeuse.

— Mais dans ce coin du monde, cette construction date peut-être des guerres de religion... ou de la Guerre des Gaules.

— N'exagère pas !

— Me donnes-tu le temps d'ouvrir ma valise ? J'ai hâte de voir si j'ai toujours une machine à écrire.

La chambre de Jacques donnait sur la rue. En conséquence, pour toute fenêtre, il y avait le soupirail se trouvant un peu au-dessus du trottoir. Il pourrait voir les mollets des passantes. Personne n'aurait pu se glisser par là. Des barreaux métalliques étaient si rapprochés que même un chat amaigri aurait du mal à entrer. La pièce contenait un lit simple contre le mur à droite, une petite table et une commode sur celui de gauche. Sa chambre au pavillon Parent était vaste, en comparaison.

Une fois la valise sur le lit, il chercha une clé dans son sac de postier, pour ouvrir le cadenas doré. Il se rendit compte que la Smith-Corona paraissait toujours en état de fonctionner. En tout cas, le métal et le plastique épais avaient tenu bon. Il en serait certain quand il la brancherait. Dans la valise de taille moyenne, sa radio Sanyo semblait tout aussi intacte.

Comme Diane n'était pas encore réapparue, il prit le temps de déposer la majeure partie de ses vêtements dans la commode. Son « set de bagages » présentait un avantage : il pouvait mettre ses valises l'une dans l'autre pour réduire l'encombrement. Il venait de les glisser sous le lit quand sa compagne se plaça dans l'embrasure de la porte.

— Hum ! Je ne pense pas que tu pourras me demander de venir faire la fête ici.

— C'est pour ça que j'espère que tu feras des invitations.

— Tu peux compter là-dessus. Prêt à venir manger ?

— Je te rejoins.

Après être passé dans la salle de bain, il la retrouva dans la salle à manger.

— Il y a un seul fauteuil, ces chaises autour de la table et ce curieux meuble.

Tout un mur était occupé par un meuble de rangement allant du plancher au plafond. Cependant, on y avait aménagé un espace mesurant cinq pieds de long sur trois de haut et garni de coussins.

— Je l'essaierai, ce soir.

La clé servant à sortir du jardin leur donna un peu de mal. Il fallut insister avant que la porte de métal cède enfin. Ils se retrouvèrent dans une rue étroite.

— Si nous allons à droite, nous arriverons à la place de Verdun, dit Jacques.

C'était bien le cas. À la terrasse, en plein soleil, ils goûtèrent enfin le plaisir de se trouver en France.

❁

Le premier soir dans l'appartement de la rue Émeric David fut rempli de découvertes. D'abord, contrairement aux affirmations d'un vendeur d'une boutique spécialisée, il ne suffisait pas d'avoir un adaptateur pour brancher une radio Sanyo dans une prise de courant française. L'appareil n'émit même pas un couic au moment d'expirer avec une petite odeur de brûlé. Il ne fonctionnerait plus qu'avec des piles, désormais. Ensuite, le trou dans le meuble de rangement offrait un confort relatif pour lire. Puis la robinetterie de la baignoire, placée sur le côté, permettait de s'y installer confortablement à deux pour une longue trempette. Enfin, le lit double s'avéra accueillant, et le traversin remplaçait agréablement les oreillers.

❀

Le lendemain, il convenait de passer aux choses sérieuses. D'abord, la visite aux services administratifs de la faculté des lettres et des sciences humaines leur apprit qu'il était impossible de s'inscrire au DEA sans obtenir au préalable un permis de séjour de la police nationale. Avec beaucoup de réticence, comme s'il s'agissait d'un secret à préserver au risque de sa vie, l'employée leur donna l'adresse des locaux de la gendarmerie à Aix. Comme c'était près de la fontaine de la Rotonde, ils n'eurent pas à la torturer pour se faire indiquer le chemin : ils le connaissaient déjà.

— Seigneur, dit Diane en sortant du bureau. En comparaison, nos fonctionnaires de l'Université Laval ou du ministère de l'Éducation sont charmants.

— C'est là tout l'intérêt des voyages. On apprend à mieux apprécier ce que l'on a chez soi.

C'était seulement le premier défi de leur journée. Le second aurait un effet plus délétère encore sur leur humeur. Évidemment, ils n'avaient pas choisi leur directeur de recherche. Tout de même, on leur avait fourni un nom : Yvonne Knibiehler. Après avoir longuement cherché son bureau, ils frappèrent à sa porte à l'heure convenue.

Il s'agissait d'une dame dans la cinquantaine, toute menue, coiffée comme une grand-mère, ce qui ne les surprit guère : elle en avait l'âge. Il s'agissait pourtant d'une nouvelle venue dans l'enseignement universitaire. Elle les reçut gentiment, se soucia un peu de la durée de leur voyage et de la qualité de leur logis. Quant au sujet de leurs recherches, elle n'avait aucune suggestion à formuler et ne savait pas trop quels fonds d'archives étaient accessibles dans la région. Si elle ne formula pas : «Débrouillez-vous. Moi, je n'ai pas que ça à faire !», son attitude était éloquente.

Alors qu'ils sortaient de son bureau, comme si cela lui revenait soudainement à l'esprit, elle leur annonça :

— Ah oui ! Il y a aussi un séminaire à l'intention des étudiants.

⚜

À chaque jour suffit sa peine. Après avoir quitté le bureau de la professeure, ils se retrouvèrent dans un café du cours Mirabeau, dépités. Après avoir pris une bouchée, ils décidèrent de passer au Monoprix situé tout près afin de faire des provisions. Ce fut l'occasion pour eux de renouer avec une autre réalité française : tout était fermé de midi à deux heures trente. Vraiment tout.

— Comment font-ils ? maugréa Diane. À quoi ça sert d'avoir tout ce temps pour dîner, si rien n'est ouvert ?

Parce que, évidemment, au Québec, tout le monde en aurait profité pour faire des achats, effectuer des démarches administratives, passer au bureau de poste ou à la banque, en plus d'autres corvées.

— Je suppose que bobonne prépare un repas pour monsieur qui rentre manger à la maison et qui se permet une petite sieste. Tiens, peut-être la fait-il avec bobonne, cette sieste, ou peut-être avec une maîtresse. Ce sont de si grands séducteurs. Quant aux courses, après le départ de monsieur, madame s'en occupe.

Si le travail des femmes mariées gagnait en popularité au Québec, ça ne devait pas être le cas en France. Les heures d'ouverture des commerces rendaient cela impossible. Dès leur premier jour dans ce pays, ils comprirent que la gestion du temps poserait un problème. Cela même à un point qu'ils ne mesuraient pas encore.

Le mardi 3 octobre, ils se présentèrent à la police dès huit heures trente pour obtenir le fameux permis de séjour. Une longue queue s'allongeait à l'extérieur de l'édifice, exclusivement composée de Maghrébins. Ils comprirent bien vite que ce terme désignait les ressortissants de la partie ouest de l'Afrique du Nord que la France avait exploitée au temps des colonies : l'Algérie, le Maroc et la Tunisie.

Ces hommes et ces quelques femmes les dévisageaient avec un air surpris. Ils paraissaient étonnés que l'administration française traite des Caucasiens avec le mépris dont ils étaient eux-mêmes l'objet. À neuf heures trente, un policier sortit pour dire :

— Rentrez chez vous. Ça ira à demain.

Il y eut un très léger murmure de protestation. Diane projeta ses épaules vers l'arrière pour mettre sa poitrine en évidence, s'arma de son meilleur sourire et s'approcha du fonctionnaire :

— Monsieur, nous devons obtenir un permis de séjour afin de nous inscrire à l'université.

— Je viens de dire qu'il faudra repasser demain.

— C'est toujours comme ça, expliqua un homme presque édenté à Jacques. Ils laissent entrer du monde pendant une demi-heure, une heure, puis ils disent aux autres de revenir demain.

— Merci de l'information. Ça doit être ça, la mission civilisatrice de la France. Ils nous apprennent à obéir.

Son interlocuteur esquissa un sourire et lui adressa un petit salut de la tête avant de s'esquiver. Quand Diane revint, elle commenta :

— Plus bête que lui...

— Au moins ils ne font pas de traitement de faveur envers les Blancs comme nous. Ou les jolies femmes.

Le commentaire la laissa un peu interloquée. Justement, elle pensait bénéficier d'un traitement de faveur. La galanterie française se perdait.

— Au moins, dit-elle encore, ils pourraient donner des numéros à ceux qui sont ici, pour leur permettre de passer les premiers demain.

— Pour se priver du plaisir de montrer tout leur pouvoir arbitraire jour après jour ?

Ils convinrent de se diriger vers les archives municipales. Évidemment, ce serait une brève visite : grand, mince au point d'être maigre, et plutôt sympathique, l'employé entendait profiter de chaque minute des deux heures et demie auxquelles il avait droit pour déjeuner.

❁

Mercredi, ils se présentèrent devant les locaux de la police à huit heures, pour se faire dire un peu plus d'une heure plus tard de revenir le lendemain. Jeudi, ce fut à sept heures trente, pour le même résultat. Vendredi, ils étaient sur place à sept heures, pour finalement réussir à entrer peu après.

— J'aurais dû y penser, murmura Jacques, pour nos amis nés de l'autre côté de la Méditerranée, aujourd'hui, c'est jour de prière.

Un officier en civil les reçut. Jacques avait tout juste formulé sa demande d'un permis de séjour quand l'autre rétorqua de façon abrupte :

— À quel titre ?

— À titre d'étudiant. Je vous montre...

Il sortit la lettre d'acceptation de l'université. L'homme la regarda, pour la lui remettre aussitôt.

— Ça, c'est une admission, pas une preuve d'inscription. Il faut un papier qui dit que vous êtes inscrit à des cours.

Jacques préféra ne pas lui expliquer que des deux, il était celui qui connaissait le mieux la différence entre une admission et une inscription.

— À l'université, on nous a dit lundi dernier qu'il fallait au préalable se munir d'un permis de séjour pour s'inscrire.

— Ils peuvent bien dire ce qui leur chante, moi je vous dis ce que prévoit la loi : vous aurez un permis de séjour quand vous me présenterez une preuve de votre inscription.

Était-ce vrai ? Encore une fois, le sourire de Diane ne put obtenir une réponse plus conciliante. Sur le trottoir, elle déclara avec dépit :

— Là, nous sommes dans de beaux draps. Jamais nous ne pourrons nous inscrire.

— Comme nous connaissons une douzaine de professeurs de l'Université Laval qui ont fait des études en France, quelqu'un ment dans cette histoire. Retournons à l'université.

Jacques reconnut la personne qui, le lundi précédent, les avait envoyés à la police.

— Madame, vous vous souvenez de nous ?

Comme elle le regarda en fronçant les sourcils, il dit :

— Voyons, vous vous souvenez. Les deux Québécois, deux Canadiens, comme vous dites plutôt, à qui vous avez refusé le droit de s'inscrire parce que nous n'avions pas de permis de séjour.

Le ton de la confrontation attira l'attention de tous les employés. Comme son interlocutrice restait silencieuse, il poussa son avantage :

— Nous sortons du bureau du capitaine Leclerc, qui nous a dit que vous deviez d'abord nous inscrire.

Si Jacques n'était pas certain du grade, il avait bien vu le nom sur la porte.

— Je vous assure, d'habitude...

— Je ne connais pas vos habitudes, mais là, c'est l'histoire du pot de fer et du pot de terre. Et en comparaison du poulet que nous venons de quitter, le pot de terre, c'est vous.

Finalement, elle chercha un document en disant :

— Ce n'est pas régulier, comme procédure...

Pourtant, vingt minutes plus tard, tous les deux étaient inscrits.

— Pourquoi ne l'a-t-elle pas fait la première fois ? demanda Diane.

— Tu as le choix entre deux réponses : soit c'est une conne, soit c'est une salope.

Chapitre 19

Comme on ne semblait pas sur le point de les expulser du territoire français manu militari, même s'il leur manquait toujours le permis de séjour, pendant toute la semaine suivante, ils passèrent leurs journées – trois heures en matinée, trois heures après l'interminable pause du déjeuner – aux archives municipales, sans trouver de collections d'archives susceptibles de faire l'objet d'un travail de recherche en histoire sociale. Pourtant, le sujet était vaste.

— Peut-être devriez-vous consulter les archives départementales ? suggéra l'archiviste d'Aix-en-Provence.

— Où se trouvent-elles ?

— À Marseille.

L'homme eut la gentillesse de leur donner l'adresse. Après une petite recherche, ils apprirent que le moyen le plus économique de s'y rendre était de prendre le car. Le matin du 16 octobre, ils achetèrent des billets dans une agence touristique, puis montèrent dans le véhicule. Le trajet prenait une heure environ, et une fois à destination, ils en mirent une autre avant de trouver l'édifice abritant les archives du département des Bouches-du-Rhône. Si les locaux étaient modernes et le personnel raisonnablement serviable, ils comprirent définitivement que trouver un sujet de recherche ne serait pas simple.

En fin de matinée, Diane suggéra :

— Comme de toute façon nous savons que nous reviendrons demain, nous pourrions prendre l'après-midi pour visiter un peu.

— Jouer aux touristes pendant quelques heures nous remontera peut-être le moral.

Car leur moral commençait à souffrir de la situation. Ils avaient mené leurs études de maîtrise tambour battant, au rythme de journées d'au moins douze heures aux Archives nationales du Québec, et là le temps filait sans qu'ils réalisent le moindre progrès. Ils regagnèrent la Canebière, une avenue pas très longue, large et terriblement achalandée, qui les conduisit directement au Vieux-Port. Ils contemplèrent l'étendue d'eau à peu près rectangulaire pleine de bateaux de plaisance et de bateaux de pêche et fixèrent les yeux vers la basilique Notre-Dame de la Garde, sur son promontoire, comme pour imprimer les images dans leur cerveau.

— Il y a beaucoup à voir, dans cette ville, observa Diane.

— Nous pourrions commencer par manger une soupe de poisson au Café de la marine. Qui sait, César est peut-être encore derrière le bar.

L'allusion au film de Pagnol, *Marius*, ne suscita pas de réaction. Toutefois, elle fit une remarque tout à fait raisonnable.

— Les cafés, dans ce coin, sont des attrape-touristes. Les prix doivent être scandaleux.

— D'un autre côté, venir ici et ne pas manger une bouillabaisse au Vieux-Port...

Finalement, ils se retrouvèrent à une terrasse, un verre de rosé devant eux. À la mi-octobre, le soleil tapait toujours dur, même si le vent faisait un peu tomber la température.

— Honnêtement, demanda la femme, que penses-tu de ce voyage ?

— J'apprécie la compagnie et les lieux. Côté recherche, il y a de quoi se désespérer. Tout à l'heure, je regardais la description d'un fonds d'archives conservé à Nîmes, celui d'une association catholique d'aide aux jeunes travailleurs. Pour la première fois, un sujet semblait présenter un certain intérêt.

— C'est loin.

— Trop loin. Cela dit, nous n'avons pas encore commencé le séminaire. Nous serons peut-être totalement séduits par la qualité de l'enseignement.

À l'ironie dans le ton, sa compagne comprit qu'il n'y croyait pas vraiment.

— Tout à l'heure, dit-elle, nous sommes passés près d'un centre commercial, celui de la Bourse.

— Tu aimerais qu'on y aille ?

Comme elle hochait la tête, il enchaîna :

— Je suis sûr que la science historique ne souffrira pas de notre absence aux archives.

Ainsi, c'est dans un centre commercial tout neuf, avec des boutiques très élégantes, qu'ils perdirent une demi-journée. Au moins, l'histoire ne fut pas totalement négligée. Lors de la construction de l'édifice, les ouvriers avaient mis à jour les vestiges de la ville grecque de Massalia, construite par des marchands 600 ans avant Jésus-Christ.

En contemplant les vieilles pierres, Jacques murmura :

— Ça ne risque pas d'arriver lors du prochain agrandissement de la Place Sainte-Foy.

Au moins, pour les amateurs d'histoire, la France réservait encore de beaux moments.

La première rencontre du séminaire se révéla plutôt indigeste, mais tolérable. Yvonne Knibiehler souhaita la bienvenue aux étudiants du DEA, répéta des informations présentes dans les annuaires, puis présenta un vieux monsieur qui, au cours des semaines suivantes, les entretiendrait des œuvres de Michel Foucault, en particulier de l'ouvrage *Surveiller et punir. Naissance de la prison*, paru en 1975.

Quand il lui avait parlé de son désir d'aller passer une année en France, Jacques avait dit à Nadine Doyle que c'était le genre de publication dont les très conservateurs professeurs de l'Université Laval ne risquaient pas de les entretenir. Alors il quitta la salle de classe en affichant une certaine satisfaction. Sur le chemin du retour, Diane et lui s'arrêtèrent au Monoprix du Cours Mirabeau afin de renouveler leurs provisions. Ils avaient déjà fait l'essai de quelques plats très faciles à cuisiner. Comme le jeune homme participait bien peu à la préparation des repas, il acceptait chaque suggestion avec la même phrase :

— Oui, ça me convient très bien.

Même quand Diane avait suggéré de faire du riz et d'y mettre une boîte de thon – à l'huile, pour changer de la recette québécoise. Il avait pour principe de ne jamais critiquer ce qu'on lui offrait de bon cœur.

Ce jour-là, quand elle lui mit une boîte de conserve dans les mains en demandant «Et ça?», il se fit juste un peu plus loquace :

— Flageolets au gras de canard? D'après l'image, on dirait des bines avec du lard.

— Sauf que c'est du canard.

— Oui, ça me convient très bien.

Ça deviendrait un classique de leur alimentation aixoise pendant tout le reste de leur séjour. Chaque fois que le couple s'arrêtait au Monoprix, il sortait toujours par l'arrière afin de parcourir les petites rues étroites bordées de boutiques pour tous les goûts : d'une bijouterie à un sex-shop. Si ce premier commerce ne disait rien au jeune homme, le second lui permettait d'acheter des condoms contenus dans de petits œufs en plastique, comme ces friandises de Pâques si populaires.

Par ce chemin, ils débouchaient sur la place de Verdun, en face du palais de justice. Une très belle librairie se trouvait là, tenue par une jolie libraire d'une quarantaine d'années.

— Nous pourrions acheter les livres tout de suite… suggéra-t-il.

Enfin, il avait l'impression de pouvoir avancer dans son projet d'études. Pas question de remettre à demain ce qu'il pourrait commencer en soirée. Sa compagne acquiesça d'un geste de la tête.

— Où puis-je trouver les œuvres de Michel Foucault ? demanda-t-il à l'accorte propriétaire en entrant.

— Juste là.

Elle lui désignait les ouvrages de sociologie. En plus de *Surveiller et punir. Naissance de la prison*, il prit le premier tome de *Histoire de la sexualité*, intitulé *La volonté de savoir*.

— Je règle les deux, dit-il à Diane, demeurée près de la porte avec les sacs de victuailles.

Ils feraient leurs comptes dès leur retour à l'appartement. La soirée se passerait très sagement, chacun absorbé dans un livre.

Les séminaires se suivaient, mais ne se ressemblaient pas. Si le premier leur avait donné l'espoir de voir leurs idées reçues être un peu bousculées par des publications scientifiques à la mode, le vieux monsieur dont ils ne se rappelleraient jamais le nom les entretint tout bonnement de sa lecture du premier chapitre de *Surveiller et punir*.

Au moment de sortir de la classe, Jacques maugréa :

— Nous payons une fortune pour être ici, et ce gars nous répète en bafouillant ce que nous avons lu au cours de la dernière semaine. J'ai raté quelque chose, quand je me suis inscrit ici ? Les gens sont tous analphabètes dans ce groupe, alors quelqu'un doit leur raconter le contenu des livres au programme ?

Un séminaire, à l'Université Laval, c'était l'occasion de discuter d'une lecture déjà effectuée, dans le but de l'approfondir, pas d'entendre une paraphrase de celle-ci.

— Nous avons déjà connu ça à Québec, rappela Diane, mais nous étions au premier cycle, et au fond, ça nous plaisait d'entendre résumer *Les intellectuels au Moyen Âge*.

Comme il s'agissait alors d'un cours offert pendant la session écourtée de l'été 1977, un menu très allégé leur donnait satisfaction. Au doctorat, Jacques s'attendait plutôt à un professeur très savant. Pas à une péroraison sur un texte qu'il pouvait lire lui-même. Devant son visage déçu, elle suggéra :

— Tu veux arrêter prendre une bière à un café pour faire passer ça ?

— Tu me connais, pour moi, les jours de grande déception, c'est plutôt une poire Belle-Hélène dans un salon de thé où les madames ont le petit doigt en l'air en approchant la tasse de leur bouche.

Elle accepta en se disant qu'il lui fallait se montrer tolérante envers les vices des autres.

Plus tard, en marchant Cours Mirabeau, Jacques s'arrêta brièvement devant la vitrine d'une banque.

— Tu as vu ça ?

Presque quatre semaines plus tôt, au moment de leur arrivée, le dollar canadien s'échangeait contre 3,8 francs. Maintenant, c'était contre 3,4. Une chute de plus de dix pour cent.

— Je me demande jusqu'où ça peut descendre.

Avec un pareil taux de change, toutes les additions se révélaient salées. Pour une poire Belle-Hélène et une tasse de thé : dix dollars canadiens. Trois heures de travail au salaire minimum. Le coût de ce voyage d'études, pour se faire raconter une lecture qu'ils avaient déjà faite, devenait prohibitif.

❁

La veille, en se couchant, il avait pris une résolution inflexible : « Demain, nous allons voir les policiers pour avoir ce maudit papier. » Aussi, dès sept heures, ils faisaient la queue devant la gendarmerie. À nouveau, comme il s'agissait d'un vendredi, l'affluence n'était pas trop grande. Quand ils furent assis devant le même officier, l'homme se montra satisfait de leurs papiers.

Après avoir mis une feuille sous le rouleau d'une machine à écrire, c'est à deux doigts qu'il remplit le formulaire. Galant, il commença avec Diane. Parce qu'il dut tenir son passeport pour en transcrire les informations, ce fut avec son seul index droit qu'il continua à taper. Rien pour accélérer la procédure. Parmi les informations qu'il transcrivait, il y avait l'état civil, l'adresse dans le pays d'origine, et celle à Aix. Pour finir, il prit une agrafeuse pour fixer la photo de l'étudiante sur la feuille de papier qu'il estampilla ensuite.

Au moment de se livrer aux mêmes opérations pour Jacques, il reprit le passeport de Diane avant de dire :

— Madame, vous êtes mariée.

— Oui.

317

— À un monsieur Chénier, et là vous vivez dans le même domicile que monsieur Charon ?

Comme Diane risquait de bafouiller, Jacques prit sur lui de répondre :

— C'est défendu par la loi en France ? Pourtant, compte tenu de la réputation des Français dans ce domaine...

— Non, ce n'est pas ça.

Le fonctionnaire termina son travail administratif en jetant des coups d'œil vers Diane. En tête à tête, il aurait peut-être tenté sa chance, car elle devait compter parmi les femmes « libérées ». Quand chacun eut récupéré son bout de papier pour le mettre dans son sac, ils quittèrent les lieux.

— Défendu par la loi ! grommela Diane quand ils furent dehors.

— Tu vois, ton mari est moins soupçonneux que lui. Moi, j'ai difficilement résisté à l'envie de l'embrasser sur les deux joues. Enfin quelqu'un qui croit spontanément que nous ne sommes pas ici en amis !

Ces mots ne parurent pas la mettre tout à fait de bonne humeur.

— Tu viens prendre un café ?

❋

Quand ils furent servis, Jacques sortit le permis de séjour de son sac pour le mettre bien à plat sur la table.

— Tu n'as pas remarqué quelque chose d'étrange, sur ce papier ?

Elle l'examina avec soin, puis dit :

— Je ne vois pas...

— Regarde ici.

Il plaça le bout de son index sur quelques mots : « Valide jusqu'au 31 janvier 1979 ».

— Nous sommes ici pour une année universitaire, nous avons un permis pour moins de quatre mois. Il va falloir recommencer tout ce cirque.

Diane laissa échapper un juron très québécois, puis le regarda dans les yeux.

— Je sais que c'est moi qui ai proposé cette aventure, commença Jacques, et je le regrette. Maintenant, je n'ai qu'une envie : crisser mon camp.

Parfois, tous les deux revenaient à un vocabulaire un peu grossier, mais tellement évocateur.

— Moi aussi.

— Mais si tu préfères rester, je reste aussi.

— Non, non. Partons.

Il comprit immédiatement qu'il aurait pu proposer cela dès la fin de la première semaine, et Diane aurait dit oui. S'il consentait à faire le deuil du DEA, il entendait toutefois profiter au moins un peu de ce séjour en France.

— Nous pourrions ajourner notre retour au début décembre, et passer le temps qui reste à explorer Aix, Marseille, et tous les endroits où nous pourrons faire l'aller-retour en une journée, afin d'épargner sur les frais d'hôtel.

La suggestion parut excellente à sa compagne. Ils se souvinrent des guides de voyage consultés à Québec avant leur départ. Ils n'eurent aucun mal à se concocter un joli programme touristique.

— Mais il reste deux problèmes à régler, dit Jacques en redevenant sérieux. Convaincre madame Colas de nous laisser quitter l'appartement dès la fin du mois prochain, et trouver où loger à notre retour à Québec. Je pense à toi surtout. Ton entente avec Fecteau va jusqu'à la fin avril.

— Tu crois qu'elle exigera un dédommagement ?

— Nous n'avons signé aucun bail. Chez nous, on exigerait un préavis d'un mois. Ici, je ne connais pas les règles. Mais ces gens ont l'air plutôt près de leurs centimes...

— Pour Fecteau, il acceptera certainement de partir.

Jacques fronça les sourcils, visiblement sceptique. Ce gars ne lui avait vraiment pas semblé du genre à rendre service.

— Autrement, la situation serait ridicule, dit-elle encore. Il aurait une sous-location chez moi, et moi je devrais louer ailleurs. Et pour toi ?

— À court terme, je pourrais toujours retourner en résidence.

— N'y a-t-il pas une liste d'attente pour les chambres ?

— Sans doute pas pour les suites.

— Des suites ?

— À l'origine, c'était pour recevoir les étudiants mariés. Certains professeurs en profitent aussi. Il s'agit d'un ensemble de deux pièces, un espace salon-bureau, et une chambre à coucher avec deux lits simples. Il y a aussi une salle de bain privée. Comme c'est deux fois plus cher, les étudiants ne se bousculent pas pour les obtenir. Si ça ne marche pas, l'université tient une liste de logis disponibles dans les environs.

D'habitude, il s'agissait d'appartements ou de chambres en sous-sol, loués par des gens ayant peu réfléchi à leur capacité de payer au moment de contracter une hypothèque. Comme Diane paraissait soucieuse, il suggéra :

— Si Fecteau ne veut pas bouger, tu pourrais sans doute te tourner vers cette solution. Il y a quelques suites au Lacerte.

La suggestion tira une grimace dégoûtée à son interlocutrice.

— Écoute, reprit-il, à la rigueur nous pourrions chercher un appartement disponible jusqu'à fin avril, et le partager.

— Franchement, tu m'imagines devant monsieur le juge après ça ?

Déjà, elle s'était inquiétée des conséquences de leur cohabitation à Aix.

— Bon, commence par tenter ta chance avec Fecteau. Moi, je me donne encore une semaine avant de décider si je reste fidèle aux résidences, ou si j'opte pour un appartement. Après tout, si j'ai les moyens d'être ici, je peux vivre dans plus grand qu'une pièce de quatre-vingts pieds carrés.

❀

À leur retour à la maison, ils eurent la surprise de trouver une invitation sur le petit meuble placé près de l'escalier donnant accès à la section de la maison occupée par madame Colas. Janvier, le fils, donnait suite à sa proposition de les recevoir à souper. Ce serait dès le lendemain, chez lui.

Il habitait un petit pavillon de banlieue. En réalité, il s'agissait d'une reproduction presque à l'identique du bungalow de Charlesbourg où Bertrand Péladeau avait reçu l'équipe du musée, le 31 août dernier. À table, avec d'infinies circonvolutions, leur hôte évoqua un couple de professeurs québécois avec qui il s'était lié d'amitié quelques années plus tôt. Ces gens, employés de l'Université du Québec à Rimouski, cherchaient désespérément un endroit où habiter à Aix pendant un congé sabbatique.

— Quand ont-ils l'intention de voyager ? demanda Jacques avec un visage parfaitement innocent.

Il s'avéra que le plus tôt serait le mieux. À la fin de la soirée, leur hôte les remercia chaleureusement d'avoir accepté de si bonne grâce de quitter les lieux fin novembre. Finalement, il les avait reçus à souper pour leur suggérer de partir.

❀

Aix-en-Provence recelait son lot de trésors cachés, et chacun méritait plus d'une visite. De plus, Marseille ne se trouvait pas très loin avec ses musées, ses églises, ses points de vue, et l'accès à la mer. S'occuper tout un mois ne posait donc aucun problème.

Jacques et Diane prenaient leur temps, s'accordant le droit de ne rien faire afin de récupérer après des expériences éreintantes : les efforts incessants depuis leur inscription à la maîtrise, l'obligation de forcer la cadence afin de pouvoir réaliser ce voyage, leurs vies privées riches en événements difficiles – une séparation pour Diane, une relation mort-née pour Jacques – et les déceptions accumulées depuis leur arrivée en France.

Ne rien faire, à leur âge, ne signifiait pas nécessairement demeurer inactif. Le fait de ne pas avoir de téléviseur amenait à se coucher tôt ; il y avait certainement là une explication aux familles nombreuses des Canadiens français, et à la chute de la natalité après la création de Radio-Canada et de Télé Métropole. Les activités ludiques du matin conduisaient également à se lever tard, et toujours à passer un long moment dans cette baignoire assez grande pour y être très bien à deux.

Un jour de la fin novembre, alors qu'ils traînaient dans l'eau depuis suffisamment longtemps pour avoir la peau toute plissée, Diane remarqua :

— Tu es vraiment un amant plein d'égards. N'importe quelle jeune femme aurait de la chance de tomber sur un gars comme toi pour sa première fois.

— C'est un complément au commentaire : "Tu gagnes à être connu" ?

— Tu admettras que cet aspect de ta personnalité ne saute pas aux yeux dans un séminaire… Je parle plutôt des états d'âme de tes partenaires. À dix-sept ou dix-huit ans, la perspective d'un premier rendez-vous m'intimidait tellement que jusqu'à la dernière minute, j'espérais que le gars annule. Encore aujourd'hui, me trouver comme ça en pleine lumière, à mon âge...

— Ton âge ! Il faudrait te filmer, pour que tu te regardes ensuite. Tu es magnifique.

Il allongea une jambe pour effleurer sa cuisse et pointa les orteils pour toucher la pointe d'un sein. Une petite caresse esquissée et il retrouvait son érection.

— Tu vois ? Impossible de me sentir vieille et flétrie avec toi. Pourtant, à l'époque, malgré tout l'éclat de mes dix-huit ans, je me sentais affreusement gênée. Et Robert aussi.

— Crois-tu que je ne l'étais pas en juillet dernier ?

— Tu l'étais jusqu'au premier baiser. Mais après... On dirait que faire l'amour pour toi c'est comme manger une poire Belle-Hélène. Rien ne presse, il faut faire durer le plaisir le plus longtemps possible, et profiter de toutes les saveurs, de toutes les textures.

Diane éclata de rire, amusée par ses propres mots. Elle conclut en disant :

— En plus, il faut que la poire éprouve autant de plaisir que toi. Et tu ne négliges aucun effort pour y arriver.

— C'est le but du jeu, non ? Autrement, autant s'amuser chacun dans notre coin.

— Justement. Si j'avais commencé dans cet état d'esprit, dans le temps...

Revenir d'un voyage en France représentait un avantage, en comparaison du trajet dans l'autre sens : le départ se faisait après une bonne nuit de sommeil. Malgré tout, les derniers moments de leur séjour à Aix s'accompagnèrent d'une certaine commotion. Ils avaient réservé leur vol de retour pour le 1er décembre, pour apprendre peu après que ceux qui devaient occuper le logement de la rue Émeric David arriveraient la veille.

— Vous comprenez, expliqua Janvier Colas, ils viennent avec deux enfants, je ne peux pas leur demander d'aller à l'hôtel.

Jacques et Diane comprirent qu'ils comptaient pour une quantité négligeable, à côté de vieilles connaissances.

— Dire qu'ils parlent de nous comme des cousins et qu'ils trouvent notre accent charmant, grommela Jacques après cette conversation.

— Ça confirme que tous les cousins ne sont pas faits pour s'entendre.

En conséquence, le dernier jour de novembre se passa à se colleter avec des valises trop lourdes. Par souci d'économie, ils convinrent de se livrer à la marche éreintante vers l'agence touristique où ils avaient pris le car à plusieurs reprises afin de se rendre à Marseille. Cette fois, ce fut à destination de l'aéroport. Leur dernière nuit se passerait dans un hôtel situé tout près.

Quand ils se retrouvèrent à Charles-de-Gaulle, avec beaucoup de temps à tuer en attendant d'embarquer pour Montréal, Jacques annonça :

— Comme je dois acheter quelques cadeaux, je suppose que je peux te laisser mes affaires pendant une demi-heure ?

— Comment ça, t'attendre ? J'y vais aussi.

— Ne m'as-tu pas dit que ton budget te permettait d'offrir un seul cadeau, de toi à toi ? Parce que, présentement, tu le portes sur ton dos.

Dans une boutique plutôt élégante de la Canebière, elle avait acheté un bel ensemble deux pièces, des bottes de cuir fin atteignant ses genoux et un manteau de laine écru aux motifs brodés mauresques.

— Je ne peux pas revenir les mains vides. Il y a mes parents, et mes frères…

C'est donc avec leurs bagages qu'ils marchèrent vers le *duty free*.

— Tu as une idée de ce que tu cherches ? demanda-t-elle.

— Je suis heureux que tu poses la question. Dans le cas de mon frère, ce sera une bouteille d'alcool, pour ma belle-sœur, du vin. Pour mon neveu, un livre avec plus d'images que de texte. Mais pour une vieille paysanne très acariâtre et une sœur travailleuse sociale, mère célibataire et pas très riche, que suggères-tu ?

— Du parfum ?

Il visualisa Aline entrer dans l'étable vêtue de ses « habits pour les vaches » et sentant le fameux *No 5* de Chanel. La combinaison lui parut si saugrenue qu'il sourit. Même si elle n'avait plus la ferme, il l'imaginait souvent dans cet accoutrement, à s'occuper des animaux.

— Tu n'as pas à prendre quelque chose de capiteux. Je vais t'en montrer quelques-uns.

— Pour ma sœur, oui. Pour ma mère… si j'étais à Rome, je chercherais un chapelet béni par le pape.

— C'est une grande chrétienne ?

Cette fois, il s'esclaffa au point d'attirer l'attention des autres clients.

— Un foulard ?… Un bijou ?

— Je vais regarder autour de moi, si je vois quelque chose, je te consulterai. Mets-moi un parfum de côté. Quelque chose de sage.

Heureusement, des paniers étaient mis à la disposition de la clientèle, car la bouteille de vin, celle de Grand-Marnier, le dernier album de Hergé, *Tintin et les Picaros*, et l'ouvrage

contenant de belles photographies – que sa mère ne regarderait probablement pas – étaient plutôt encombrants. Au
moins, la bouteille de parfum choisie par Diane était petite.

— Et ça, c'est pour moi, dit-il en faisant la queue devant
une caisse.

Il tenait l'album double *Starmania*, paru en France au
mois d'octobre précédent. Quelques-unes des chansons
tournaient sans arrêt sur les chaînes françaises.

— Si je l'avais trouvé, je me serais contenté du *single* sur
la sauce tomate, dit-il encore. Là je me retrouve avec deux
disques.

— Pardon?

— Voyons, nous l'avons écouté ensemble.

Il chanta à voix basse :

J'travaille à l'Underground Café
J'suis rien qu'une sauce aux tomates
Ça m'laisse' tout mon temps pour rêver

— Idiot.

Quand ils sortirent, il remarqua, cette fois sérieux :

— Tu as vu le taux de change affiché? Le dollar s'est
amélioré un peu.

— Au point de te faire regretter notre décision?

— Oh non! Mon temps aussi vaut quelque chose, et là,
je le perdais.

Diane ressentait exactement la même chose.

Chapitre 20

Diane choisit de s'asseoir près du hublot. Elle avait pris la précaution de placer son manteau et sa veste dans le casier à bagage au-dessus de leur tête. Elle dut faire de grandes contorsions dans cet espace exigu pour réussir à enlever ses bottes.

— Autrement, la chaleur sera insupportable, murmura-t-elle en guise d'explication.

— Tu as des souliers dans ton bagage de cabine ?

Déjà, il faisait mine de se lever pour aller les récupérer.

— Non, laisse. Si j'ai froid, j'envelopperai mes pieds dans ta couverture.

— Pour garder la tienne sur tes épaules.

— Tu commences à comprendre les femmes.

Après le décollage, elle releva l'accoudoir entre leurs sièges pour se coller contre lui.

— Le jour où nous avons décidé de revenir, tu m'as dit avoir apprécié ma compagnie. Ce fut réciproque, tu sais.

Il chercha sa main pour la tenir dans la sienne.

— Mais tu es tout de même contente de revenir chez toi.

— Heureusement que Fecteau a accepté de me rendre mon appartement. Ça me fera du bien de retrouver mes affaires. Et nous serons voisins.

Il habiterait au pavillon Montcalm, derrière la pyramide, là où Catherine Hébert avait eu son petit studio à l'automne 1974. Cela se trouvait à mille pieds environ de l'appartement de son amie.

— Selon Jean-Philippe, le concierge me donnera les clés lundi, quand je signerai le bail.

— Tu n'as pas peur qu'il ait loué à quelqu'un d'autre ? Lundi, ce sera déjà le 4 du mois.

— Jean-Philippe lui a remis un chèque à son nom daté du 5 décembre. Je lui donnerai le mien et je détruirai celui de Jean-Philippe. Il semble y avoir toujours des appartements disponibles à cet endroit, continua Jacques, désireux de se rassurer lui-même.

L'idée d'habiter un logement de grande personne, dont il devrait faire le ménage, avec l'obligation de préparer ses repas, lui donnait un peu le trac. Évidemment il avait eu ces responsabilités pendant ses études collégiales, mais partager un petit appartement d'une seule chambre à coucher avec deux autres personnes de son âge ne comptait pas vraiment. Cela lui avait tout de même permis de mesurer la véracité de l'affirmation de Jean-Paul Sartre dans *Huis clos* : « L'enfer, c'est les autres ».

Même en plein jour, le vol depuis Paris fut exténuant. Le passage devant les douaniers prit un temps fou. Au moins, cela présenta un avantage pour Diane : l'accumulation de ces désagréments lui permit de se retrouver au quai d'embarquement de l'autocar pour Québec seulement quelques minutes avant le départ de celui-ci.

Ils regardèrent le chauffeur placer les bagages dans la soute. Quand ce fut fait, Jacques posa les mains sur la taille de Diane et l'embrassa avec chaleur.

— Je confirme que ta compagnie fut très agréable, lui murmura-t-il.

— La tienne aussi. Au point où ça me fera tout drôle de me retrouver seule dans ma chambre, ce soir.

— Je te téléphonerai quand j'aurai les clés de mon appartement. Dans trois heures, tu seras chez toi.

— Pour toi, ça va être plus long.

Il haussa les épaules.

— Ça sera un peu plus compliqué, mais pas vraiment plus long. Je vais moins loin que toi.

Après un nouveau baiser, elle monta dans le véhicule.

Quand il fut seul, Jacques pressa le pas pour ne pas rater l'autocar qui le conduirait à la gare Voyageur, à Montréal. De là, il en prendrait un autre en direction de Trois-Rivières. Car momentanément sans domicile, ce serait chez Solange qu'il attendrait de pouvoir prendre possession de son appartement.

Pendant le trajet en direction de Québec, Diane ferma les yeux, feignant de dormir. Elle avait eu la précaution de mettre son bagage de cabine sur la banquette pour éviter que quelqu'un se découvre une envie irrépressible de lui faire la conversation.

Le dernier mois avait été particulièrement agréable. Une fois dissipée l'anxiété attribuable à ces études qui n'avançaient pas, Jacques s'était montré un compagnon parfait, drôle, attentionné et particulièrement sensuel. Qu'en serait-il maintenant, une fois qu'il aurait replongé dans la routine, et sous le regard des autres ?

Un peu plus de deux heures trente après son départ de Mirabel, l'autocar s'arrêta à la gare de Sainte-Foy. Diane tenait un billet d'un dollar dans sa main, à l'intention du chauffeur qui sortait les bagages de la soute.

Elle trouva rapidement un taxi. Une fois assise à l'arrière de la voiture, malgré la fatigue et la hâte de rentrer chez elle, elle donna l'adresse de l'appartement de ses parents, boulevard Saint-Cyrille. Non pas qu'elle ait particulièrement envie de leur expliquer les motifs de ce retour précipité, mais sa voiture se trouvait dans leur cour arrière. Après avoir soupé avec eux, à dix heures, Diane entra dans son appartement.

Son sous-locataire avait fait preuve d'un certain savoir-vivre : tout était propre et en ordre dans le salon, la cuisine et la salle de bain. Il avait poussé la gentillesse jusqu'à laver les draps et les couvertures pour les déposer bien pliés sur le lit. Impossible de lui reprocher de ne pas l'avoir refait avant de partir, même si elle avait eu cette délicatesse fin septembre.

Après le bulletin de nouvelles, elle s'en occuperait.

❀

À Trois-Rivières, Jacques trouva sa sœur debout sur le quai devant lequel s'arrêta l'autocar. Au moment de lui faire la bise, il lui dit :

— Tu es gentille d'être là.

— C'est tout naturel. Je suis stationnée dans la rue, juste en face.

Elle tendit les mains ; il lui confia son sac de postier et son bagage de cabine, et se chargea des deux valises.

— Alain n'est pas avec toi ?

— Tu te souviens, je roule en Gremlin.

Évidemment, pour entrer toutes ses affaires, elle avait dû rabattre la banquette arrière. Impossible d'y loger un enfant en plus.

— Tu dois être fatigué, dit-elle en démarrant.

— Oui et non. C'est une longue journée, mais je l'ai passée assis. En plus, tu sais que j'ai l'expérience des nuits blanches…

Rendu à l'appartement, Alain l'accueillit comme un grand voyageur, et un certain sens de l'humour :

— T'as pas pris l'accent ?

Son imitation de l'accent de la Provence s'avérait ressemblante.

— Pour ça, je devrais rester là-bas pendant quarante ans au moins.

Solange expliqua :

— Cet accent, c'est à cause d'un vieux film français au Canal 13, cette semaine. *La Femme du boulanger*.

— Un film des années 1930. C'est très bon, ajouta Alain.

Après des semaines de flageolets à la graisse de canard et de thon en boîte, le steak haché et la purée de pommes de terre lui parurent très satisfaisants. Il était toujours à table quand sa sœur déposa quelques enveloppes devant lui.

— Tu n'as pas beaucoup de correspondants.

— Parce que je ne reçois pas beaucoup de comptes.

Il regarda les noms des expéditeurs pour finalement n'en ouvrir qu'une, celle provenant de l'école des diplômés de l'Université Laval. Parcourir le feuillet lui prit un instant, puis il le remit dans l'enveloppe en affichant un petit sourire satisfait.

— Une bonne nouvelle ? demanda Solange.

— Plutôt. Au début de la session prochaine, on mettra à la poste mon diplôme de maîtrise.

— Tu n'avais pas déposé ton mémoire avant de partir ? Ça fait déjà deux mois.

— Oui, mais il devait encore être corrigé. Là, trois professeurs, dont mon directeur de recherche, me disent que j'ai satisfait à toutes les exigences du programme.

Une fois le travail terminé, et avec l'avis favorable de Maurice Dumont, Jacques n'avait pas vraiment douté du résultat. Quand même, ce bout de papier lui procurait un certain soulagement. Et cela faisait disparaître un malaise : être admis directement au doctorat, cela ressemblait trop à une petite magouille entre lui et son directeur de thèse.

Comme d'habitude, après qu'Alain eut regagné sa chambre, les adultes se retrouvèrent au salon.

— Dans ta lettre, tu n'étais pas très explicite sur les raisons de ton retour. Mais je sais que ça ne me regarde pas du tout…

— M'héberger pendant deux jours te donne certains droits. En plus, ce sera pour moi une façon de me préparer à répondre à l'interrogatoire en règle d'Aline. L'une des réponses est que ça me coûtait très cher pour perdre mon temps.

Solange lui sourit. Évidemment, leur mère voudrait tout savoir. Et comme les aspects universitaires et financiers la dépassaient, ses questions porteraient sur la dimension intime de l'aventure.

— De notre arrivée début octobre jusqu'au 25 novembre, le dollar a perdu plus de dix pour cent de sa valeur face au franc. Et quinze, en comparaison du premier voyage, l'an dernier. En plus, la formation n'était pas à la hauteur.

Pendant un moment, il se perdit en explications sur les archives introuvables, les services ouverts six heures par jour et les difficultés pour obtenir le permis de séjour.

— J'aimerais pouvoir dire que c'est la faute des autres, mais c'est la mienne. Je voulais passer un hiver au soleil, mais j'ai tout planifié de travers, conclut-il.

— La dame qui devait vous encadrer là-bas ne vous a pas aidés ?

— La direction de l'université nous a probablement jetés dans les bras de tante Yvonne pour la faire suer. Elle n'avait sans doute pas envie de nous tenir par la main pour nous guider, et franchement, ce n'était pas son rôle de le faire. Nous n'étions pas à la maternelle.

Évidemment, les choses se seraient sans doute déroulées de façon fort différente avec certains des professeurs avec qui ils avaient sympathisé au Creusot. De Raphael Samuel à Yves Lequin.

— Tu sais que cet aspect ne sera pas celui qui intéressera le plus Aline.

Jacques lui adressa un sourire moqueur.

— À compter du moment où nous avons cessé de nous inquiéter pour nos études, l'expérience a été très, très, très plaisante.

— Autant de "très" ?

— J'en mettrais bien un ou deux de plus, mais tu croirais que j'exagère. Nous nous étions promis de nous efforcer de rendre cette cohabitation agréable. Un objectif facile à atteindre, puisque l'estime et l'affection sont réelles entre nous. Sauf que je n'oublie pas que c'est avec une autre que j'aurais aimé faire des projets d'avenir… Éventuellement, Diane aura aussi envie d'en construire, et ce ne sera pas avec moi.

— C'est terminé ?

— Non. Je dois lui téléphoner à mon retour à Québec. Mais ça demeurera en amis, comme avant…

Cela durerait jusqu'au jour où une nouvelle rencontre les inciterait à s'engager dans une relation durable. Jacques étouffa un bâillement, Solange demanda :

— Pour toi, il est quelle heure ?

— Quatre heures du matin.

— Tu aurais dû me le dire... Tu auras la salle de bain à toi tout seul dans un instant. Bonne nuit!

Puis elle quitta la pièce.

Maintenant, le visiteur connaissait la routine. Il se chargea lui-même de chercher le sac de couchage dans la garde-robe de l'entrée. Peu après, couché, il revisitait son expérience des dernières semaines. Au même moment, à Sainte-Foy, Diane faisait la même chose.

❁

À son arrivée à Sainte-Foy, le lundi suivant, Jacques prit un taxi. Même avec la meilleure volonté, il n'aurait pas été capable de couvrir la distance depuis la gare d'autocars jusqu'au pavillon Montcalm à pied, ou en utilisant le transport en commun. Monter la quinzaine de marches qui séparaient le trottoir de la porte de l'entrée principale représentait le défi ultime, chargé comme il l'était.

Heureusement, le concierge était dans le petit bureau sur la droite, dans le hall d'entrée, comme il l'avait promis à Jean-Philippe presque deux semaines plus tôt. À l'époque où les frères des Écoles chrétiennes accueillaient des centaines d'adolescents, le portier devait se tapir à cet endroit pour surveiller les allées et venues des élèves et des visiteurs.

En entrant, il fit assez de bruit pour attirer l'attention de l'employé. Celui-ci se plaça dans l'embrasure de sa porte pour dire:

— Ou tu livres des valises à domicile, ou tu t'appelles Charon.

— Je m'appelle Charon. Je peux les laisser ici pendant une minute?

— J'pense pas que quelqu'un va se sauver avec tes affaires.

L'homme retourna occuper sa chaise, Jacques prit place juste en face de lui. Un instant plus tard, il parcourait son bail. Même si le contenu de ce genre de contrat était largement défini par la loi, il tenait à en faire la lecture. Il s'agissait pour lui d'une première. Pour une somme représentant moins du quart de son budget pour un mois, il pourrait occuper un «deux et demie», l'appartement 223, au 2360, rue Nicolas-Pinel, et cela jusqu'à la fin du mois de juin 1979.

— C'est bel et bien meublé, chauffé et éclairé ?

— Il va te rester le téléphone à payer. Mais si t'as un char, le stationnement est en plus.

— Je n'en ai pas. Vous avez un stylo ?

Le concierge ne dissimula pas sa surprise.

— Tu vas pas le voir ?

— Si j'y vais et que je ne l'aime pas, vous allez me donner le chèque de mon ami et me permettre de téléphoner à un taxi pour aller chercher ailleurs ?

— Ben non. Moi j'ai perdu la chance de louer à quelqu'un d'autre.

Ça devait être faux. Faire d'un vieux collège un immeuble d'habitation posait plusieurs défis. Les rénovations prenaient un temps fou, il y avait eu un changement de propriétaire déjà et les gens ne se bousculaient pas pour y habiter. Jacques sortit son portefeuille pour prendre un chèque et le remplir.

— C'est au nom qui est là ?

Après un signe d'acquiescement, il apposa sa signature sur le bail.

En lui tendant un jeu de clés, le concierge lui expliqua :

— La dorée, c'est pour la porte extérieure, celle argent, pour ton appartement, et la petite, pour le casier postal.

— Vous avez un chariot pour transporter mes valises ?

— Oui, j'ai ça.

— Pendant que vous allez le chercher, je peux utiliser votre téléphone ?

L'homme accepta de mauvaise grâce, trouvant déjà ce nouveau locataire un peu exigeant. Quand il fut parti, Jacques attira l'appareil vers lui et composa le numéro de Diane.

— Alors, tu te fais à la vie à Québec ? lui demanda-t-il dès qu'elle répondit.

— C'est froid, mais je survis. Tu es arrivé ?

— J'ai même signé mon bail. Maintenant, je m'apprête à transporter mes valises à mon appartement. Ça te tente de souper avec moi à la Table du roi ?

— Je te soupçonne de vouloir échapper à ma cuisine...

Elle ne lui donna pas le temps de s'engager sur ce terrain en enchaînant tout de suite :

— D'accord. Vers six heures ?

— Je serai là. Dis-moi, j'aimerais te demander un service : peux-tu téléphoner à Maurice Dumont afin de prendre un rendez-vous pour moi ?

— Pour quel jour ?

— Le plus tôt sera le mieux.

Jacques souhaitait se débarrasser au plus vite de l'obligation de faire le récit de sa mésaventure française.

— Je vais m'en occuper, et je profiterai de l'occasion pour en prendre un pour moi.

— Bon, je dois te laisser. À ce soir !

Quand il sortit de la pièce, l'employé était revenu. Il lui précisa en lui montrant le chariot :

— Ça, tu me le ramènes.

— Sans faute et sans la moindre éraflure.

Jacques réussit à y entasser toutes ses affaires, puis il se dirigea vers l'ascenseur.

En attendant que les portes s'ouvrent, il fut assailli par des souvenirs chargés de regrets. Il était venu à cet endroit une fois, en compagnie de Catherine, pour en ressortir piteux et misérable. Depuis 1974, les couloirs avaient été repeints d'un blanc brillant, des luminaires plutôt design pendaient du plafond et le monte-charge avait été remplacé par deux cabines d'ascenseur.

Au deuxième étage, il prit à gauche et marcha jusqu'au 223. Quand il ouvrit, ce fut pour être à la fois surpris et séduit. L'appartement était petit, il faisait environ quatre cent cinquante pieds carrés. D'un autre côté, c'était plus de cinq fois la superficie de sa chambre au pavillon Parent. Il entra le chariot et referma. Il entreprit de faire le tour de son royaume.

Puisqu'il s'agissait d'une ancienne classe, l'aménagement était particulier. De très hauts plafonds avaient permis de construire une mezzanine qui occupait la moitié de la pièce. Dessous, cela donnait un plafond assez bas, en bois sombre. Sa hauteur était tout au plus de six pieds et six pouces. Sous la mezzanine, il y avait une garde-robe à sa droite, la salle de bain à sa gauche, et après celle-ci, un petit espace cuisine. La cuisinière électrique, le réfrigérateur, l'évier et le rangement dessous logeaient dans un seul meuble métallique. À l'un des bouts, il y avait des tiroirs, et au-dessus, des armoires. Et à l'opposé, un comptoir servait de table. Deux chaises blanches en plastique permettaient de s'y asseoir.

En gravissant deux marches, il accédait à «l'espace de vie»: un grand rectangle de douze pieds sur dix, avec un plafond tout en hauteur, sans doute de quatorze pieds, et deux très grandes fenêtres. Si l'appartement était meublé, c'était simplement. Un coussin posé sur un meuble bas fournissait un canapé assez long pour faire office de lit d'appoint. D'autres coussins, appuyés contre le mur, permettaient de s'adosser. Un autre meuble bas, identique au premier mais plus petit, servait de table de bout, ou de centre. Contre l'autre mur se trouvait un meuble de rangement du même style. Jacques imagina une chaîne stéréo dedans, et un téléviseur dessus. Il ne possédait ni l'un, ni l'autre. Il y avait encore une table de travail placée face à l'une des deux fenêtres, avec devant une chaise identique à celles de la cuisine. Une bibliothèque assortie était placée contre le mur. Tout était d'un blanc brillant : les meubles, le comptoir, les armoires, les murs et le plafond. Le tapis dans la section vivoir était gris foncé, les carreaux de vinyle dans la section service aussi, mais un ton plus pâle. Les rideaux dans les grandes fenêtres étaient rouges.

— C'est vraiment beau, murmura-t-il. Dans *Décormag*, les appartements ne sont pas plus élégants.

Sa bourse lui permettrait de vivre là jusqu'à l'été 1981. Cette fois, il avait vraiment l'impression d'être arrivé quelque part. Tous ses efforts servaient à ça : se donner un cadre de vie raisonnablement beau.

— Bon, maintenant, la chambre.

Il prit deux de ses valises pour monter à l'étage, grâce à un escalier en bois foncé. Évidemment, il n'y avait ni draps, ni couvertures, ni taies d'oreiller. Il déposa ses bagages sur le lit double, les ouvrit, pour ranger sa machine à écrire près de l'escalier. Une garde-robe occupait exactement le même espace que la salle de bain juste en dessous. Il s'y trouvait des étagères, de grandes tringles où pendre des cintres et un meuble à tiroirs. Cinq minutes plus tard, ses vêtements étaient rangés.

Peu après, il installa sa machine à écrire au milieu de sa table de travail, sa radio dans la bibliothèque, puis il s'affaira à vider le contenu du bagage de cabine et du sac de postier. Ensuite, il s'accorda une pause. S'asseoir sur son canapé lui permit de mettre un premier bémol à sa satisfaction. Les meubles aux lignes simples, épurées, plaisaient à l'œil, mais beaucoup moins aux muscles fessiers. Beauté et confort ne rimaient pas toujours.

❀

Jacques redescendit dans le hall afin de rendre le chariot au concierge qui l'accueillit en disant :

— Je pensais que tu t'étais perdu en chemin.

— Il ne fallait pas vous inquiéter pour moi. Je me retrouve toujours.

— Ouais, content de savoir ça. Pis, as-tu trouvé ça à ton goût ?

— Tellement que je suis prêt à signer tout de suite un bail jusqu'en 1981. Évidemment, au même prix que le premier.

L'homme esquissa un petit sourire narquois.

— Ben ça se fera pas. Mais si tu veux signer avec dix pour cent de plus la première année, pis encore dix pour cent la deuxième, je prépare les papiers tout de suite.

— Dix pour cent ?

— J'sais pas d'où tu viens avec tes grosses valises, mais icitte, les prix montent.

Mais pas tant que ça depuis les mesures anti-inflation du gouvernement Trudeau. Jacques préféra ne pas s'engager sur ce terrain. Il verrait bien en mars si l'augmentation pour l'année suivante serait raisonnable. Dans le cas contraire, il regarderait ailleurs.

— Où se trouvent les casiers postaux ?

— Juste en dessous.

Il emprunta l'escalier pour découvrir la porte donnant directement sur le stationnement à l'arrière de l'édifice.

Il n'en aurait certainement pas besoin avant d'avoir trouvé un véritable emploi. En allant à gauche, il vit les alignements de casiers postaux placés près des portes de l'ascenseur. Une autre porte donnait accès à une salle de lavage grâce à laquelle, à coups de vingt-cinq cents, il n'offenserait pas l'odorat des autres. Il ouvrit son casier pour s'assurer que la clé fonctionnait bien. De retour dans l'ascenseur, il appuya sur le bouton marqué d'un cinq. Il s'agissait certainement d'une forme de masochisme. Au bout du couloir, à droite, il trouva la porte de l'ancien appartement de Catherine Hébert.

La grande fille châtaine revenait le hanter, parfois. Moins souvent depuis qu'une autre, moins grande et brune, avait partagé ses dîners avec lui sur l'herbe. Combien de relations ferait-il avorter encore avant de changer ?

Chapitre 21

Un peu avant six heures, Jacques se dirigea vers le Centre Innovation. En attendant Diane, il examina toutes les nouveautés placées dans la vitrine de la librairie. Quand son amie vint le rejoindre, il demeura immobile devant elle.

— Je ne sais pas si je peux t'embrasser. Quelqu'un pourrait nous voir et le dire à ton mari.

— Je suppose que dans un endroit public, une bise chaste sur la joue ne portera pas à conséquence.

Alors il s'exécuta. Ils entrèrent dans la brasserie et choisirent une table en retrait. Quand un serveur vint leur demander ce qu'ils voulaient boire, Jacques choisit une bière pression et ajouta :

— J'aimerais commander tout de suite.

Quand il fut parti, il expliqua :

— Je n'ai pas mangé depuis ce matin.

— Si tu me l'avais dit, nous aurions pu venir plus tôt.

— Et tu aurais bu un café en me regardant m'empiffrer ?

Partager un repas lui semblait plus agréable. Après une pause il ajouta :

— Attendre m'a permis de contempler mon nouveau chez-moi et de ranger tout le contenu de mes nombreuses valises.

— Tu aimes ?

— Beaucoup !

— Tu aurais pu te le permettre plus tôt, non ?

Jacques secoua la tête de gauche à droite. Comme le serveur revenait avec les chopes de bière, il les régla tout de suite.

— Pas vraiment… Pas sans devoir cohabiter avec quelqu'un. Ça, j'y ai goûté au cégep, et plus jamais je ne vivrai ça.

Comme elle lui tira la langue, il précisa :

— Jamais avec une personne de mon sexe. Côté cohabitation, je mets les femmes dans une classe à part. Pour revenir à la question du logement, avec mes moyens, le meilleur choix demeurait les résidences. Mais maintenant, je peux me le permettre, même si le choc financier sera brutal.

Comme elle haussait les sourcils, il expliqua :

— Au Parent, je pouvais aller écouter les nouvelles dans la salle de télé, jouer au billard en bas et manger avec les autres. Là, je dois m'acheter des couvertures, des draps et de la vaisselle. En plus, je serai isolé. Ma radio ne fonctionne plus qu'avec des piles. Très vite, je vais vouloir une télé et surtout un tourne-disque.

Il se payait des disques qui lui paraissaient incontournables, sans pouvoir les écouter. Le dernier Jacques Brel, acheté l'année précédente, et *Starmania* étaient chez sa sœur, qui l'avait assuré qu'elle en prendrait soin comme de la prunelle de ses yeux. Alain n'avait toutefois pas la même délicatesse en posant l'aiguille sur un vinyle.

— Tu pourras te payer tout ça avec ta bourse ?

— Oui, parce que je n'ai pas de vice et que je me passe de voiture. Tiens, mon revenu se compare à celui du mari de Monique, à sa première année de carrière. Mais ça ira… Si je ne me mets pas en tête de faire un séjour d'études en Finlande.

— *God forbid.*

Chaque fois qu'elle utilisait une expression anglaise, Jacques se souvenait de leur première conversation, quand elle avait dit avoir fait la dernière année de ses études de secrétariat en anglais. Quand son assiette fut devant lui, Jacques s'y attaqua avec appétit.

— Steak haché et frites. Je me demande pourquoi je ne suis pas surprise.

— Cet après-midi, ça m'a gêné de te demander d'aller à La Résille.

— Pourtant, j'aurais dit oui.

— Je prends ça comme une promesse.

Ce ne fut qu'au moment où Diane commença son café qu'il demanda :

— As-tu pu parler à Dumont ?

— Une minute seulement. Il est prêt à te recevoir demain à dix heures, et moi à onze, à la cafétéria de chez Eaton.

Comme son compagnon souleva les sourcils, elle expliqua :

— Il m'a dit que nous serions moins dérangés. Je pense qu'il habite tout près… En fin de semaine, j'ai relu mon mémoire de maîtrise. Comme tu sais, je n'avais aucune raison de me presser pour le déposer avant de partir.

Cela n'aurait servi à rien, puisqu'elle ne rêvait pas d'un passage rapide au doctorat.

— Je ne sais pas si je peux... continua Diane. Accepterais-tu de le relire ? Si tu crois des corrections nécessaires, je les ferai et je le lui remettrai ensuite.

— D'accord. D'ailleurs, moi aussi j'ai envie de te demander une gentillesse. Comme nous allons tous les deux chez Eaton demain, j'aimerais profiter de ton auto pour rapporter des achats de la Place Laurier. J'ai besoin de draps et de vaisselle.

Non seulement elle accepta, mais elle fut rassurée de savoir que l'avenir leur réservait des échanges de services. Quand ils quittèrent la brasserie, Jacques dit, un peu embarrassé :

— J'aimerais t'inviter à venir chez moi, mais le confort est présentement très sommaire.

— Chez moi, ce n'est pas si mal, tu vas voir.

Dans la nuit noire, elle prit son bras pour effectuer le trajet jusqu'à l'avenue Chapdelaine.

❁

Leur histoire se poursuivrait encore pendant un temps. Cependant, ils comprenaient que ce serait sous des modalités différentes. Ce ne serait plus l'histoire de deux naufragés seuls sur une île déserte. Chacun revenait dans son réseau de relations avec des interdits, mais aussi des possibles.

— Hier tu as parlé de la Place Laurier, alors que nous serons déjà à la Place Sainte-Foy, remarqua Diane lorsqu'ils montèrent dans la Mustang. Pourquoi faire l'autre centre commercial ? Tu crains de ne pas tout trouver dans le premier ?

— Je pourrais presque tout trouver seulement chez Eaton, si j'acceptais de payer quinze pour cent plus cher qu'au Distribution aux consommateurs. Toutefois, la boutique de Bell se trouve à la Place Laurier. Ne crains rien, je sais déjà ce que je veux. Ce sera aussi court que de remplir la fiche et de recevoir les paquets en payant la facture.

— Qu'est-ce que tu racontes ? Une femme pourrait craindre d'être dans un centre commercial ?

Diane se gara dans le stationnement donnant directement accès au magasin Eaton. Devant l'entrée de la cafétéria où ils devaient rejoindre Dumont, elle proposa :

— Je vais me mettre dans un coin, et déjeuner en attendant mon tour.

— Et moi manger avec lui, je suppose.

À l'intérieur, ils repérèrent tout de suite le professeur assis à une table. Ils s'approchèrent pour le saluer, puis la jeune femme s'éloigna.

— J'aurais pu vous voir tous les deux en même temps, dit Dumont.

— Je pense qu'elle souhaite vous parler de son mémoire en tête à tête.

— Ah, je vois. Tu veux commander d'abord?

— Je mangerai après.

— Vous êtes de retour depuis longtemps? demanda Dumont.

— Nous avons pris un vol vendredi dernier. Diane est tout de suite rentrée chez elle. Moi, je suis arrivé à Québec hier pour prendre possession d'un appartement.

À la demande du professeur, il décrivit brièvement ses nouveaux quartiers. Puis Dumont en vint au vif du sujet:

— Alors, la France?

Jacques reprit à l'identique l'explication donnée à sa sœur, y compris son appréciation du travail de sa directrice de recherche française, pour conclure par une sévère autocritique:

— Je me sens un peu ridicule. Depuis mon arrivée à l'université, tous mes efforts visaient à traverser le programme sans perdre de temps. Et là, je me suis lancé dans ce voyage si mal préparé... Ç'a été du temps et de l'argent jetés par les fenêtres.

— C'est une façon de voir les choses. Après tout ce travail, peut-être était-ce justement un prétexte pour profiter d'une pause, pour récupérer.

— Dans ce cas, il aurait été moins cher et plus agréable de louer une chambre dans un hôtel au soleil et de faire le lézard sur une plage.

— Bon, alors quel est ton programme, maintenant?

— Cette semaine, je vais m'installer. C'est mon premier véritable appartement. Je n'ai même pas une tasse! Ensuite, lundi prochain, je vais me rendre aux archives pour me familiariser avec le fonds E13.

Dans cette désignation, le E signifiait « éducation ». Il se composait de centaines de pieds linéaires de documents. Présenté autrement, cela signifiait des centaines d'étagères sur lesquels ils étaient rangés. Il fallait ajouter à cela des plans, des cartes, des photographies et des enregistrements sonores et visuels.

— Avant de partir, j'avais déjà commencé à regarder les documents de la session, je continuerai cette semaine. Ça me permet de faire l'inventaire des divers services administratifs et des institutions existantes, de connaître les clientèles, le personnel enseignant... Enfin, de savoir quelles questions poser à l'archiviste.

Son petit exposé devait faire comprendre à son directeur que la pause était terminée, qu'il savait exactement où il allait avec ce doctorat, et qu'il arriverait promptement à destination. Cela lui valut un sourire amusé de Dumont. Il ne voyait plus un étudiant s'efforcer de faire bonne impression, comme la première fois.

— Même si tu es boursier, comptes-tu accepter des tâches d'assistant?

— Ça fera la différence entre acheter de la vaisselle pour une personne et en acheter pour quatre.

— Dagenais m'a laissé entendre qu'il serait heureux de te retrouver en janvier comme auxiliaire d'enseignement dans le cadre de son cours d'histoire du Canada.

— Il sera donc la première personne à qui je téléphonerai avec mon propre appareil. Et si je ne suis pas branché
dès cet après-midi, je passerai le voir demain en matinée.

Après une pause, l'étudiant dit encore :

— C'est un peu la même chose pour le travail au musée
l'été prochain. Encadrer des étudiants aux archives, c'est
aussi une excellente occasion de me préparer à l'enseignement universitaire.

C'était une façon de vérifier si des événements imprévus
étaient venus gâcher ses projets.

— Robson m'a dit être très satisfait de tes services. Mais
tu sais que ça va dépendre des programmes fédéraux mis sur
pied pour fournir des emplois aux étudiants. Comme 1979
sera une année électorale, tu peux espérer.

La conversation se poursuivit encore brièvement, puis
après une poignée de main, Jacques avertit Diane qu'elle
pouvait passer au confessionnal à son tour.

❀

Quand Diane revint vers Jacques, elle murmura :

— Je lui ai promis le texte avant l'hiver.

Jacques leva des yeux interrogateurs vers elle. Comme
il y avait déjà de la neige sur le sol, cela pouvait tout aussi
bien vouloir dire : « Il y a dix jours. »

— Ma date de remise est le 21 décembre, au plus tard.
Il m'a dit que la plus grande qualité d'un mémoire ou d'une
thèse, c'était d'être terminé. Pas d'être parfait.

— Je pense que je vais mettre ça par écrit en rentrant et
l'afficher dans mon bureau si jamais je deviens professeur,
pour que tous mes futurs étudiants l'aient sous les yeux.

Plus loin, Maurice Dumont avait mis son manteau et
il les salua une dernière fois avant de s'en aller. Diane lui

fit un beau sourire et redevint soucieuse quand il fut disparu.

— Le tien a été accepté.

Jacques acquiesça d'un geste de la tête. Pour son amie, ce serait certainement la meilleure motivation : mine de rien, une petite émulation s'était installée entre eux. Elle n'entendait pas se laisser trop distancer.

Ensuite, elle décida de changer de sujet :

— Si tu es prêt, allons-y. Où penses-tu passer en premier ?

— À la boutique Bell. Avoir le téléphone représentera une grande amélioration dans mon existence.

❁

À la Place Laurier, Diane se gara dans la section souterraine du stationnement, près de l'entrée la plus rapprochée de la boutique Bell. Un mardi de fin de matinée, l'affluence aurait dû être limitée, mais l'approche de Noël semblait attirer tous les cultivateurs des régions environnantes. Il fallut une seconde pour choisir un téléphone – il serait noir, du modèle standard – et plusieurs minutes pour régler tous les détails. Jacques avait apporté une copie de son bail pour prouver qu'il habitait bien où il le disait, sa carte de l'université et sa carte soleil pour prouver son identité. Tout de même, l'employée se montra un peu méfiante au moment d'accepter son chèque. Il se retrouva avec un gros sac contenant l'appareil, le bottin et une promesse :

— Vous serez branché demain dans la journée.

Quand ils furent sortis, Jacques dit à sa compagne :

— Je parie que tu ne connais pas Distribution aux consommateurs.

La phrase contenait un petit sous-entendu : « Les femmes de médecin ne doivent pas fréquenter un tel endroit… »

— Effectivement… Je te remercie de me le faire connaître, dorénavant je risque d'y faire souvent mes achats.

— Les prix sont intéressants, mais aussi la formule. D'ailleurs, les prix tiennent à la formule. Au lieu de payer pour une grande salle de montre et plein d'employés pour assurer la surveillance de la marchandise, il y a un entrepôt, un comptoir pour passer les commandes et recevoir la marchandise, et selon l'achalandage, une ou deux personnes dans l'entrepôt.

Diane comprit mieux quand ils arrivèrent dans le commerce. Des catalogues étaient fixés à de longues tables et des crayons permettaient de remplir un bon de commande. Diane feuilleta un catalogue pendant que Jacques s'affairait à dresser la liste de ses achats. Quand il l'eut remise à une jeune fille debout derrière le comptoir, Diane demanda :

— Alors, qu'achètes-tu ?

— Le nécessaire, et une folie. Un ensemble de draps et taies d'oreiller, une couverture, deux grandes serviettes, des débarbouillettes, un service de vaisselle pour quatre, réputé incassable, des couteaux, des fourchettes et des cuillères pour le même nombre de personnes, deux petits chaudrons et une poêle à frire.

— Et la folie ?

— Un téléviseur noir et blanc. Il remplacera les conversations à la cafétéria, à l'heure du souper.

Jacques affichait quand même une mine un peu soucieuse, au point où Diane demanda :

— Quand recevras-tu le second versement de la bourse ?

— Au début de la session prochaine, quand j'aurai fourni la preuve de mon inscription. La télé, c'est grâce à Dumont. Il m'a dit que Dagenais se cherchait de nouveau un auxiliaire d'enseignement cet hiver.

À cet instant, un garçon appela son nom. Il fut encore un peu compliqué de faire accepter son chèque comme mode de paiement.

— Tu as compris que j'aurai besoin de ton aide pour monter tout ça ?

— Si tu t'occupes de la télé, des casseroles et de la vaisselle, je peux prendre le reste.

Jacques ajouta un catalogue dans le sac de la boutique Bell, puis ils se dirigèrent vers la voiture. La télé entra tout juste dans le coffre.

— Mais tu voulais acheter des choses, toi aussi. Je peux t'attendre.

— Oui, mais pas ici. Je voudrais faire un arrêt au Steinberg de la Place Sainte-Foy. Et toi aussi, sans doute, autrement tes assiettes ne serviront à rien.

Jacques ne protesta pas. Il aurait pu marcher jusqu'à l'épicerie située dans la pyramide, mais il serait revenu chargé comme un mulet.

❀

En passant près des boîtes de thon Clover Leaf, Jacques en prit quelques-unes en disant :

— Si tu veux m'expliquer ta recette, je t'invite à souper.

— Je veux souper chez toi seulement si tu me permets de te montrer une autre recette.

Ce seraient des steaks, rien de trop compliqué. Au passage, il prit encore quelques plats de pyrex. Tout en parcourant les rayons, il additionnait les prix de toutes ces denrées, afin de ne pas subir la honte de ne pouvoir tout payer une fois à la caisse.

Son inquiétude était si évidente que sa compagne remarqua :

— Tu as peur de ne pas avoir assez d'argent ?

— J'ai encore des chèques de voyage, mais je doute qu'ils les acceptent ici.

— Si nécessaire, je complèterai.

— Ce n'est pas un genre d'arrangement avec lequel je me sentirais à l'aise.

— Si je pensais que tu trouves ça convenable, je ne l'offrirais pas ! Je te vois mal en homme entretenu, et moi en femme qui entretient quelqu'un.

Finalement, ce fut juste, mais il put payer. Sa première activité, le lendemain, serait de déposer les chèques de voyage restants dans son compte. Ils s'entendirent pour arrêter d'abord avenue Chapdelaine, pour ne pas laisser de la nourriture dans l'auto pendant des heures. Jacques l'aida à tout transporter. Quand elle eut rangé ce qui devait l'être, elle demanda, cette fois un peu intimidée :

— Tu acceptes toujours de le lire ?

— Évidemment que j'accepte ! C'était convenu quand nous nous sommes inscrits à la maîtrise, non ?

Elle disparut dans son bureau et revint avec une liasse de cent trente feuillets.

— Les plans de ville devront être refaits par un graphiste, mais je pense qu'ils sont compréhensibles.

Un peu plus tard, elle se garait dans la section réservée aux visiteurs du pavillon Montcalm. En descendant, Jacques expliqua :

— Nous allons monter ce que nous pouvons. Ensuite, je prendrai tes clés d'auto et je viendrai chercher le reste.

Juste avec les sacs d'épicerie, ils en eurent plein les bras. Dans le grand hall, Diane remarqua :

— Je suis impressionnée. Le printemps dernier, je ne suis pas venue visiter parce que l'idée de vivre dans un vieux collège ne me disait rien.

— J'étais déjà venu, l'endroit m'avait laissé une bonne impression. Et depuis, il y a eu plusieurs améliorations, en commençant par cet ascenseur.

— Il n'y en avait pas ?

— C'était un simple monte-charge.

En entrant dans l'appartement, Diane laissa entendre un petit sifflement.

— Déposons les sacs sur le comptoir et donne-moi les clés. Tu pourras prendre tes aises pour visiter. Tu vas voir, ça va te prendre quatre secondes, pas plus.

Finalement, il dut faire deux voyages. Quand il eut terminé, Diane était debout devant l'une des grandes fenêtres.

— C'est vraiment très bien, chez toi. Tu dois être content.

— Très ! J'ai encore du mal à comprendre que c'est à moi.

Il ne s'était jamais montré très loquace sur le lieu de ses origines. Peu après leur première rencontre, il lui avait dit, un peu abrasif : « Je ne sais pas si tu pourrais te faire une idée exacte. Tiens, c'est un peu comme la ferme des Douglas, dans *Les Arpents verts*, mais en très, très triste. » Après encore quelques mots sur le charme de la mezzanine et la dimension de la garde-robe en haut, elle dit :

— J'ai placé la nourriture devant être gardée au frais dans ton réfrigérateur. Le congélateur est rempli, au point où j'ai dû mettre le moule à glaçons dans l'évier.

— J'avais exactement la même taille d'électroménager en résidence, mais avec beaucoup moins d'aliments à y mettre.

— Oui… Un pain et du fromage en tranches.

— Et des canettes de Coke. Je suis désolé, mais je ne peux rien t'offrir de mieux à boire, ce soir.

Elle lui adressa une petite grimace. S'il s'en excusait, c'est qu'il jugeait qu'elle ne pouvait se passer d'alcool, même pour une journée. Mieux valait changer de sujet :

— J'ai rangé le reste pêle-mêle dans tes armoires.

— Merci. Puis-je te demander de m'aider à placer la vaisselle ?

Jacques ouvrit les cartons, lui tendit les assiettes, les bols, les soucoupes et les tasses. L'opération se répéta pour les couverts et les casseroles.

— Maintenant, je déballe mes trésors technologiques.

— Pendant ce temps, je vais faire ton lit.

Il y avait déjà un petit meuble de rangement sous l'escalier, et la prise du téléphone juste derrière. Jacques plaça l'appareil dessus et le bottin dessous. Un sursaut d'optimisme l'amena à décrocher. Aucune tonalité. Il entendit une voix venue de la mezzanine :

— Elle t'a dit demain.

— Que veux-tu, l'espoir fait vivre.

Il lui restait à sortir le téléviseur de sa boîte. Diane le rejoignit à ce moment et s'installa sur le canapé.

— Hier, si je ne t'avais pas invité à coucher chez moi, tu te serais débrouillé de quelle façon ?

— Je me serais sans doute étendu directement sur le matelas tout habillé, et ce matin, après ma douche, je me serais essuyé avec mon plus vieux T-shirt.

— Tu es un véritable spartiate.

Il avait acheté un téléviseur de dix-neuf pouces RCA-Victor. Après l'avoir placé sur le meuble prévu à cet effet, il l'alluma et joua avec les oreilles de lapin. Les canaux 4, 5 et 11 entraient plus ou moins bien. L'antenne UHF incluse dans la boîte permettait de syntoniser Radio-Québec.

— Penses-tu t'abonner au câble ?

— Sans doute pas avant l'été prochain. Ma prochaine folie sera une petite chaîne stéréo, et comme tu t'en doutes, ce sera plus cher que tous mes achats d'aujourd'hui mis ensemble.

Il avait pris soin de défaire toutes les boîtes afin de mettre les morceaux de carton dans l'un des sacs d'épicerie. Les autres avaient été pliés et rangés.

— Je vais jeter ça dans la chute.

— Tu as une chute à déchets ?

— Près de l'ascenseur.

— Je pense que c'est ce qui me manque le plus depuis que j'ai quitté les Jardins Mérici.

« Ça et la carte Visa de son ex-mari », songea Jacques. À son retour, il s'excusa encore de ne rien pouvoir lui offrir à boire. Toutefois, elle se montra disposée à accepter un autre choix d'activité : étrenner ses nouveaux draps. Comme s'il voulait profiter au maximum de la fin de la longue pause qu'ils s'étaient accordée. Car ils ne s'y trompaient pas : le lendemain, ils reprendraient le cours de leurs études avec la même détermination qu'avant leur départ.

Ensuite, Jacques s'agita devant sa cuisinière électrique. Il faisait preuve d'une telle incompétence que Diane lui offrit de prendre le relais en précisant :

— Mais je ne compte pas en faire une habitude !

Après cette expérience, il prit une résolution : quand il voudrait lui offrir un repas, il sous-traiterait. Autrement dit, il l'inviterait à la cafétéria du Pollack, et à des endroits plus chics au gré de l'embellie de l'état de ses finances.

Deux heures après le souper, elle se prépara à rentrer chez elle.

— Tu sais, expliqua-t-elle au moment de l'embrasser avant de quitter les lieux, dans ma situation, découcher...

Existait-il la moindre chance que quelqu'un exerce une surveillance ? Sans doute pas. Jacques termina sa soirée en écoutant le bulletin de nouvelles de Radio-Canada. Et ensuite, le film de fin de soirée : *Fortune carrée*, tourné en France en 1955. Il n'avait pas eu ce luxe depuis le début de ses études collégiales.

Chapitre 24

Le lendemain matin, Jacques se réveilla après dix heures. Dès qu'il ouvrit les paupières, il sauta du lit, surpris. Les murs paraissaient rouges, comme si l'appartement était en flammes. C'était l'effet du soleil frappant les rideaux écarlates. En se rendant à la salle de bain, il décrocha le téléphone. Aucune tonalité.

Ensuite, il se dirigea vers l'université. Il portait les mêmes vêtements qu'à Aix : un chandail à col roulé, un pantalon, une veste en velours côtelé brun et des espadrilles. La neige mouillée et le vent du nord lui firent comprendre que vraiment, cela ne convenait plus. Le climat à Québec ne ressemblait pas à celui de la Provence. Au point où il entra dans le stationnement intérieur du PEPS et continua son chemin par les couloirs souterrains.

Son premier arrêt fut aux bureaux des canadianistes. Bernard Dagenais ne s'y trouvait pas, mais Jean-Philippe, oui. Après un échange de poignées de main, Jacques prit son portefeuille en disant :

— Avant que j'oublie...

Il lui tendit le chèque déchiré en deux chez le concierge de son immeuble.

— C'est très généreux de ta part de t'être occupé de ça.

— Bof ! À charge de revanche. Tu en as pris possession hier ? Tu es satisfait ?

— Très satisfait.

— Si tu ne l'étais pas, je te trouverais difficile en maudit. Depuis que je l'ai vu, je fais et je refais des calculs. Le pavillon Parent perdra sans doute un locataire à l'été.

Jean-Philippe parla d'un possible emploi d'assistant de recherche à temps plein auprès de Pierre Aubut.

— Mais tu sais comment ça marche. Ça sera seulement s'il a sa subvention.

— Oui, je sais. C'est un peu la même chose pour moi au sujet de l'emploi avec le musée.

Son ami se retint de dire : « Là, tu me charries. Avec ta bourse... » Maintenant, il existait des sujets tabous entre eux. Après encore un petit bout de conversation, Jacques lui dit :

— Je dois aller à la caisse populaire, sinon j'ai des chèques signés hier qui risquent de rebondir. Tu manges à la cafétéria ?

— J'y serai à midi.

— Alors à tout à l'heure. Après, si tu as le temps, je passerai chez toi ramasser les livres que tu as pris en pension le temps de mon absence.

Un instant plus tard, il se présentait au secrétariat du département pour laisser un mot dans le casier de Bernard Dagenais, disant tout son enthousiasme à l'idée de reprendre le travail d'auxiliaire d'enseignement lors de la prochaine session. Suivait son numéro de téléphone avec la mention : « Je dois être branché au cours de la journée. »

Ensuite, il se rendit à la caisse.

❀

Finalement, Jacques constata que malgré les dépenses de la veille, non seulement ses ressources lui permettraient de tenir jusqu'au prochain versement des bourses, en janvier, mais il pourrait même s'offrir une folie plus grande encore qu'un téléviseur.

À midi, il se présenta à la cafétéria du pavillon Pollack afin de renouer avec le plateau, le choix entre les menus proposés, le dessert – il s'agissait d'une mauvaise journée : Jell-O de couleur verte – et le soda. Quand il prit place à la table des vieux garçons, il fut tout de suite interpelé par Groslouis :

— Ça doit te changer de la gastronomie française.

— Avec mon budget, la gastronomie à laquelle j'avais accès était moins bien que ça.

Du geste, il désigna le contenu de son plateau. Tout en parlant, Jacques avait posé un regard circulaire sur les autres occupants de la table. Comme la proportion de filles parmi la clientèle de l'Université Laval augmentait au fil des ans, la désignation « table des vieux garçons » convenait de moins en moins.

Il salua les plus familiers d'un geste de la tête ; au gré des conversations, il apprendrait les noms des nouveaux venus. Il répondit à quelques questions, peu nombreuses, sur les raisons de son retour précipité. Très peu, en fait. Jean-Philippe avait dû leur faire un petit résumé du contenu de la lettre envoyée à la mi-novembre pour lui demander son aide pour la recherche d'un appartement.

Jean-Philippe arriva bientôt. D'entrée de jeu, il évoqua le résultat de sa dernière démarche au département :

— Dagenais est arrivé comme je sortais du bureau, avec ton papier dans la main. Il m'a dit qu'il te téléphonerait ce soir.

— Merci. J'espère juste que Bell se sera occupé du branchement.

— Comme ça, c'est bien vrai, ricana Groslouis. Tu quittes le sein de l'université.

— Pour le logis, oui. Pour les repas, je viendrai ici aussi souvent que possible. Si je compte le temps perdu, les préparer moi-même serait plus coûteux.

— Aussi souvent, c'est tous les jours ?

— Tu sais, je risque de passer ma vie au musée, dans le fonds éducation. Ça fait un peu loin pour venir dîner ici.

— Dans ce cas, tu n'as pas pensé à chercher quelque chose près du musée ? demanda Groslouis. Tiens, un appartement comme celui de Charlotte, ça ne doit pas coûter très cher.

L'allusion à la jeune femme fut comme un coup d'épingle au cœur. Heureusement, Jean-Philippe intervint pour donner son avis :

— Je ne sais pas où habite cette fille, mais les appartements du pavillon Montcalm sont vraiment très beaux, avec de grandes fenêtres, et la chambre est dans la mezzanine.

— Charlotte habite rue Fraser… précisa Jacques. Ces vieux logements ont du charme, mais ils ont été construits pour des familles. À moins de les partager à deux ou trois, ça revient trop cher.

— Près de l'université, c'est pratique aussi, renchérit Jean-Philippe.

Voilà qui témoignait d'un bel enthousiasme. Jacques soupçonnait que dès que son ami aurait un revenu suffisant, lui aussi chercherait du côté du vieux collège réaménagé par la Société canadienne d'hypothèque et de logement. Le repas se termina sans autre allusion à son choix de domicile. Ensuite, Jacques emprunta les tunnels pour se rendre à la chambre de Jean-Philippe, au pavillon Parent.

— Tu es très gentil d'avoir gardé mes affaires pendant tout ce temps, dit-il quand ce dernier ouvrit la porte de sa garde-robe.

— Comme tu vois, j'ai encore de la place.

Il sortit un cintre pour en enlever le caban et le tendre à Jacques. Celui-ci l'endossa tout de suite, par-dessus sa veste. Une tuque gonflait la poche de gauche, des gants, celle de droite. L'hiver pouvait venir, maintenant.

— Tu devais geler, habillé comme ça, remarqua son ami.

— Au point où je ne serais pas surpris de me retrouver avec un rhume.

Jean-Philippe sortit aussi un sac de voyage de vinyle, le plus grand de ceux avec lesquels Jacques était arrivé à Québec en 1974. Les deux douzaines de livres qu'il possédait y entraient tout juste. Enfin, le voyageur récupéra aussi une paire de bottes.

— Je les mets tout de suite.

Il attacha ses espadrilles à l'une des poignées de son sac, puis se chaussa plus chaudement.

La conversation se poursuivit encore un peu, puis Jacques retourna chez lui.

❁

Jacques renoua avec son sandwich au fromage à l'heure du souper. Sans doute comme tous les solitaires du monde, il mangea assis sur son canapé, les yeux fixés sur le bulletin d'informations à la télé.

L'émission se terminait à peine quand retentit la sonnerie du téléphone. Totalement absent de sa vie au cours des dernières années, le bruit le fit sursauter. Il alla vers le meuble placé sous l'escalier et répondit.

— Alors, as-tu aimé ton voyage en France? demanda Bernard Dagenais.

À force d'entendre la même question, Jacques répondit machinalement.

— Donc, ça t'intéresse de remettre ça, dans mon cours?

— Tout à fait. La seconde fois, ça va certainement être plus facile.

— En tout cas, tu n'auras pas à assister à tous mes exposés. Ce sont les mêmes que l'an dernier. J'avertirai la secrétaire demain, tu pourras passer signer le contrat quand tu voudras.

Après les remerciements d'usage, Jacques raccrocha. Il attendrait un peu plus tard pour donner ses nouvelles coordonnées à son frère et sa sœur. Toute sa soirée se passerait à lire le mémoire de maîtrise de Diane.

❀

Lundi matin, Jacques retrouvait Diane avenue Chapdelaine. S'il acceptait ses « lifts », au moins il ne lui demandait pas de venir le chercher à sa porte. Diane le trouva appuyé contre la voiture.

— Tu m'attends depuis longtemps ?

— Quelques minutes.

Éventuellement, il saurait ce qu'elle entendait par : « Je descends tout de suite. » Alors qu'elle démarrait, il demanda :

— Tu as regardé mes commentaires ?

Le samedi précédent, ils étaient allés voir le film *American Graffiti* au Cartier. Il avait profité de l'occasion pour lui remettre la copie de son mémoire de maîtrise longuement annotée. Son ton était un peu inquiet. Ce genre d'exercice pouvait ruiner les meilleures amitiés.

D'ailleurs, elle eut un petit ricanement avant de commenter :

— Tu seras la terreur de tes étudiants, un jour.

— Comme dit le dicton : "Qui aime bien châtie bien."

— Plus sérieusement, tu as fait ça avec beaucoup de minutie, je t'en remercie. J'aime autant que tu sois le premier à dresser la liste de toutes mes approximations, mes erreurs quant à la démonstration, au style ou à l'ortho-graphe. Ce serait pas mal plus gênant si c'était Dumont.

C'était là tout l'intérêt de leur collaboration. Non pas que toutes les suggestions fussent acceptées, mais chacun des membres de leur petit groupe avait une réponse toute prête, si le directeur de recherche faisait la même.

— Le mauvais côté de ton bon travail, c'est que je dois tout taper à nouveau. Faire des corrections entre les lignes rendrait le texte quasi illisible.

— Je compatis avec toi, dit-il. Au moins, tu ne tapes pas avec deux doigts.

Son existence précédente avait permis à Diane d'acquérir certaines habiletés très utiles quand venait le temps de s'asseoir derrière une machine à écrire. De plus, elle était beaucoup mieux équipée. Sa IBM Selectric faisait un bien meilleur travail qu'une Smith Corona vieille de plusieurs années.

— Tu as raison, mais je ne suis plus aussi efficace que je l'ai déjà été. Je veux bien produire une version préliminaire à peu près propre, mais quelqu'un d'autre s'occupera de la version finale.

Diane n'eut pas trop de mal à trouver à se garer dans une rue voisine du musée. Leur premier soin, une fois dans la salle de consultation, fut de se pencher sur l'instrument de recherche relatif au fonds E13. Il s'agissait d'un long texte photocopié plusieurs fois, à en juger par la piètre qualité de la reproduction. Finalement, ils ne trouvèrent pas grand-chose.

Aussi, au début de l'après-midi, ils s'appuyèrent au comptoir de prêt afin d'obtenir des éclaircissements en interrogeant l'archiviste.

— Les entrées sont bien là pour les écoles techniques et de métiers, lui dit Jacques, mais il n'y a presque rien. Et si je regarde le fonds du ministère de la Jeunesse ou celui du secrétariat de la Province, dont relevaient ces écoles avant la création du ministère de l'Éducation, la récolte n'est pas plus riche.

— Même chose pour une bonne partie des archives relatives aux écoles ménagères, intervint Diane.

— C'est parce qu'il y a des tonnes de documents qui n'ont pas encore fait l'objet d'un traitement approprié, expliqua l'archiviste. Des milliers et des milliers de boîtes se trouvent encore dans un entrepôt de Sainte-Foy.

Les deux étudiants échangèrent un regard un peu désespéré. L'histoire paraissait devoir se répéter : comme à Aix, les collections de documents susceptibles de leur servir se dérobaient.

— Nous ne pouvons pas les consulter ? demanda Jacques.

— Elles sont accessibles, mais ce ne sera pas une mince affaire. Tout est en vrac, personne n'est passé à travers pour faire le tri de ce qui est utile ou pas, et produire un instrument de recherche permettant d'accéder rapidement à un document donné.

— Vous avez parlé d'un entrepôt, intervint Diane.

— C'est dans le parc industriel de Sainte-Foy, dit l'archiviste. Je vous donne l'adresse exacte.

Bientôt, ils se retrouvèrent avec une fiche comme il y en avait dans les catalogues des bibliothèques, avec quelques mots griffonnés à l'endos. L'endroit était situé avenue Watt.

— Pouvez-vous les avertir que nous leur rendrons visite ? demanda Jacques.

Difficile de refuser ce petit service à des clients qui avaient passé tellement de temps dans cette salle de consultation.

— D'accord. Quand ?

— Ce sera cet après-midi, au plus tard demain matin.

Quand ils revinrent à leur place, Diane demanda :

— Que ferons-nous, si nous ne trouvons rien ? Je ne peux pas travailler sur l'enseignement ménager familial s'il n'existe pas de documents.

C'était la cruelle réalité des études en histoire : quand il n'existait pas de documents relatifs à un sujet, il fallait en trouver un autre. Les rongeurs, les incendies, les inondations, les révolutions, les guerres et les choix idiots des responsables des archives, à travers les âges, faisaient en sorte que la grande majorité des papiers avaient disparu. Ou n'avaient jamais existé. On ne pouvait faire l'histoire des collectivités qui n'écrivaient pas.

— Au lieu de commencer à chercher un autre sujet de recherche, pourquoi ne pas y aller tout de suite ? Nous en aurons le cœur net.

C'était certainement l'attitude la plus sage à adopter. Comme il était à peine deux heures, cela leur laissait le temps d'effectuer un premier contact.

— Au pire, dit Diane en ramassant ses affaires, nous nous ferons dire de passer plus tard.

Jacques remarqua qu'en sortant, sa compagne évita soigneusement le regard du gardien de sécurité, toujours de faction derrière sa table. Pourtant, elle devait indiquer l'heure à laquelle elle quittait les lieux, et signer. Jacques ne connaissait pas le détail de l'histoire survenue entre eux, mais le croiser ainsi de façon régulière la mettait visiblement mal à l'aise. Une situation qu'il comprenait très bien : en arrivant ce matin-là, il avait commencé par chercher Charlotte des yeux. Une rencontre fortuite l'aurait beaucoup troublé.

Dans la voiture, Diane demanda :

— Tu sais où se trouve la rue Watt ?

— Tu demandes ça à un piéton ? Tu as un plan de la ville ?

— Oui, dans le coffre à gants.

Il lui fallut trois minutes avant de trouver, puis il s'exclama :

— C'est tout près de chez moi !

— Tu as raison, c'est tout près, mais s'y rendre n'ira pas de soi.

Elle étudia le plan, puis démarra. En suivant l'avenue Nérée-Tremblay vers le nord, ils passèrent devant leurs appartements. La rue Watt se trouvait entre le boulevard du Versant-Nord et l'autoroute Charest.

Ils se trompèrent trois fois avant d'y arriver, tellement il était difficile de se démêler dans les bretelles de sortie de l'autoroute et les voies de service. À la fin, ils s'arrêtèrent à l'endroit indiqué, un de ces grands entrepôts de tôles d'acier. Un panneau indiquait qu'il s'agissait d'un édifice des Archives nationales du Québec, avec la précision « Centre de pré-archivage ».

À l'intérieur, le spectacle était à couper le souffle. Sur des étagères métalliques, longues de cent pieds peut-être, s'entassaient des boîtes de documents jusqu'à une hauteur de dix pieds.

— C'est impressionnant, hein ? fit une voix sur leur droite.

Un petit homme moustachu et barbu sortait d'un bureau. Une fenêtre donnait directement sur l'entrepôt, pour lui permettre de voir qui allait et venait dans ces lieux.

— Effrayant plutôt. Nous devons trouver des documents sur l'histoire de l'éducation là-dedans.

— Ah ! Les gens dont vient de me parler Daniel. Vous êtes rapides.

— On a intérêt à l'être, s'il faut passer à travers tout ça, dit Jacques.

— Il doit bien y avoir un instrument de recherche pour nous aider à nous retrouver ? demanda Diane.

Au musée, l'employé avait dit que ce n'était pas le cas, mais elle ne pouvait s'empêcher d'espérer.

— Il y en aura un dans dix ans, compte tenu du budget que l'on nous octroie.

Personne, dans le domaine de la culture, n'avait de budgets suffisants. Dans le cas de l'histoire, les étudiants trouvaient cela d'autant plus décevant qu'ils étaient des centaines de diplômés, dans toute la province, à sortir des universités sans trouver à s'embaucher.

L'employé continua :

— Venez ici, je vais vous montrer le seul moyen de vous aider un peu.

Dans son bureau, il prit un gros classeur sur une étagère et l'ouvrit sur une table en demandant :

— Vous savez ce que c'est, un *packing slip* ?

— Une feuille à l'intention des camionneurs, qui dresse la liste du contenu d'une cargaison, dit Jacques.

— C'est ça. Vous vous intéressez à...

— L'enseignement ménager, s'empressa de dire Diane.

— Ah ! Ça va être un peu plus difficile.

Il retourna vers l'étagère, puis revint avec un second classeur.

— Dans les années 1960, on a commencé à prendre tous les documents relatifs à l'éducation qui traînaient dans divers services pour les regrouper. Comme le disait votre collègue, ces papiers nous indiquent d'où est venue une cargaison. Ici, c'est du département de l'instruction publique. Cette feuille indique qu'en 1970, on a livré quinze boîtes de documents du service d'enseignement ménager. Chacune a son numéro, il faut les retrouver sur les rayons.

Il ouvrit les anneaux, lui tendit le papier et recommença avec le premier classeur. Il finit par prendre une feuille et la donna à Jacques.

— Ça, c'est du Secrétariat provincial. Il y a quelques boîtes relatives aux écoles techniques. Vous n'avez que ça : le service d'où vient la boîte et son numéro.

Ils le suivirent hors du bureau. Sur les étagères, une liste donnait l'emplacement des boîtes selon leur numéro. L'employé ne les trouverait pas à leur place, ce serait à eux d'explorer.

— Vous reviendrez demain ? demanda-t-il.

— Oui, et aussi longtemps que nécessaire.

— Alors prenez un chariot et allez chercher quelques boîtes sur les étagères. La table pour les chercheurs est juste là.

Il la leur montra du doigt.

— Demain matin, j'essaierai de mettre de côté les classeurs pouvant vous être utiles. Je n'ai pas besoin de vous préciser qu'il faut remettre les documents à leur place, et dans l'état où vous les avez trouvés.

Tous les deux l'assurèrent qu'ils ne créeraient aucune pagaille. À les entendre, jamais personne n'avait été plus respectueux qu'eux des règles entourant les vieux papiers.

— Bon, moi je finis à cinq heures, et je commence à neuf heures. Ça veut dire que vous arrivez cinq minutes après moi, et vous partez cinq minutes avant moi.

Les deux étudiants mirent une demi-heure à dénicher une boîte chacun. Évidemment, ils devaient trouver des repères dans ce grand entrepôt. Quand ce serait le cas, localiser les autres boîtes irait considérablement plus vite. En s'assoyant à la table, Diane murmura :

— On en a pour dix ans.

— Je dirais deux ans.

Il prit une chemise de deux pouces d'épaisseur, la déposa sur la table, examina un premier feuillet, puis un second, puis un troisième. Ensuite, il retourna la liasse, soulevant un nuage de poussière dans l'opération, pour regarder le dernier.

— Je corrige : pour quelques mois, pas plus. Tout ça, ce sont des rapports d'accident.

— Pardon ?

Il posa une feuille devant elle en expliquant :

— Un élève qui s'est coupé un doigt dans un atelier de menuiserie en 1932. Je suppose que toute cette paperasse était nécessaire dès qu'une blessure pouvait entraîner une réclamation à l'assurance.

Jacques reprit le premier et le dernier feuillet pour dire :

— Sur ma fiche, je pourrais écrire que d'octobre 1926 à mai 1938, deux cents adolescents se sont coupés au doigt, ont reçu des outils sur les orteils, se sont brûlés en fondant du cuivre, du plomb, de l'étain et du fer, etc. Et je remettrai le dossier dans la boîte. Je n'ai pas besoin de plus de détails.

— Ça ne sera pas toujours comme ça.

— J'espère, sinon ça serait ennuyant en diable, comme thèse. Ces centaines de boîtes, c'est impressionnant. Mais nous n'aurons pas à faire une fiche pour chaque feuille.

En d'autres mots, la démarche serait longue, fastidieuse, mais tous les deux pourraient remettre une thèse de doctorat à leur directeur dans des délais raisonnables.

❁

La bande des quatre avait convenu de se retrouver au Marie-Antoinette du boulevard Laurier afin de célébrer la fin de la session, comme par le passé. Cette fois, comme on était le 22 décembre, ils avaient jugé nécessaire de faire des réservations. Tous les habitants de l'est du Québec semblaient s'être donné rendez-vous de l'autre côté de la rue, à la Place Laurier.

Comme elle venait de Charlesbourg, Monique avait offert de prendre Jean-Philippe au passage. Quant à Jacques, selon une habitude maintenant bien établie, il avait rejoint Diane chez elle. Quand ils furent tous installés à table, ils échangèrent les nouvelles récentes.

— Finalement, as-tu remis ton mémoire de maîtrise ? demanda Monique à son amie.

— Avant-hier ! J'avais promis à Dumont de le lui donner avant l'hiver. J'y suis arrivée de justesse.

— Quand doit-il te faire part de ses commentaires ?

— Au retour des vacances des fêtes. Je pense qu'il demandera des modifications de détail, du genre "ici, une petite clarification s'impose, et là c'est répétitif". J'en aurai pour quelques jours, alors si Suzanne a le temps, je lui demanderai de faire la version finale.

Du regard, elle interrogeait Jean-Philippe. Comme celui-ci travaillait dans l'antichambre du bureau de Pierre Aubut, il avait l'habitude de la voir deux ou trois fois par semaine, quand elle rejoignait son compagnon.

— Je ne connais pas précisément son emploi du temps. Elle commencera sa dernière session, la plus difficile sans doute. Mais début janvier, elle ne sera pas en train de préparer des examens.

— Et toi, ton mémoire ? demanda Diane.

Tous les quatre avaient quitté la ligne de départ en même temps, mais ensuite, chacun avait eu ses propres obligations.

— Je le déposerai quelque part en janvier, dit Jean-Philippe. Je me console en me disant qu'en gagnant ma vie, je fais avancer aussi mon doctorat.

C'était toujours la même difficulté pour les étudiants de second ou de troisième cycle, à moins d'être boursiers. La nécessité de travailler allongeait les études. Au moins, il terminerait dans les deux ans prescrits. Monique s'empressa de préciser que ce serait la même chose pour elle. Ensuite, elle demanda :

— Alors, ça ressemble à quoi, faire des études en histoire dans le parc industriel de Sainte-Foy ?

— C'est étrange, dit Diane, mais on s'habitue à tout. Ce ne sont pas des journées aussi longues qu'au musée, parce que les gens qui travaillent à cet endroit ne font pas de temps supplémentaire. D'un autre côté, il n'y a aucune distraction, nous ne quittons même pas la table de travail pour dîner.

— Au point de laisser des traces de vinaigrette sur certains documents, intervint Jacques.

Comme il faisait référence à un événement survenu au début de la semaine, Diane se défendit :

— C'est arrivé juste une fois !

Monique s'intéressait surtout à l'ampleur de la tâche. Elle aussi se livrerait à une étude d'un domaine d'enseignement.

— Mais comment passez-vous à travers des centaines de boîtes ?

— Beaucoup de documents sont répétitifs, expliqua Jacques.

Il cita les rapports d'accident survenus à des élèves et une boîte contenant uniquement des dizaines de copies d'une brochure d'information publiée en 1947.

— Comme personne n'a trié cette paperasse, ça donne beaucoup de pages à tourner, mais le tout se déroule rondement.

Peut-être trop bien au goût de leur interlocutrice. Aussi Monique trouva-t-elle le moyen de réfréner l'enthousiasme de son amie :

— Cette année, ça doit te faire de la peine de te passer d'un voyage dans le Sud pendant les fêtes ?

La question était un peu vache. Sa prospérité passée avait alimenté un brin de jalousie, la voir redescendre de son piédestal lui donnait une certaine satisfaction.

— Ça me permettra de me rapprocher de ma famille, répondit Diane. Et puis ce n'est que partie remise. Tu te rappelles Julie ? Nous irons ensemble en Martinique au printemps. Ce sera quelque chose comme les joyeuses divorcées à la plage. Tu te rappelles certainement le livre *Martine à la plage*...

C'était une façon de souligner que même séparée, elle conservait une situation financière confortable.

— Qui est Julie ? demanda Jacques.

Il apprit que c'était une amie rencontrée à l'école secondaire.

— Elle a quitté son mari l'an dernier, quand il lui a refilé la gonorrhée. Après ça, difficile de prétendre qu'il ne la trompait pas.

Un si grand nombre de mariages se terminait devant monsieur le juge que tout le monde parlait d'une épidémie. Les plus pessimistes affirmaient que la moitié des unions réalisées en 1978 seraient terminées en 1983. On parlait également de ceux qui « s'accotaient » au lieu de passer devant monsieur le curé. Ils économisaient le coût du mariage maintenant, et celui du divorce plus tard.

—Et voyager un peu, ça ne vous tente pas, à toi et Benoît ? demanda Diane.

Monique avala un peu de travers. Benoît et elle avaient finalement pu acheter un jumelé dans le quartier Les Saules. Compte tenu des taux d'intérêt élevés, cela signifiait cinq années de vaches maigres. Comme elles succédaient à dix années aussi faméliques, Monique préféra s'intéresser désormais aux projets des « p'tits gars ».

Jacques parla de son Noël à Ottawa en mangeant un morceau de gâteau au chocolat «à la mode». Il était toujours aussi bon.

Quand ils s'échangèrent des vœux dans le stationnement, chacun se disait que c'était sans doute leur dernier rendez-vous du genre. La compétition faisait éclater la camaraderie. On en était presque arrivé au chacun pour soi.

Chapitre 23

Dans la voiture, Diane demanda :

— Tu viens chez moi ?

Le ton était un peu cassant, mais Jacques savait que le mouvement d'humeur ne lui était pas destiné. Une fois dans l'appartement de l'avenue Chapdelaine, elle commença par se verser un gimlet.

— Tu en veux un ?

— Oui, merci.

Quand elle revint dans le salon, elle mit une bobine sur le magnétophone, du saxophone. Jacques comprit qu'elle prévoyait se coucher tôt et s'endormir tard.

— Je me demande ce qui lui a pris... Son allusion aux voyages, c'était mesquin, remarqua Diane.

— Quand on a l'impression que l'assiette demeure trop longtemps d'un côté de la table, il peut être difficile de se réjouir sincèrement pour le plaisir des autres. Je le sais parce que j'ai ressenti souvent ce genre de frustration.

— Je veux bien, mais je ne suis pas responsable de sa situation. Si j'étais du style à me vanter de ma bonne fortune, passe encore. Mais ce n'est pas mon genre.

Malheureusement, ça n'y changeait rien. Annoncer un départ prochain et exhiber ensuite son hâle pendant trois semaines était tout aussi évocateur que de sautiller sur place en disant : «J'ai de la chance ! J'ai de la chance ! J'ai de la chance !» Comme si elle lisait dans ses pensées, Diane ajouta :

— Je sais très bien que c'est juste le hasard qui m'a été favorable. Il ne s'agit pas d'une question de mérite.

Dans un autre contexte, Jacques savait que Diane aurait pu nuancer cette affirmation. À la chasse, celui qui revenait avec du gibier était-il simplement plus chanceux que celui qui restait les mains vides? Ou plus habile chasseur?

— Ça me fait penser aux paresseux un peu stupides qui passent à la télé parce qu'ils ont gagné à la loterie, murmura Jacques. Combien de spectateurs se disent en les voyant : "C'est pas juste, ils méritent pas ça!" En tant que bons chrétiens, nous tenons à ce que la vertu soit récompensée. Et nous aimons croire que le bien nous arrive parce que nous sommes vertueux.

Il préféra ne pas aborder l'autre côté de cette médaille : si le malheur nous tombait dessus, on croyait aussi que c'était mérité. Au point de penser que naître à Manseau, avec des parents comme les siens, devait représenter la sanction d'une faute originelle.

— Tu es en train de me servir le contenu du cours de Nadine Doyle.

— Tu vois bien que ce n'étaient pas ses beaux yeux noirs qui me plaisaient, mais sa présentation limpide du concept de prédestination si cher à Calvin.

Ils avaient suivi ensemble un cours sur la réforme protestante. Dieu prédestinait chacun au bonheur ou au malheur, sans égard à toutes les bonnes ou les mauvaises actions. Jacques avala la moitié de son verre, puis déclara :

— Écoute, les sermons m'endorment. Plus encore les miens que ceux des autres. Alors nous pourrions simplement passer sous la douche et ensuite je te masserai jusqu'à ce que tu oublies les indélicatesses de Monique.

— C'est une excellente idée!

✿

Le lendemain matin, lors du déjeuner, Diane revint sur les projets de vacances de Jacques :

— Tu es heureux de passer Noël avec ta famille ?

Un bref instant, il faillit dire : « Je pensais aller dans la tienne. » Juste pour voir sa réaction.

— Plutôt. Demain, je rejoindrai ma sœur à Trois-Rivières et nous irons chez mon frère à Ottawa. Et toi ?

— Moi je n'irai pas plus loin que le boulevard Saint-Cyrille. Tu seras là, la semaine prochaine ?

— À partir du 26 ou du 27. D'ailleurs, à ce sujet, pourrais-je compter sur ta présence et celle de ta voiture, le mercredi 27 ?

— Tu veux faire la tournée de tes oncles et tantes ? demanda Diane en riant.

— Ne me donne pas des idées de ce genre, tu le regretterais. C'est moins ambitieux. J'aimerais m'acheter une petite chaîne stéréo.

Au bas mot, il y songeait depuis au moins six ans.

— Bien sûr ! J'attendrai ton appel le 27.

Ils se quittèrent sur des souhaits réciproques de joyeux Noël.

✿

L'habitude aidant, ce fut avec beaucoup moins d'appréhension que Solange prit le volant le 24 décembre.

— Au moins, cette année, le pavé sera sec, dit-elle.

— Il faut bien un bon côté à ce froid glacial.

Malgré tout, après presque quatre heures de route, c'est fatiguée que la jeune femme se gara devant la demeure de Lucien.

Jacques remit tout de suite à ses hôtes les bouteilles rapportées de France, comme l'année précédente, puis il demanda à sa belle-sœur, en montrant le sac qu'il tenait à la main :

— Je peux déposer ça sous le sapin ?

Même s'il s'était donné la peine de tout emballer – maladroitement – de papier rouge, personne ne serait vraiment surpris par deux de ses cadeaux : il s'agissait de livres. Pour le troisième paquet, comme il avait mis la petite bouteille de parfum dans la boîte contenant son nouveau grille-pain, sa sœur ne soupçonnerait rien.

Aline avait suivi son aîné et sa bru dans l'entrée de la demeure. Elle demanda, un peu gouailleuse :

— Comme ça, t'es v'nu tout seul. Elle voulait pas nous voir ?

— Ça va t'étonner, mais malgré son grand âge, elle a encore ses parents, elle aime les voir, et c'est réciproque… Quand même, ça lui faisait beaucoup de peine de ne pouvoir faire ta connaissance.

La vieille femme demeura interdite un instant.

❀

Lucien et sa famille se rendirent à la messe de minuit, en compagnie d'Aline. Solange offrit encore de s'occuper de terminer la préparation du réveillon, Jacques de l'assister de sa présence.

Au moment de déballer les cadeaux, Alain et Solange parurent réellement apprécier son attention. Cette dernière murmura :

— Nous avions dit que nous ne nous faisions pas de cadeau.

— Ce ne sont pas des cadeaux de Noël, mais un souvenir de voyage. Et je n'ai pas pensé à te le laisser, quand je t'ai vue la dernière fois, dit-il avec un clin d'œil.

Quand Aline eut son livre dans les mains, elle lui adressa un regard si perplexe qu'il crut bon d'expliquer :

— Comme tu ne paraissais pas savoir pourquoi des gens vont visiter la France, j'ai pensé que tu aimerais voir ces jolies photographies.

Elle en regarda une, puis déposa l'ouvrage près de sa chaise. Peut-être pour ne pas devoir admettre que ce pays valait la peine d'être vu. Un peu après deux heures, les visiteurs regagnèrent le même motel que lors de leur visite précédente. Jacques assuma la facture en disant à sa sœur :

— Tu fournis l'auto, alors laisse-moi m'occuper de ça.

Le lendemain matin, le retour à Trois-Rivières fut sans histoire. La journée de Noël se passa à écouter de vieux films à la télévision. Comme Solange était abonnée au câble, cela leur permit de passer d'un poste à l'autre pour combler cet appétit de nostalgie.

Le lendemain, ils cherchèrent un endroit où glisser, afin de permettre à Alain de prendre un peu l'air. En soirée, Jacques s'installa devant la bibliothèque de sa sœur, un assemblage de briques et de planches, pour sortir les disques un à un, et en mettre certains de côté.

— Ça me gêne un peu. J'ai l'impression de te dépouiller.

— Ce sont tes disques. En plus, un collègue m'en a fait des copies sur des cassettes.

Il leva les yeux pour voir le petit magnétophone acheté chez Radio Shack et, juste à côté, une boîte en plastique pouvant contenir trois douzaines de cassettes.

— Je suppose que je m'en achèterai un aussi. On pourra faire des échanges. Autrement, je mettrai toute ma fortune dans des disques.

Jusque-là, ses achats avaient été compulsifs, et heureusement rares. Il y avait dans le lot un coffret d'une dizaine de disques achetés d'occasion : les œuvres complètes de Jacques Brel. Ensuite, après quelques années sans rien livrer de nouveau, le chanteur avait enregistré un dernier disque en 1977. En plus de ce coffret, il possédait une dizaine de 33 tours.

Quand tout fut placé près de la porte pour son départ le lendemain, Jacques rejoignit sa sœur sur le canapé, une tasse de thé à la main. C'est avec hésitation qu'elle dit :

— Quand Lucien t'a invité à venir avec Diane, une prochaine fois, tu n'as vraiment pas eu l'air enthousiasmé.

— Pourtant, j'ai dit que ce serait une bonne idée.

Solange continua de le regarder, sans rien dire.

— J'aimerais mettre un mur entre tous les gens que je connais et le milieu où je suis né.

— Tu as si honte de tes origines ?

— C'est plutôt le désir de cacher qui je suis... En connaissant Aline, Diane saurait très bien que personne ne sort intact d'un pareil milieu familial. Juste à entendre son ton quand elle nous parle et à constater l'absence totale de tendresse dans ses rapports avec nous. Si Diane la rencontrait, après elle chercherait les blessures, les infirmités qui font de moi un compagnon triste et déprimant.

— Ressens-tu aussi le désir de cacher ton frère et ta sœur derrière un mur ?

— Non, parce que vous êtes des compagnons d'infortune. Sur ce plan, nous sommes de vrais frères et sœurs, non ? Suffisamment éclopés pour vouloir tenir les autres à distance.

— Tu crois que ça vaut pour Lucien ?

— Moins que pour nous. Son enfance s'est déroulée dans un cadre plus normal. Tout de même, je n'ai aucun souvenir de visites à la maison de ses camarades de collège ou de ses premières blondes. Aucun des enfants Charon n'a tenu à partager l'univers du chemin du Petit-Montréal.

Ce ne fut qu'après quelques instants de silence que Jacques ajouta encore :

— De toute façon, le problème ne se pose pas vraiment. Jamais Diane n'a exprimé le souhait de connaître ma famille ou de me présenter la sienne.

Devait-il se montrer heureux ou malheureux de cette situation ? Il n'arrivait pas à trancher.

❁

Depuis son passage à la caisse populaire au début du mois de décembre, Jacques feuilletait *Le Soleil* en prêtant une attention particulière à la publicité relative aux chaînes haute-fidélité. Évidemment, il avait aussi regardé les catalogues des magasins Eaton et Distribution aux consommateurs. Cependant, les noms de ces commerces ne venaient jamais dans les conversations des spécialistes. Pour acheter un « son », il fallait regarder ailleurs.

Le 27 décembre, après le trajet de Trois-Rivières effectué à l'aube, il téléphonait à Diane en fin de matinée :

— Es-tu toujours volontaire pour m'accompagner ce matin ? Sois bien à l'aise, le prix d'une course en taxi ne changera pas grand-chose au total de la facture.

— Bien sûr, je suis volontaire. C'est ce que nous avions convenu, non ?

— Ce qui n'exclut pas que, quelques jours plus tard, tu aies trouvé un meilleur usage pour ton mercredi.

Même s'il se montrait serviable au point de consacrer deux jours à faire la relecture du mémoire de maîtrise de son amie, le jeune homme se sentait un peu mal à l'aise de la mobiliser à nouveau pour faire le taxi.

— Je ne suis pas si occupée que ça. Comment vois-tu les choses?

— Nous pourrions partir un peu après midi. Et plus tard, tu devrais venir écouter ma petite collection de disques.

— Entendu! Quand tu arriveras, frappe à ma porte. Ce n'est plus un temps pour attendre dehors.

À midi trente, quand Jacques frappa chez Diane, il entendit: «Entre, c'est ouvert. J'arrive tout de suite.» Il serait vraisemblablement impossible d'échapper à l'attente, mais au moins, ce serait au chaud. Dix minutes plus tard, elle le trouva appuyé contre le mur.

— Tu aurais pu t'asseoir...

— Pour enlever et remettre mes bottes tout de suite après?

Dans la voiture, Diane demanda:

— Alors, où allons-nous?

— À la Clé de sol, rue Saint-Jean. Ensuite, Rotac, pas très loin d'ici, rue Place Viger. Les deux annoncent de grands soldes après Noël. Ce qui signifie sans doute qu'ils veulent faire de la place parce que de nouveaux modèles apparaîtront bientôt.

La Clé de sol offrait de tout. Jacques s'arrêta devant un alignement de téléviseurs couleurs en se demandant: «Aurais-je dû...» Comme le plus souvent il écoutait les émissions en faisant autre chose, la différence de prix lui paraissait exagérée. Évidemment, il regardait plus attentivement les bulletins de nouvelles. Mais dans ce cas, connaître la couleur exacte des yeux du nouveau chef du Parti libéral, Claude Ryan, n'aurait sans doute rien changé à sa façon de voter.

Quant aux «systèmes de son», les marques Pioneer ou Technics ne lui parurent pas si séduisantes, finalement.

— Alors? demanda Diane, peut-être lasse de le voir immobile devant un alignement de tourne-disques.

Ou fatiguée d'entendre sans cesse le vendeur demander : « Je peux vous aider ? Je peux vous aider ? » Visiblement, il recevait une commission sur ses ventes et son budget personnel pour le temps des fêtes était défoncé.

— Je suppose qu'il y a trop de choix. Allons à l'autre magasin.

Rotac occupait le sous-sol d'un bungalow de Sainte-Foy. L'offre y était vraiment plus limitée, avec des marques moins connues. Jacques s'arrêta devant un Marantz. Le propriétaire, et seul employé, observa depuis l'autre bout de la pièce :

— Vingt-cinq watts, c'est très raisonnable quand on écoute de la musique chez soi. Plus que ça, ça sert à impressionner les sourds.

— Je le prends. Je peux vous payer par chèque ?

L'homme les aida à mettre l'amplificateur et la platine dans le coffre de la Mustang. Faute de place, les haut-parleurs allèrent sur la banquette arrière.

Au pavillon Montcalm, déballer tout ça et placer les appareils dans le meuble de rangement prit quelques minutes. Du côté de la bibliothèque, ses disques s'entassaient, mis à plat sur l'étagère du haut.

— Pour l'inaugurer, je pense que celui-là conviendrait très bien.

Jacques montrait une pochette représentant un ciel bleu, avec un simple mot : BREL. Diane donna son accord. Bientôt, les premiers mots de la chanson *Jaurès* se firent entendre.

— Tu as déjà eu une chaîne stéréo ? demanda-t-elle.

— Non, c'est la première. Et il n'y en avait pas non plus chez moi.

— Et tu achetais tout de même des disques ?

Le jeune homme haussa les épaules :

— Je suppose qu'il s'agissait d'un acte de foi envers l'avenir.

Il alla la rejoindre sur le canapé. La face A du disque durait un peu moins de vingt-cinq minutes, avec *Orly* à la toute fin. L'histoire d'un couple qui se sépare à l'aéroport.

Et puis se redéchirent
Se tiennent par les yeux
Et puis en reculant
Comme la mer se retire
Ils consomment l'adieu

— J'aimerais bien écrire comme ça, murmura-t-il au moment d'aller soulever l'aiguille. Mais je ne sais pas si Dumont apprécierait ce style pour décrire la fin des écoles techniques.

Ces paroles, c'était une façon comme une autre de refouler une émotion. Parce que ces mots lui rappelaient la petite rencontre chez Bertrand, et sa façon si pitoyable de quitter quelqu'un.

— Ça sonnerait peut-être un peu dramatique.

— Peut-être. Ça te dit d'aller voir *Mort sur le Nil*? J'aime bien Peter Ustinov depuis que je l'ai vu à la télé, au 13, en Néron, dans *Quo Vadis*. Nous pourrons revenir ici ensuite, et commander du chinois.

Comme programme pour un 27 décembre glacial, difficile de trouver mieux. Dans l'ascenseur Diane demanda:

— Tu es capable de dire, comme ça: "J'ai vu ce comédien pour la première fois dans ce film, à ce poste"?

— Le voir jouer de la harpe en chantant alors que Rome brûlait, c'était tout de même une scène inoubliable.

Dans l'auto, il dit encore:

— Je n'oublie rien. Absolument rien.

— On a bien vu ça pendant nos études en histoire. Tu as de la chance.

— Oh non! Crois-moi, parfois, on a envie d'oublier.

C'était affirmé avec tellement de conviction qu'elle n'osa pas le contredire. Heureusement, Peter Ustinov en Hercule Poirot ramena un sourire sur le visage de Jacques. Après le cinéma, assis par terre au milieu du salon, ils se régalèrent de la cuisine de Sam Wong en regardant un vieux film en harmonie avec l'ambiance du temps des fêtes : *Harvey*. C'était l'histoire d'un homme toujours accompagné d'un lapin imaginaire mesurant plus de six pieds.

❁

Le lendemain matin, Jacques offrit à Diane un petit-déjeuner composé de toasts, de confiture et de thé.

— Je suis désolée, mais ça me prend absolument du café en me levant, alors je suis mieux d'aller chez moi...

« Pourtant, j'aurais dû y penser, je sais bien ce qu'elle prend au déjeuner », songea-t-il, penaud. Un bref instant, il eut envie de lui offrir de courir jusqu'à la pyramide afin de rapporter du café instantané.

La suite réduisit beaucoup sa bonne volonté :

— Retournes-tu chez toi pour le jour de l'An ?

— Ce n'est pas mon intention. Une seule des fêtes en compagnie des Charon me semble une dose raisonnable.

— Tu n'iras même pas voir ta sœur ? Vous semblez pourtant bien vous entendre.

Cette insistance devenait un peu agaçante, à la fin.

— La difficulté, c'est qu'elle prend son devoir filial plus sérieusement que moi. Elle sera justement chez ma mère.

Le malaise de Diane croissait.

— Bon, je suis aussi bien d'y aller… Je vais te téléphoner en fin de semaine. Nous trouverons certainement le temps de faire quelque chose.

Cinq minutes plus tard, elle quittait les lieux après lui avoir fait la bise. À cet instant, Jacques se rendit compte qu'il n'avait pas envie de rester seul chez lui. Il mit donc son manteau et alla prendre l'autobus numéro 8, juste devant le restaurant A&W. À son retour, à moins d'être trop chargé, il mangerait à cet endroit. Ou encore à la cafétéria de l'université.

D'abord, il alla dans la Basse-Ville afin de se rendre dans un commerce de livres et de disques d'occasion. Comme il regardait avec attention les ouvrages en histoire, cela lui permit de faire des trouvailles un peu émouvantes. En particulier cinq ou six livres portant la signature de leur premier propriétaire, et les dates des achats : 1977 et 1978. En septembre de l'année précédente, un garçon avait commencé des études de maîtrise en histoire européenne avec le plus grand enthousiasme, pour constater un an plus tard que jamais il n'en viendrait à bout. On échouait rarement dans ce genre de programme, on abandonnait. Un magasin de livres de « seconde main » comme celui-là, c'était un peu comme un cimetière de rêves brisés.

Jacques choisit d'acheter une *Histoire de l'enseignement au Québec, 1608-1971*, et un livre sur *Les collèges classiques au Canada français, 1620-1970*. Le dernier avait été publié plus tôt dans l'année, mais déjà il se cherchait un nouveau foyer. Ensuite, il s'arrêta devant les présentoirs de disques. Posséder une chaîne stéréo créait bien sûr de nouveaux besoins. C'est avec deux des dernières productions de Claude Dubois qu'il quitta les lieux.

Diane lui téléphona le samedi 30 décembre afin de l'inviter à partager un souper. Ce soir-là, mine de rien, elle avait glissé :

— Depuis que j'ai renoué avec le célibat, je reçois des invitations à souper tout à fait inattendues de membres de ma famille à qui je n'ai pas parlé depuis dix ans. Et chaque fois, comme par hasard, il y a aussi un gars maussade qu'une épouse a récemment laissé tomber.

Cette déclaration avait quelque chose de cruel. Accepter ces invitations, c'était avouer être à la recherche du bon parti.

— La loi de la moyenne joue en ta faveur. Tôt ou tard, il y en aura un franchement souriant.

La remarque tira une petite grimace à son interlocutrice. Après cela, le sujet de ses activités de la Saint-Sylvestre ne refit plus surface. Comme il y avait des occasions qui ne se refusaient pas, Jacques passa la nuit chez Diane, tout en ayant l'élégance de regagner son appartement tôt le lendemain matin. Au passage, il s'arrêta à la « tabagie » du Centre Innovation afin de prendre *Le Soleil*.

Dans son appartement, il chercha un poste de radio diffusant autre chose que les rigodons de circonstance. Une fois installé avec son journal, il se mit à penser à Diane. L'été précédent, leur engagement s'avérait simple : jusqu'en France, aller-retour. Et si la date du retour avait été précoce, le principe demeurait le même. Chacun trouvait son compte à ces rencontres à l'horizontale, mais l'engagement émotif ne dépassait pas celui de l'amitié... avec les services réciproques qui l'accompagnaient. Comprendre et accepter le principe d'un accommodement de ce genre était une chose. Diane croiserait tôt ou tard quelqu'un qui lui permettrait de s'engager plus à fond.

Mais lui ? L'été précédent, il avait fui un véritable engagement, pour favoriser plutôt ce genre d'amitié particulière.

Quand cela prendrait fin, ce compagnonnage lui manquerait certainement.

❀

Jacques avait déjà passé quelques jours de l'An au cinéma. Pourtant, aucun des films à l'horaire ne lui parut prometteur. Le fait que dans le dernier épisode de la *Panthère rose* l'inspecteur Clouseau atteigne des sommets de sottise le laissait indifférent. Il n'avait pas tellement le cœur à rire. *Brillantine* représentait un autre type d'accomplissement dans le domaine de la niaiserie. Il y avait encore Fifi Brindacier et un dessin animé avec les Dalton, mais avoir quatre fois l'âge moyen des autres spectateurs ne lui disait rien. Il restait ce que Martial appelait des études psychosociales. Toutefois, le programme triple du Midi-Minuit n'avait aucune chance de lui remonter le moral : *À pleine bouche*, *Nuits suédoises* et *Cochonneries campagnardes*.

Un moment, il songea à téléphoner à Solange pour lui avouer, penaud : « Elle a d'autres engagements, finalement. » Évidemment, il se sentirait un peu gêné devant sa sœur et souffrirait certainement d'entendre sa mère adorée dire : « Quoi, ta vieille veut pus de toé ? »

Heureusement, le journal lui apprit que chez Voyageur, la grève commencée deux jours plus tôt se poursuivait toujours. Comme si le destin entendait lui éviter une épreuve de ce genre.

Sa journée, et celle du lendemain, se passerait donc à écouter ses quelques disques, les chaînes FM à la radio, et les vieux films présentés à la télévision. Tout au plus téléphonat-il à Manseau au terme du *Bye Bye 1978*, afin de souhaiter bonne année aux personnes présentes. L'atmosphère ne lui parut pas vraiment plus gaie à cet endroit.

Chapitre 24

Le 3 janvier 1979, les membres de la bande des quatre s'inscrivirent pour la dixième fois au département d'histoire de l'Université Laval. Pour Jacques, c'était une inscription au niveau du doctorat pour une seconde fois. Ses amis changeraient de cycle au mois de mai suivant.

Faire son choix de cours à ce niveau ne demandait pas de longues réflexions. Les mercredis soir, Diane et Jacques assisteraient à un séminaire. Ce seraient leurs seules présences dans une classe. Ils devaient aussi payer pour douze « crédits de recherche », elle à la maîtrise, lui au doctorat. Ironiquement, ils payaient des droits de scolarité à l'Université pour aller passer leurs journées au centre de pré-archivage des Archives nationales du Québec.

Une fois les formalités accomplies, Jacques demanda à Diane :

— Allons-nous dîner avec les autres ?

À chaque début de session, ils s'étaient réunis pour un repas. Toutefois, Monique avait laissé son amie d'assez mauvaise humeur au souper du 22 décembre. Mieux valait s'assurer que ce projet lui convenait avant de prendre des engagements.

— Oui, si nous allons à La Résille. La dernière fois que j'ai mangé avec tes vieux garçons, je me suis sentie comme une vieille tante, et pas juste à cause de mon âge.

Jacques aussi avait cette impression quand les nouveaux de première année lui demandaient : « Comment c'était, dans ton temps ? » Évidemment, ils évoquaient le contenu du programme, pas l'invention du moteur à explosion. Heureusement il n'avait encore entendu personne le vouvoyer, alors que son amie subissait parfois cet affront.

— Je demande à Jean-Philippe, et toi, à Monique ?

Ils utilisèrent les tunnels pour se rendre au pavillon Pollack. Quand ils furent à table, Jean-Philippe voulut savoir :

— Tu te plais toujours dans ton appartement ?

— J'espère bien ! Parce que ça fait exactement un mois que j'habite là, et j'ai un bail jusqu'à fin juin.

— Tu peux nous le décrire ? demanda Monique.

— Il a des plafonds hauts, de grandes fenêtres, de larges couloirs et un hall d'entrée digne de celui d'un hôtel de ville. Mon logement a déjà été une classe d'anglais, selon le concierge. Si vous avez envie de prendre l'apéro un de ces jours, je vous inviterai avec plaisir. Toutefois, je ne cuisinerai pas. Je vous aime trop pour ça.

Diane parla du meuble qui réunissait une cuisinière électrique, un réfrigérateur et un évier. Un équipement peu compatible avec les petits gueuletons lentement mijotés.

— Tout de même, c'est très beau, conclut-elle. La prochaine fois que nous irons manger au restaurant ensemble, ce serait une bonne idée de prendre un verre chez Jacques avant.

— Ou chez moi, dit Monique. Mais c'est un peu loin de tout.

En tout cas, trop pour qu'il soit réaliste de se rendre dans le quartier Les Saules en autobus. Au moment où Jacques se dirigeait vers son appartement en compagnie de Diane, il demanda :

— Je sais que Jean-Philippe a compris depuis longtemps que nous ne nous voyons pas seulement à titre de camarades d'université, mais en ce qui concerne Monique, je ne sais trop.

— Je pense qu'elle a compris avant moi que ton intérêt n'était pas que platonique.

Après la conversation entre elles entendue au musée, de cela le jeune homme était certain.

— Alors je l'ai mise au courant un peu avant notre départ parce que j'étais lasse de l'entendre dire : "Tu sais ce que tu fais ? Des mois avec lui, dans le même appartement…"

Pas un instant Jacques ne douta que le ton utilisé au moment de répéter cette question était lourdement désapprobateur.

Les journées se succédaient exactement comme Jacques l'avait prévu. Quatre jours par semaine, il montait dans la voiture de Diane afin de se rendre rue Watt. Le travail de recherche ne s'avérait pas trop compliqué. Juste long et souvent très ennuyant. Ce jour-là, en montant dans l'auto en fin de journée, Diane annonça :

— J'aimerais arrêter au Centre pédagogique. Je manque de fiches et de papier.

Le Centre pédagogique était une « procure », un endroit où se procurer du matériel scolaire : des manuels, des cahiers, des crayons, des enveloppes, du papier. Pour des étudiants au doctorat, les fiches représentaient un matériel de base : elles faisaient trois pouces sur cinq, quatre sur six ou cinq sur huit, selon la quantité d'informations à y inscrire.

— Comme c'est ta voiture et qu'en plus tu conduis, je te donne la permission, plaisanta Jacques.

Bientôt, ils arpentèrent les couloirs du magasin les bras pleins. En prenant une bouteille d'encre, Jacques remarqua une silhouette familière dans une allée.

— Josiane, tu travailles ici ? dit-il en s'approchant.

Bien du temps avait passé depuis qu'il lui prêtait des livres pour lui permettre de compléter sa culture féministe, et qu'accessoirement ils étaient allés au cinéma ensemble.

— Oui, depuis la fin de mon baccalauréat, dit-elle. En nous souhaitant la bienvenue au début de la première session, monsieur Robert ne nous a pas vraiment mis en garde à propos des emplois disponibles en histoire.

— Le sujet des jobs, c'est un secret bien gardé. Ça découragerait la clientèle.

Elle semblait plutôt intimidée de le voir, comme si son emploi de vendeuse lui faisait honte. Évidemment, elle ne s'était pas inscrite à l'université avec ce projet en tête.

— Toi, tu es toujours au département d'histoire ?

— Oui, toujours. La force de l'habitude, je suppose.

Jacques remarqua que Josiane regardait beaucoup derrière lui. Debout devant une étagère, Diane s'intéressait plus à eux qu'aux objets sous ses yeux. Comme un rappel à l'ordre.

— Je te souhaite une bonne journée, dit-il.

Elle répondit dans un murmure.

— Tu as trouvé ce qu'il te fallait ? demanda-t-il à son amie.

— Oui, on peut y aller.

En démarrant, Diane voulut satisfaire sa curiosité :

— Tu connais cette fille ?

— Toi aussi. Nous l'avons vue pas mal tous les jours dans nos cours pendant trois ans.

— C'est drôle, elle ne me dit rien. Elle devait être bien effacée.

Jacques la regarda du coin de l'œil. Cette attitude l'étonnait un peu. Bientôt, il descendit le long du trottoir de l'avenue Nérée-Tremblay pour se rendre chez lui en traversant la cour du collège St. Lawrence, le cégep anglophone de la ville.

※

Le premier mardi du mois de mars 1979, Jacques célébra son vingt-cinquième anniversaire de naissance. À cet âge, tous les Mansois étaient mariés et, pour la plupart, pères de famille. Chaque fois qu'elle le voyait, sa mère lui dressait la liste des épousailles et des baptêmes survenus dans la paroisse.

Outre les efforts maternels pour qu'il se sente en dessous de tout, lui-même souffrait de n'avoir rien réalisé encore. Rien, sauf noircir des feuilles de papier sur les événements du passé.

※

Dès le lendemain matin, Diane et Jacques se présentèrent à la bibliothèque des sciences humaines. Le jeune homme devait passer à travers les documents de la session sur tout un siècle, et son amie, presque autant. En plus, il existait de nombreuses publications éparses dont il fallait prendre connaissance.

À midi, tous les deux descendirent à la cafétéria située au sous-sol. Dans un coin, des étudiants du département d'histoire avaient réuni deux tables afin de pouvoir se regrouper. Ils se joignirent à eux. Quelques-uns leur étaient déjà familiers, mais la plupart, totalement inconnus. Jacques salua une étudiante – Lyne – d'un mouvement de la tête et lui demanda :

— En as-tu terminé avec les cours de latin ?

Lyne n'avait pas changé depuis l'été précédent, depuis qu'il avait marché à quelques reprises avec elle pour lui éviter de mauvaises rencontres : toute mince, ses cheveux blonds coupés court, une petite paire de lunettes à monture métallique posée sur le nez.

— Personne n'en a jamais fini avec le latin. Mais je pense en savoir juste assez pour terminer mon mémoire de maîtrise.

— Quel en est le sujet ?

— Les inscriptions sur des tombeaux romains de l'Antiquité tardive.

Comme il levait les sourcils, elle expliqua en riant :

— Non, je ne passerai pas des mois à parcourir les campagnes dans les environs de Rome. Tout a été dessiné, photographié, répertorié depuis des décennies, sinon des siècles, dans de grands livres. Il y a de quoi alimenter une armée d'étudiants à la maîtrise. À la fin, ça manque beaucoup de romantisme. Rien qui ressemble à Howard Carter dans la vallée du Nil.

— D'un autre côté, aucune malédiction possible au-dessus de ta tête parce que tu as dérangé la momie d'un pharaon.

Elle s'amusa de sa répartie. Tous les deux avaient partagé les mêmes lectures, à l'adolescence.

— Et toi ? Tu as passé un long moment en France, l'automne dernier.

— J'aurais eu plus de succès si j'avais cherché des inscriptions sur des monuments, dit-il. Je suis revenu bredouille.

Pendant plusieurs minutes, il fut question de ce voyage. Jacques avait sorti son habituel sandwich de son sac de postier. À ses côtés, Diane piochait dans la salade contenue dans son Tupperware. Son humeur était rapidement passée à l'orage. Tout à sa conversation, Jacques ne s'en soucia pas.

En montant l'escalier pour retourner au travail, il entendit :

— Je n'en reviens pas... Te chanter la pomme de cette façon en face de moi !

Jacques s'arrêta, étonné. Diane reprit, avec plus de retenue :

— Je sais qu'entre nous... Mais, franchement, tu as vu comment elle était avec toi ?

— ... nous bloquons le chemin.

Le temps de monter jusqu'à l'étage, il marcha en direction des catalogues de la bibliothèque, mais s'arrêta à mi-chemin.

— Tu n'as pas terminé ta phrase. Qu'y a-t-il entre nous ? Ai-je raté le jour où tu m'as promis une fidélité éternelle ?

— Quand même, ce n'est pas une raison pour faire ça quand je suis là. Elle pourrait montrer un peu de respect...

— Quand on te présente des divorcés maussades, je ne suis pas là. Il y a tout un pan de ton existence auquel je n'ai pas accès, ce que je respecte. Le jour où tu en trouveras un, tout souriant, je ne serai pas là non plus pour t'en faire le reproche.

— Exactement, tu ne seras pas là. Moi, aujourd'hui, j'y étais.

Que répondre à cela ? Pour Diane, cette petite crise de jalousie devant dix témoins, c'était établir le statut de Jacques dans sa vie, une façon de dire « Il est à moi ». Le lendemain, toutes les filles du programme en auraient entendu parler. Et c'était la seconde fois en autant de jours. Une partie de la nuit, il avait longuement ressassé la scène de la veille avec Josiane.

Ce jour-là, s'il avait été seul, aurait-il proposé à Josiane de l'accompagner à nouveau au cinéma, ou ailleurs ? Maintenant, s'il retournait au Centre pédagogique pour l'inviter, que dirait-elle? «Et la vieille qui te surveillait, l'autre jour?» Et s'il redescendait sur-le-champ à la cafétéria pour parler à Lyne? L'accueil ne serait sans doute pas meilleur.

— Je retourne travailler, dit-il avec humeur.

Plus tard, dans le minuscule bureau qu'il occupait à titre d'étudiant au doctorat, il eut du mal à se concentrer sur les clientèles de l'école technique de Québec. Le campus était son seul univers; on saurait maintenant qu'il était «avec quelqu'un». Devrait-il se pointer tous les samedis au Cercle électrique ou au Vendredi 13 afin de faire de belles rencontres sur la piste de ces discothèques?

❀

Jacques préféra se faire discret tout le reste de l'après-midi. Tout de même, il s'étonna de ne pas entendre des petits coups contre la porte. À cinq heures, il ne vit pas Diane. Tant pis! Il se rendit au pavillon Pollack d'un pas vif, pour échapper au froid.

— On ne te voit plus, remarqua Groslouis quand il prit place à la table des vieux garçons à la cafétéria.

— Pourtant, je me suis présenté ici tous les mercredis depuis le début du mois de janvier.

— C'est comme je dis, on ne te voit plus. Avant, c'était tous les jours. Le doctorat avance?

— Lentement. Dans la fable, j'ai hérité du rôle de la tortue.

Pendant un moment, il évoqua ses journées au centre de pré-archivage. Quand Jean-Philippe les rejoignit un peu plus tard, il s'empressa de glisser dans la conversation:

— J'ai reçu les commentaires de Dumont sur mon mémoire de maîtrise. Une fois les corrections terminées, Suzanne a accepté de le mettre au propre.

— Tant mieux ! À cheval entre les deux cycles, ce n'est pas la meilleure situation. Tu sais ce qui arrive à Monique ?

— Elle en est au même point.

Décidément, une rencontre à quatre devait être mise à l'ordre du jour, afin de partager les dernières nouvelles. Ensuite, en retournant vers le pavillon De Koninck, il s'inquiéta de Diane. Ce genre de scène était tout à fait inédit. En s'approchant de la salle où se tenaient d'habitude les réunions du département d'histoire, il l'aperçut un peu à l'écart, visiblement soucieuse.

Elle le vit et se leva rapidement pour venir vers lui.

— Excuse-moi. Tu as raison, c'était une réaction tout à fait déplacée.

Que pouvait-il dire, maintenant ? « Bah ! Ce n'est pas si grave. » Ou alors : « Maintenant, le mal est fait… » Aussi, il demeura silencieux.

— Tu me pardonnes ?

— Le mieux est de ne plus en parler. Nous y allons ?

Il préférait mettre fin à cet échange qui, au bout du compte, les rendait mal à l'aise tous les deux. Une fois assis dans le local, ils eurent du mal à redonner un cours normal à leur conversation. À dix heures, Jacques ramassa ses affaires sans un mot.

— Tu montes avec moi ? dit-elle, visiblement troublée.

— Pourquoi pas ? À cette heure, je ne pense pas que Lyne soit disposée à me parler de ses cours de latin.

Diane garda d'abord le silence, puis elle esquissa un sourire. Pendant tout le trajet jusqu'au pied de l'escalier donnant accès au pavillon Montcalm, elle garda le silence. Quand il fit mine de descendre, elle s'empressa de dire :

— Tu sais, si tu n'étais pas là, je ne suis pas certaine que je serais encore inscrite à l'université.

— Nous nous sommes entraidés depuis le début. Notre rencontre a été providentielle.

Diane parut rassurée. Elle proposa :

— Demain, je te prendrai ici. Ce sera beaucoup plus simple.

Dorénavant, au lieu de l'attendre appuyé contre sa voiture ou dans son appartement, il se planterait dans le hall.

❁

Le jeudi 29 mars, Jacques était penché sur les fiches rédigées au cours de la journée alors que la télé jouait en sourdine. Il écoutait distraitement *Ce soir*, une émission d'affaires publiques. Déjà, il avait appris qu'un accident nucléaire était survenu aux États-Unis, qu'au Royaume-Uni, Margaret Thatcher avait défait le gouvernement travailliste de James Callaghan grâce à un vote de défiance en chambre, et que Trudeau savait depuis 1970 que la Gendarmerie royale du Canada avait commis des crimes pour espionner le Parti québécois.

Très précisément à six heures cinquante-trois, un carton gris apparut, avec les mots BULLETIN SPÉCIAL, puis un journaliste à la mine funèbre annonça :

— Un avion F-27 de la société Québecair vient de s'écraser à l'approche de l'aéroport de L'Ancienne-Lorette...

Évidemment, personne ne savait rien encore sur l'accident, mais n'avoir rien à dire n'avait jamais empêché un journaliste de babiller. Puis il entendit la sonnerie du téléphone.

— Tu as entendu ? dit Diane à l'autre bout du fil.

— Oui, et je pense que l'on n'entendra plus rien d'autre dans les médias au cours des trois prochains jours.

— C'est un vol qui arrivait de Montréal.

— Alors tu en sais plus que moi.

— Ils ont dit ça à la radio. Je suppose que personne n'a survécu.

Dans le passé, pareille nouvelle aurait occupé l'esprit de Jacques pendant une minute, tout au plus. Mais maintenant, il comptait parmi les «voyageurs». Un accident de ce genre pouvait lui arriver.

❀

En mars, Jacques avait reçu un avis lui signifiant une augmentation prochaine de son loyer. Comme les prix étaient partout à la hausse, et que son petit appartement lui paraissait toujours particulièrement charmant, il n'allait pas en chercher un autre.

En avril, c'est avec plaisir qu'il vit revenir le beau temps. Le mercredi 11, au moment de monter dans la voiture de Diane, il lui dit:

— Tout à l'heure, je dois aller voir Dumont.

— Tu as des questions à lui poser sur ta thèse?

— Je tenterai d'en inventer quelques-unes. C'est surtout que je ne voudrais pas qu'il m'oublie.

Selon un principe tout simple: loin des yeux, loin du cœur. Il voulait donc lui faire part de ses progrès, se présenter comme un modèle de détermination. D'autres diraient moins élégamment qu'il se montrait «téteux».

Un peu avant dix heures, il quitta la bibliothèque afin de passer dans le pavillon De Koninck. Le professeur avait laissé sa porte ouverte. En voyant Jacques, il l'invita à entrer:

— Alors, cette thèse?

Jacques parla de ses progrès au centre de pré-archivage ou dans les documents imprimés. Après une demi-heure, il jugea avoir suffisamment donné l'impression d'être un étudiant modèle. Il précisa toutefois :

— Au cours des deux prochaines semaines, je prendrai une pause, car je devrai corriger les travaux des étudiants de monsieur Dagenais.

— À ce propos, penses-tu travailler l'été prochain ? Compte tenu de ton statut de boursier, peut-être préfères-tu te consacrer à ta thèse ?

La question le prit un peu au dépourvu.

— Je n'accepterais pas n'importe quoi, exactement pour cette raison. L'an dernier, monsieur Robson avait laissé entendre que le projet du musée pourrait se poursuivre, mais depuis, je n'en ai pas entendu parler.

— Terry vient justement de me faire savoir que le financement lui a été accordé. Il m'a dit que tu pourrais reprendre exactement là où tu t'es arrêté en août dernier. Je comprends donc que tu es intéressé ?

— Je le suis même beaucoup.

Une nouvelle fois, Jacques lui expliqua combien il appréciait cette possibilité de connaître à fond les archives nationales, et à quel point l'encadrement des étudiants était passionnant.

— Je te donne son numéro de téléphone personnel et celui au musée. Tu pourras lui dire tout ça de vive voix.

— Cette année, monsieur Dagenais jouera un rôle dans le projet ?

— Pas que je sache.

Jacques prit le bout de papier et quitta les lieux avec un sourire aux lèvres.

Depuis la scène survenue à la cafétéria de la bibliothèque des sciences humaines, il subsistait un certain malaise entre Diane et Jacques. Ils continuaient de s'asseoir avec les autres étudiants pour faire la conversation, mais sans s'attarder plus que de raison. Jacques avait l'impression que Lyne posait sur lui un regard moqueur.

Au moment du repas, Diane lui dit :

— Tu es vraiment déterminé à travailler pour le musée tout l'été ?

— Oui.

— Mais ta thèse ?

— Je vais faire une pause. Le salaire sera le bienvenu, tout comme l'expérience professionnelle.

— Aller au centre de pré-archivage toute seule, ce ne sera pas la même chose.

Au sous-sol du musée, il était possible de rencontrer des gens et d'entamer des conversations. De son côté, dans le grand entrepôt du parc industriel, Diane serait vraiment seule.

— Je comprends que ce ne sera pas l'idéal. Au moins, tu pourras te concentrer sur les ressources de la bibliothèque, et même te consacrer aux quelques séries documentaires conservées au musée. Nous pourrons retourner ensemble au centre de pré-archivage en septembre.

Cet ajournement les retarderait tous les deux, mais cela ne porterait pas trop à conséquence.

— Je ne remonterai pas à la bibliothèque avec toi, continua Jacques. Je dois passer à la maison pour téléphoner à mon patron. J'aime autant lui faire connaître mon intérêt le plus tôt possible.

— Tu vas souper chez toi avant de revenir pour le séminaire ?

— Honnêtement, moi et la cuisine... J'aimerais autant aller à la cafétéria.

— Que dirais-tu de La Résille ?

C'est-à-dire là où elle risquait moins de souper au milieu d'un groupe d'étudiants. Jacques donna son accord d'un geste de la tête.

❀

Le sentier longeant le terrain de sport du PEPS était un peu boueux, et la pente permettant de rejoindre le chemin Sainte-Foy, glissante. Au passage, Jacques s'arrêta à l'épicerie du Centre Innovation, afin de refaire ses provisions.

Rendu chez lui, il téléphona à Terry Robson.

— Bonjour, c'est Jacques Charon. Ce matin, j'ai parlé à monsieur Dumont, alors je n'ai pas voulu tarder à vous appeler.

— Ah ! Jacques, ça va ? Tu es bien inscrit au doctorat ?

Pendant un instant, il évoqua son sujet de recherche.

— J'ai contacté Maurice pour vérifier ta disponibilité parce que selon la rumeur, tu te trouvais en France… Donc, tu reprends du service avec moi ?

— Avec plaisir !

— Tu sais si le reste de l'équipe est partante ?

— Je n'ai vu que Gilles Groslouis. Il paraît très bien disposé.

— Reprendre le travail avec les mêmes personnes serait plus facile.

— Je ne suis plus vraiment sur le campus. Depuis mon retour, mes journées se passent dans un entrepôt du parc industriel de Sainte-Foy.

Pendant quelques instants, il l'entretint du centre de pré-archivage. Un sujet qui n'intéressait pas vraiment son interlocuteur.

— Bon… Peux-tu les joindre ?

— Bien sûr. Que dois-je leur dire ?

— Demande-leur de me contacter d'ici deux semaines s'ils sont toujours intéressés. Je te donne les coordonnées de ma secrétaire.

Jacques s'excusa, le temps de trouver un crayon et un morceau de papier.

— Je tiendrai pour acquis que ceux qui ne me donnent pas de nouvelles ne sont pas intéressés, dit ensuite Robson. Maurice m'a transmis quelques noms supplémentaires, ça permettra de combler les absences. Je serai à Québec le dernier week-end d'avril. Comment pourrai-je te joindre ?

C'est avec une certaine satisfaction que Jacques lui donna son numéro de téléphone. Après avoir raccroché, il alla chercher le bottin des étudiants dans sa bibliothèque. Michèle Duquette fut la première à recevoir son appel.

— Michèle n'est pas ici, expliqua la femme qui répondit. Je peux lui faire un message ?

Il s'agissait sans doute de sa mère qui consacrait ses loisirs à peindre des toiles susceptibles de servir pour des cartes de Noël.

— Je m'appelle Jacques Charon, je suis un de ses collègues de l'été dernier. J'aimerais savoir si elle pourra occuper le même emploi à compter du mois de mai.

— Oh ! Je suis certaine que ça l'intéressera.

— Dans ce cas, elle n'a qu'à le faire savoir au musée de l'Homme. Si vous voulez, je vous donne les coordonnées de la personne à qui s'adresser.

En fin d'après-midi, quand elle transmettrait ces informations à sa fille, ce serait en disant : « Quel garçon bien élevé ! » Jacques faisait toujours cet effet aux mamans.

Ce coup de fil lui avait permis de briser la glace. Ensuite, il dressa une liste de tous les employés et chercha les coordonnées de chacun dans le bottin. Il savait d'expérience que ceux qui vivaient dans les résidences seraient difficiles, sinon impossibles à joindre au téléphone. Mieux vaudrait leur envoyer un mot. Il fit ensuite quelques appels.

Après avoir composé les six premiers chiffres du numéro de Charlotte, il raccrocha. Leur relation s'était affreusement détériorée l'été précédent. Comment l'accueillerait-elle ? Pour éviter de lui faire face, de lire son jugement sur son visage, il pouvait toujours ne pas la contacter, et dire à Robson qu'elle n'était pas intéressée.

Mais pareille attitude serait à la fois pusillanime et injuste.

À cinq heures trente, Jacques retrouva Diane au pied de l'escalier conduisant à La Résille.

— Alors, demanda-t-elle tout de suite, tout est réglé ?

— J'ai parlé au patron, qui m'a chargé de contacter les autres. Finalement, j'y ai passé la meilleure partie de l'après-midi.

Son amie parut un peu déçue, comme si elle avait espéré que ce projet tombe à l'eau, finalement. Pendant le repas, elle précisa :

— Tu as raison, autant ajourner les visites au centre de pré-archivage. J'ai contacté Monique. Nous pourrons nous encourager mutuellement durant les longues journées à la bibliothèque ou au musée.

Monique demeurait résolue à faire porter sa thèse sur les écoles normales de filles, ces institutions destinées à former les institutrices laïques. Toutes les deux renoueraient avec la complicité qui leur avait permis de poursuivre des études, six années plus tôt.

❁

Lors du séminaire présenté ce soir-là, Jacques écouta un peu distraitement les exposés présentés par des étudiants. Si l'idée de renouer avec les jeunes chercheurs connus l'été précédent le réjouissait, la perspective de se trouver à nouveau en présence de Charlotte le laissait pensif.

Jugeant improbable, sinon impossible, une relation amoureuse entre eux, il était demeuré affable, attentionné même, sans jamais prendre l'initiative de clarifier la situation. La jeune femme lui avait semblé chagrinée, fâchée, tout en demeurant silencieuse. Cependant, était-ce bien le cas ? Son changement d'humeur n'avait peut-être rien à voir avec lui. Tout cela pouvait aussi être un petit roman qu'il s'était raconté à lui-même.

S'il avait imaginé un intérêt de sa part, cela tenait beaucoup aux paroles de Groslouis, notamment pendant l'expédition à Lac-Mégantic. Cette jeune femme menait très certainement une vie plus intéressante que celle d'un intellectuel impécunieux, mal dans sa peau, honteux de ses origines et inquiet de son avenir.

En rentrant chez lui, il décida de lui téléphoner. Il marcha directement vers le téléphone. La liste des employés était déposée près de l'appareil. Il avait écrit un « Oui » à l'encre rouge près du nom des personnes ayant donné une réponse positive – déjà au nombre de trois – et un point d'interrogation pour celles à qui il n'avait pas parlé personnellement. Cependant, il remit le combiné à sa place sans avoir composé le numéro.

Il utiliserait plutôt le moyen de communication des timides, ou des lâches. Assis à son bureau, il sortit un jeu de fiches cartonnées blanc cassé, des enveloppes assorties et son stylo. Après un moment de réflexion, il commença :

Charlotte,

J'espère que tout va bien pour toi.

Robson vient de m'apprendre que son projet de recherche se poursuivra l'été prochain, du début mai à la fin août.

Comme chez toi personne n'a répondu à mon coup de fil, je t'envoie ce mot.

Si tu veux y participer à nouveau, il faudrait le lui faire savoir. Je te donne les coordonnées de sa secrétaire ci-dessous.

Au plaisir de te revoir peut-être,

Jacques

Une minute plus tard, la fiche était dans une enveloppe, adressée et timbrée. Il reprit ces mots exacts pour celles et ceux qui vivaient en résidence. Ces missives seraient mises à la poste dès le lendemain matin.

Chapitre 25

Le 26 avril, Diane et Jacques avaient dit au revoir à l'employé du centre de pré-archivage, avec la promesse de se retrouver le 5 septembre. « Parce que le 4, ce sera le jour de l'inscription », avait précisé la jeune femme.

— Ben coudon, vous allez me manquer.

L'homme disait sans doute vrai. Ses journées devaient être très ennuyantes à cet endroit.

❁

Le lendemain, Jacques se dirigea vers l'hôtel Hilton. Sa nuit avait été pitoyable, comme cela lui arrivait souvent quand il était anxieux. Sa nervosité tenait à un certain nombre de facteurs, dont l'ajournement de ses recherches doctorales et l'adoption d'une nouvelle routine.

Les étudiants avec qui il s'était entretenu au téléphone avaient tous confirmé leur présence. Michèle avait même contacté la téléphoniste pour obtenir son numéro. Elle avait voulu l'appeler pour le lui dire elle-même, et prendre des nouvelles. Cependant, il ne connaissait pas la réponse de celles et ceux qui avaient reçu un mot de sa part. Certains ne se manifesteraient sans doute pas. Qu'en serait-il de Charlotte ? C'était là sa préoccupation première.

Parce qu'il avait amplement le temps, et que la marche avait la vertu de lui calmer les nerfs, il décida de faire le trajet à pied. Il se trouvait boulevard Saint-Cyrille, à la hauteur du Grand Théâtre, quand il aperçut une silhouette familière. Charlotte s'arrêta net, puis traversa le boulevard en diagonale pour s'engager dans la rue De la Chevrotière.

— Elle ne m'a sans doute pas vu, grommela-t-il sans y croire.

Peu après, il retrouva Terry Robson dans une salle réservée par ses soins à l'hôtel. Après l'échange d'une poignée de main, Jacques occupa la chaise située en face de son patron.

— Ça va?

— Plutôt, oui. Je suis content de retrouver ce travail.

— Et moi, de te retrouver; alors tout est pour le mieux. Finalement, je devrai embaucher quatre nouvelles personnes. Trois n'ont pas donné suite au mot que tu leur as envoyé, et une a dit ne pas être intéressée.

Le regard de Robson avait quelque chose d'intrigant.

— Charlotte? Je l'ai aperçue boulevard Saint-Cyrille en venant ici. Je ne comprends pas... elle a changé de trottoir pour ne pas me croiser.

— Sérieusement? Jacques, es-tu niaiseux à ce point, ou tu fais semblant?

Le jeune homme parut si secoué que son interlocuteur se sentit mal à l'aise.

— Écoute, je n'aurais pas dû te dire ça, ce n'est pas mon affaire. Mais l'an dernier, elle paraissait très entichée, et toi tu es parti en France avec une autre. Penses-tu qu'elle a envie de te voir tous les jours pendant les quatre prochains mois? Au lieu de parler à ma secrétaire, elle a préféré me le dire en personne.

Pour expliquer ses motifs, afin de ne pas laisser un mauvais souvenir à un employeur. Elle savait protéger ses arrières. Jacques se donna le temps de réfléchir, puis commença :

— J'ai éprouvé beaucoup de plaisir à l'avoir parmi le personnel, l'an dernier. Mes rapports avec elle ont toujours été cordiaux. J'ai bien remarqué aussi que cette estime était réciproque. Toutefois, je n'ai jamais dit ou fait quoi que ce soit pour amener la relation à un autre niveau. Ne serait-ce que parce que je projetais de partir avec quelqu'un d'autre, justement.

Inutile de préciser à Robson que son premier motif était infiniment moins élégant : il jugeait que les princesses de Sillery étaient hors de sa portée.

— Bon, je veux bien te croire. Son point de vue sur les événements diffère un peu, cependant.

— Je n'en doute pas. Dans ce cas, c'est à moi qu'elle aurait dû parler de cette situation. Pas à mon patron. Enfin, pas en premier.

Une conversation que jamais Jacques n'avait tenté de provoquer. Il continua :

— Toutefois, c'est injuste qu'elle se prive de cet emploi, s'il l'intéresse. Je lui parlerai. Sommes-nous obligés de la remplacer aujourd'hui ?

— J'avais prévu rencontrer des candidats lundi prochain. Si jamais elle change d'avis, qu'elle me le fasse savoir.

À son ton, Robson trouvait visiblement improbable un développement de ce genre. Il fouilla dans son joli sac de postier en cuir et sortit deux liasses de feuillets pour les lui tendre.

— Si nous étions dans l'armée, on appellerait ça des *marching orders*. Le premier document te concerne.

Jacques comprit tout de suite le sens de l'expression. Le fonctionnaire avait préparé une liste détaillée des tâches à effectuer. La première ligne était très laconique : « Guider les étudiants et répondre à leurs questions. » Ensuite venait : « À titre indicatif seulement. » Suivait une liste des journaux publiés à Québec depuis 1760. Elle commençait par *La Gazette de Québec – The Quebec Gazette* en 1764, pour s'arrêter en 1900. Robson avait très sérieusement augmenté l'ampleur de sa tâche depuis août dernier.

— Tu lis tout ce que tu pourras lire au cours de l'été, et tu prends en note tout ce qui concerne les conflits de travail et les associations de travailleurs.

Ensuite, pendant une heure, ils abordèrent le contenu de la seconde liasse : la description des tâches de chacun des employés. Pour la plupart des anciens, il s'agissait simplement de poursuivre le travail amorcé l'année précédente. Et ceux qui s'aventureraient dans de nouveaux territoires demanderaient un encadrement plus attentif.

❁

Dire à son patron qu'il parlerait à Charlotte était une chose, le faire en était une autre. À ce jour, plusieurs conversations avaient intimidé Jacques, mais aucune autant que celle-là. Pourtant, il marcha vers la rue Fraser d'un bon pas, comme on se jette à l'eau.

Devant la porte, il appuya sur le bouton de la sonnette. Comme dans beaucoup de logements situés à l'étage, une corde permettait d'actionner le verrou sans descendre. Après le déclic de la serrure, il poussa la porte. Charlotte se tenait sur le palier.

— Qu'est-ce que tu fais là ? demanda-t-elle après une hésitation.

— J'aimerais te parler un instant.

— Je n'ai rien à te dire. J'ai dit à Terry que je ne voulais pas travailler pour lui, cet été.

Elle l'appelait par son prénom, comme on le faisait avec un homme assez familier pour lui confier ses états d'âme.

— Je sais, je sors de son bureau. Enfin, de son bureau à l'hôtel. Après la conversation que j'ai eue avec lui, je dois en avoir une avec toi. Le mieux serait de nous asseoir sur un banc, dehors. Tu sais, ceux près du musée.

Elle secoua vivement la tête. Il ne pouvait l'entraîner de force.

— Ça va prendre quelques minutes. Je trouve ça tellement injuste que tu te prives de cet emploi.

Finalement, elle se laissa convaincre. Jacques s'effaça pour lui permettre de sortir. C'est en silence qu'ils se dirigèrent vers les Plaines. Bientôt, ils occupèrent un banc sous les arbres. Après un silence embarrassé, il commença :

— Robson m'a dit que tu refusais de te joindre à l'équipe à cause de moi. Parce que je t'ai blessée. Je le regrette. Il m'a dit aussi que tu ne souhaitais pas m'avoir sous les yeux pour les mois à venir. Mais ça ne sera pas comme l'an dernier : je travaillerai surtout à la bibliothèque de l'Assemblée législative.

— Je ne sais pas...

— Tu ne vas pas laisser ma présence, ou mon absence, décider de ton statut professionnel...

C'était la mettre face à ses contradictions. L'année précédente, elle avait beaucoup insisté sur son désir de faire carrière.

— Pourquoi m'as-tu fait ça ? Ta façon de te comporter avec moi... Et puis tu es disparu.

— Tu me plaisais... tu me plais beaucoup. Mais comme ça ne menait nulle part, j'ai préféré prendre mes distances pour ne pas te faire perdre ton temps.

— Je te plais et tu pars avec une autre ?

— Jamais je n'ai dit une parole qui ressemblait à un engagement. Je ne t'ai pas menti, je ne t'ai pas trompée.

Charlotte le regarda longuement, visiblement blessée.

— Tout le monde a compris, sauf toi!

Lui aussi avait compris. L'admettre ne ferait qu'ajouter à la blessure.

— J'ai peut-être deviné… Tu ne me l'as pas dit.

— C'est à l'homme à dire ces choses-là.

Ces jeunes femmes pouvaient prétendre être très modernes, afficher les plus grandes ambitions professionnelles, mais dans certains domaines, la division traditionnelle des rôles les satisfaisait tout à fait.

— Tu as sans doute raison. Écoute, moi je peux te répéter les mêmes mots: tu m'as plu dès le premier jour, mais j'ai bien vite compris que ça ne pouvait mener à rien.

— Comme au siècle dernier. La fille du notaire est trop bien pour le fils du forgeron.

Qu'elle fasse ainsi référence à la série *Les Belles Histoires des pays d'en haut* lui tira un sourire. Peut-être qu'adolescente, elle avait rêvé du beau Florent Chevron.

— C'est pas mal plus complexe. Si un jour tu veux aborder la question plus à fond, je serai d'accord. Cependant, ce ne sera pas aujourd'hui, car tu ne veux plus rien entendre de mes justifications. Tout à l'heure, j'ai demandé à Robson de te garder ton poste. Ce serait gentil de lui reconfirmer ta décision. Je serai heureux de te voir mardi prochain, et je te promets de ne pas t'imposer ma présence.

Charlotte garda les yeux baissés; il était impossible de lire ses émotions. Jacques attendit. Pendant un instant, il eut envie de tendre la main pour effleurer la sienne.

— Je suis désolé de t'avoir blessée.

Puis il quitta le banc pour regagner la Grande Allée. Quand il eut fait quelques pas, elle leva les yeux pour le regarder s'éloigner.

❊

Après sa conversation avec Charlotte, Jacques était rentré à l'université afin de dîner à la cafétéria. Comme il était un peu tard, à son grand soulagement, personne ne vint lui faire la conversation. Ensuite, il retrouva son minuscule bureau – quatre pieds sur six, environ – à la bibliothèque des sciences humaines. Il pouvait laisser là les grandes feuilles sur lesquelles il inscrivait toutes les données relatives à la clientèle de chacune des écoles de métiers et des écoles techniques.

Le travail avait la vertu d'occuper son esprit, de l'empêcher de penser à quoi que ce soit d'autre. Autrement, cette dernière conversation n'aurait cessé de tourner dans sa tête, comme un film en boucle. Pendant huit mois, le souvenir de Charlotte s'était logé dans un recoin de sa mémoire. L'avoir revue la remettait à l'avant-plan.

Dans ces circonstances, mieux valait allonger sa journée de travail. Il rentra un peu avant l'heure de fermeture de la bibliothèque. Le lendemain, samedi, il recommença le même scénario, sans rien y changer. Il comptait parmi ces gens dont la productivité connaissait une extraordinaire embellie quand leur vie affective s'appauvrissait.

❊

Le dimanche matin, assis en tailleur sur le plancher de son salon, Jacques feuilletait l'édition du *Soleil* et de *La Presse* de la veille. Depuis son inscription au doctorat, son habitude de faire une lecture très attentive des cahiers « Carrières et professions » prenait une nouvelle importance.

Quand la sonnerie de son téléphone se fit entendre, il décrocha pour entendre la voix de Diane :

— Tu deviens difficile à joindre. J'ai téléphoné à quelques reprises, hier.

— Étant donné que le travail pour le musée commencera dès mardi prochain, j'ai voulu donner un coup de collier avec mes statistiques.

— Même en soirée ?

— Oui, même en soirée. Comme nous n'avions rien de prévu, c'était une façon utile de passer le temps.

Diane demeura silencieuse. Bon prince, Jacques ajouta :

— Cela dit, c'est vrai que ça devient un problème… Jeudi prochain, en revenant du travail, je passerai chez Radio Shack pour acheter un beau répondeur automatique. À l'avenir, tu pourras me laisser un message en me précisant quand je pourrai te rappeler. Ce serait dommage de te tirer du lit.

— Je pourrais m'en acheter un aussi. Nous ne nous voyons plus tous les jours de la semaine. Tu es toujours disposé à faire quelque chose cet après-midi ?

— Bien sûr.

— Dans ce cas, viens me rejoindre vers une heure, nous pourrons regarder le journal ensemble et voir ce que nous aurons envie de faire.

Jacques pouvait déjà le deviner : ils verraient probablement un film au cinéma, souperaient chez elle et passeraient au lit.

❀

Le lendemain matin, contrairement à son habitude les jours où tous les deux prenaient congé, Diane se leva tôt pour s'empresser de passer dans la salle de bain. Quand elle vint rejoindre Jacques dans la cuisine, le café était prêt.

— J'ai l'impression de te chasser, dit-elle en se versant une tasse, mais comme tu sais, Mirabel est assez loin. En plus, je dois aller chercher Julie avant de prendre la route.

Elle occupa une chaise en face de la sienne. Ce jour-là, le 30 avril, elle devait monter à bord d'un avion pour la Martinique. Il s'agissait du fameux voyage des «joyeuses divorcées», annoncé dès le mois de décembre précédent. Plutôt que de prendre l'autobus, elle avait décidé de laisser sa voiture dans le stationnement de l'aéroport.

— Je sais, tu m'as tout expliqué hier. Pour te laisser préparer tes valises en paix, je vais prendre ma douche chez moi. D'ailleurs, autant partir tout de suite.

— Voyons, on peut partir ensemble tout à l'heure.

— Non, je vais te retarder, dit-il en quittant sa place.

Elle se leva, incertaine. Il se pencha pour l'embrasser.

— Alors je te souhaite un vol sans histoire, et beaucoup de soleil.

— Toi, as-tu des plans?

— Aujourd'hui, je dois me rendre au musée pour préparer la journée de demain. Ensuite, je m'occuperai de ma petite famille de chercheurs. Ce soir, je passerai par le campus pour manger à la cafétéria et travailler un peu.

Diane le raccompagna jusqu'à la porte.

— Je te téléphonerai dès mon retour.

⚘

Puisque, pour le premier jour de son emploi, Jacques devait se rendre au musée, mieux valait prendre l'autobus à l'intersection de la rue du Séminaire et du chemin Sainte-Foy. Comme l'année précédente, il descendit au coin de la rue Cartier et continua à pied jusqu'à sa destination.

Il avait demandé à Robson de suggérer à tout le monde de se réunir dans la salle commune. À son arrivée, il aperçut des visages connus, et quelques-uns qui ne l'étaient pas.

— Jacques! Heureux de nous retrouver? lança Michèle.

Elle quitta sa chaise pour l'accueillir et tendit la joue pour recevoir une bise. C'est un peu embarrassé par sa timidité qu'il s'exécuta. Un instant, il la soupçonna de vouloir s'amuser un peu de son inconfort. Mais le sourire de son interlocutrice paraissait tout à fait sincère, aussi il repoussa ce vilain soupçon.

— Beaucoup! D'autant plus que j'ai passé les derniers mois dans un entrepôt poussiéreux.

Heureusement, moins expressifs, les autres se contentèrent de poignées de main. Michèle lui présenta les nouveaux venus: Claude, un jeune homme blond et barbu, dont les cheveux balayaient les épaules, Jules, grand, glabre et arborant une coiffure susceptible de plaire à toutes les mères un peu conservatrices, et finalement Denise, une châtaine au moins aussi timide que lui.

Quand il fut assis, Michèle dit:

— Comme ça, Charlotte se joindra finalement à nous?

Ainsi, toutes les deux avaient gardé contact. Jusqu'où étaient allées les confidences entre elles?

— C'est bien l'impression que j'ai eue vendredi dernier, mais elle devait encore parler à Robson. Alors tu en sais plus que moi.

Il manquait encore trois membres de la petite équipe. Bientôt, ils arrivèrent ensemble. Comme Jacques serra la main aux deux premiers, Charlotte ne pouvait se dérober.

— Je suis content de te voir, dit tout bas le jeune homme.

La réponse se perdit dans un murmure. Ensuite, quand ils furent tous assis, il commença:

— Ceux qui étaient là l'été dernier connaissent la routine. Hier, j'ai demandé que l'on prépare les documents à votre intention. Les nouveaux, placez-vous dans la dernière rangée de sièges, je m'occuperai de vous.

La petite troupe se déplaça ensuite vers la salle de consultation. Groslouis s'arrangea pour se trouver près de Jacques.

— Vous vous êtes réconciliés ?

— Il serait plus exact de dire que nous nous sommes expliqués.

Jacques accéléra ensuite le pas afin de ne plus rien entendre à ce sujet. À son grand soulagement, les nouveaux ne parurent pas dépassés par la tâche attendue d'eux. N'empêche, il passa la matinée à leur donner des directives.

À midi, ils se retrouvèrent dans la salle commune. Jacques mangea son sandwich tout en répondant aux questions sur son expédition française. Personne n'évoqua sa compagne d'aventure. Charlotte demeura silencieuse, concentrée sur son repas. Cependant, ses regards exprimaient son incertitude. Comme si elle n'était pas sûre d'avoir bien fait de revenir.

✿

À la fin de la journée, Jacques monta dans l'autobus numéro 11 en compagnie de Groslouis. Ce dernier commenta d'une voix chargée d'ironie :

— Ça me fait plaisir de travailler encore avec ce groupe. En plus, nous avons eu une augmentation de dix cents !

— Je ne veux pas t'amener à chercher un meilleur emploi, mais dix cents, ça donne une augmentation de moins de trois pour cent. C'est moins que l'inflation.

Face aux difficultés économiques, en particulier au chômage des jeunes, le Parti québécois avait résolu de limiter l'augmentation du salaire minimum. Dans ce contexte, le pouvoir d'achat des plus pauvres tendait à baisser.

— Toi, tu sais comment motiver tes employés.

Ils descendirent à l'arrière du pavillon Lemieux, puis allèrent directement à la cafétéria. Alors qu'ils faisaient la queue, un plateau dans les mains, Groslouis observa :

— Pour un gars qui a un appartement, tu te retrouves souvent ici.

— Les vieilles habitudes ont la vie dure. En plus, c'est à deux pas.

En fait, cela lui permettait surtout de voir du monde.

❀

Le lendemain, Jacques jugea que l'équipe de recherche pourrait se passer de ses précieux conseils pendant une matinée complète. Aussi, plutôt que de descendre à l'intersection de la rue Cartier, il continua jusqu'à l'édifice Pamphile-Le May où se trouvait la bibliothèque de l'Assemblée. Il s'agissait d'une belle bâtisse de pierre située juste au nord de l'Assemblée nationale. D'ailleurs, au moment de se rendre à l'entrée principale, il vit le ministre de l'Agriculture, le coloré Jean Garon, descendre de sa limousine de fonction.

La bibliothèque devait permettre aux députés de trouver la documentation nécessaire à la poursuite de leurs travaux. La sécurité était pourtant très relâchée. À l'entrée, un gardien débonnaire jeta un coup d'œil distrait sur le contenu de son sac de postier. L'endroit était délicieusement vieillot, avec ses rayonnages de bois et ses escaliers de fonte. Il descendit vers le sous-sol, là où se trouvaient les collections de journaux et le service de photocopie. Son travail d'historien semblait devoir le condamner à ne jamais voir la lumière du jour. La salle de lecture était meublée de longues tables, et à sa gauche, les numéros récents de très nombreux journaux ou périodiques garnissaient des étagères métalliques.

Il commença par consulter un catalogue, puis demanda à un employé de lui apporter les plus anciens numéros de *La Gazette de Québec – The Quebec Gazette* qui étaient réunis dans de grands volumes reliés. Chaque numéro comptait quatre pages – une grande feuille pliée en deux. Très vite, il fut évident que les informations sur les organisations de travailleurs, ou les conflits de travail, étaient rarissimes. Tout de même, l'exercice lui permettait de glaner une foule de renseignements sur la vie quotidienne des habitants de la ville à la fin du dix-huitième siècle.

À midi, il prit un numéro ancien de l'hebdomadaire *Nouvelles Illustrées*, pour le feuilleter tout en mangeant son sandwich. Ensuite, jugeant que ses employés devaient avoir épuisé leur réserve d'autonomie professionnelle, il se dirigea vers le musée. Quand il entra dans la salle de consultation, il les retrouva tous à l'œuvre. Au second jour, l'absence du chat n'avait pas jeté les souris dans la délinquance. Cela dit, dans certains regards, il perçut un appel à l'aide.

Celui de Charlotte lui parut illisible, mais ses lèvres montraient quand même l'ébauche d'un sourire.

❁

Jacques ne s'ennuyait jamais vraiment. Il remplissait les vides de son existence avec un travail acharné. Cependant, en ce lundi 14 mai, il était fébrile. Diane devait revenir ce jour-là. Il avait hâte à l'appel promis en soirée.

Après avoir mangé à la cafétéria, il rentra bien vite à la maison, en se disant que si elle lui faisait faux bond, il en serait quitte pour une douche très longue et très froide.

Un peu après huit heures, quand il décrocha après une première sonnerie, une voix joyeuse lui dit :

— Ça te tente d'avoir de la visite ? J'irais te voir tout de suite.

— Je n'avais pas l'intention de sortir. Je t'attends.

— J'arrive !

Compte tenu de la distance entre leurs deux appartements, il entendit la sonnette de la porte quatre minutes plus tard. En ouvrant, il la trouva souriante, très souriante même, et très bronzée.

— Entre.

La chaleur du baiser laissait présager que son problème d'excitation de la journée trouverait sa solution. Quand elle fut assise dans le salon, il demanda :

— Je peux t'offrir de quoi boire ?

— Je suppose que tu n'as pas de petits cocktails des îles.

— Je ne suis jamais allé dans les îles. Cependant, j'ai quelques bouteilles pour la visite. Rhum, whisky, gin, cognac...

— Je suis impressionnée. Tu as du Coke ?

— Toujours.

— *Cuba libre*.

Parce que Jacques ne comprit pas de quoi elle parlait, Diane prit le temps de le lui expliquer. Ensuite, ils s'installèrent au salon.

— J'ai monté ma valise et je t'ai téléphoné. Je porte toujours les vêtements que j'ai mis ce matin avant de partir.

— Tu as aimé ton voyage ?

— Beaucoup ! Se lever pour aller déjeuner, quitter la table pour aller sur la plage, quitter la plage pour aller dîner... Tu comprends l'idée ?

— Ça me paraît manquer un peu de musées et de cathédrales.

Dans l'esprit de Jacques, voyager, c'était aller en France afin de se construire une culture. Ou au Royaume-Uni, ou en Allemagne, ou ailleurs.

— Tu n'as jamais fait ça, prendre des vacances pour te reposer ?

— Jamais.

— Nous pourrions peut-être profiter d'un long week-end pour aller à Ogunquit... Si c'est à petite dose, je suppose que tu ne seras pas trop traumatisé par un vrai moment de repos.

Ils firent l'inventaire des longues fins de semaine de l'été susceptibles de permettre de réaliser une expédition de ce genre. Puis il demanda :

— L'autre joyeuse divorcée a-t-elle apprécié aussi ?

— Oui. En tout cas, je pense. Elle célébrait la fin des procédures de divorce. Tu sais que les miennes doivent commencer le mois prochain ?

Il hocha la tête.

— Tu crois que ça pourrait s'envenimer ?

— Honnêtement, je ne sais pas. J'entends tellement d'histoires d'horreur. D'un autre côté, il a été très correct lors de la séparation.

Ils en vinrent à parler de la Martinique, de la vie là-bas. Diane portait une robe soleil largement décolletée et son sourire était invitant. Autour de son cou, un collier de nacre permettait d'apprécier encore plus son hâle. Jacques déposa son verre sur la table au bout du canapé et se pencha pour lui embrasser la naissance de la poitrine.

— La journée a été longue. J'aimerais prendre ma douche, avant.

— Nous pourrions la prendre ensemble, histoire que personne n'oublie de savonner un petit coin.

— Tu es très serviable.

Quand il la rejoignit derrière le rideau, il commença par éclater de rire. La différence entre la peau exposée au soleil et celle qui ne l'avait pas été donnait l'impression qu'elle portait un bikini blanc.

— Je n'avais jamais autant réalisé combien j'apprécie le blanc.

❀

Il n'y a rien comme une période de carême pour accroître l'appétit. Le lendemain, ils s'attardèrent longuement au lit. Après un autre passage sous la douche, Jacques offrit :

— Que dirais-tu d'aller déjeuner au Marie-Antoinette ?

— Mais ton travail ?

— Je ne compte jamais mes heures, ce qui signifie que j'en fais toujours plus que celles qui me sont payées. C'est comme pour les gens qui achetaient des indulgences, il y a quelques siècles. Alors je peux arriver plus tard.

— J'ai encore les mêmes vêtements qu'hier…

Sa coquetterie tira un éclat de rire à son compagnon.

— Je peux toujours te prêter l'un de mes sous-vêtements, mais honnêtement, moi je sais que tu es toute propre.

❀

En fin de matinée, plutôt que de se rendre à la bibliothèque de l'Assemblée législative, Jacques descendit au musée. À cause de son déjeuner tardif, il arriva alors que ses employés se réunissaient dans la salle commune pour dîner. Il prit place à table pour participer à la conversation. Marie lui demanda :

— Tu as vu la publicité dans *Le Soleil* à propos du film *Molière* qui sera présenté au Grand Théâtre ?

— Oui. Je me demande cependant si c'est la meilleure place pour voir un film.

— Compte tenu de sa longueur, ça sera peut-être plus confortable ?

— Siège pour siège, je préfère le Capitole.

Pendant un moment, les étudiants se livrèrent à une savante comparaison du degré de confort des divers cinémas. Puis Charlotte demanda :

— Tu es déjà allé dans la grande salle du Grand Théâtre ?

Après deux semaines, pour la première fois, elle lui adressait directement la parole.

— Oui, dans la grande et la petite. J'ai vu un spectacle de Monique Leyrac dans la petite, mais d'habitude, je vais dans la grande.

— Que vas-tu voir ?

— Depuis mon arrivée à Québec, j'achète des séries de billets pour l'orchestre symphonique. Les prix offerts aux étudiants sont intéressants, mais je me retrouve dans des endroits où la vue n'est pas la meilleure.

— Mes parents aussi prennent des billets de saison. Je devrais faire un effort, au lieu de me contenter des Bee Gees.

Il comprit l'allusion à la chanson *Night Fever*, à l'invitation muette à danser chez Bertrand Péladeau.

— Moi aussi je préfère les Bee Gees, lança Jules Garneau.

Il se leva pour se déhancher en chantonnant *Night Fever*. Il n'aurait pas laissé Charlotte danser seule, lui...

Chapitre 26

Déjà, on était rendu à la mi-juin. L'été 1979 était très différent du précédent, au point où Jacques regrettait parfois un peu d'avoir repris du service pour le compte du musée de l'Homme. Son plaisir, en 1978, tenait à l'évidence beaucoup à la compagnie quotidienne des membres de son équipe. Celle d'une personne en particulier. Et son déplaisir, cette année-là, à l'éloignement de la même personne. Pourtant, un modus vivendi très satisfaisant s'était établi entre eux.

Ce fut après six semaines de travail que Jacques renoua avec une bonne habitude. Arrivé en fin d'après-midi pour s'assurer que personne n'avait besoin de son aide, il voulut conclure cette visite par un arrêt dans les salles d'exposition du musée. L'invasion des petits bronzes de Laliberté s'était terminée en même temps que sa rétrospective, mais on pouvait toujours contempler l'une des acquisitions les plus récentes: *Pangnirtung*, le grand tableau de Jean-Paul Riopelle.

Assis devant la grande toile, il tira malgré tout un plaisir mitigé de l'expérience. Cela lui rappelait trop ses conversations avec Charlotte, un souvenir qui alimentait son vague à l'âme. Puis il eut une impression de déjà-vu: la jeune femme vint s'asseoir avec lui sur le banc. Ils échangèrent un sourire timide.

— Je voulais te parler… te remercier. Tu as eu raison de me convaincre de revenir ici. J'aime ce travail.

— J'en suis heureux. Je trouvais ça trop bête que tu t'en prives à cause de moi.

Il la regarda un instant, puis détourna les yeux. Mieux valait demeurer prudent pour ne pas renouer avec les mêmes sentiments.

— Ce n'est plus utile. Tu ne devrais plus chercher à m'éviter… Tu sais que Michèle veut recommencer dès demain les dîners du vendredi ?

— Oui. Groslouis a plaidé sa cause avec talent. Tout de même, c'est un peu tôt dans la saison, il va faire froid…

— Tu viendras ?

— Si tu crois…

Elle hocha la tête pour signifier son accord. Ensuite, Charlotte se perdit dans la contemplation de *Pangnirtung*. Jacques se doutait bien que cette conversation n'était pas terminée, aussi il attendit.

— J'aimerais t'écouter, sur tes raisons…

La jeune femme n'osa pas aller plus loin.

— Tu as raison, il faudrait en parler. Maintenant, je dois rentrer chez moi, et de toute façon j'aimerais penser un peu à la façon de dire les choses… Ce n'est pas simple. Mais que dirais-tu d'en discuter demain après le pique-nique ? Si tu n'as pas d'engagement, bien sûr.

— Non, non, je suis libre.

Cette fois, il se leva en murmurant: «Je dois y aller.» Charlotte lui demanda :

— Tu veux marcher un peu avec moi ?

Comment résister à ce ton et à ces yeux ? Il accepta d'un geste de la tête. Ils suivirent la Grande Allée en parlant du beau temps, puis se séparèrent à l'intersection de la rue De Bourlamaque avec un échange d'au revoir.

Jacques descendit de l'autobus numéro 11 derrière le pavillon Lemieux et emprunta un sentier pour se rendre au pavillon Pollack. La terrasse dans le stationnement était ouverte depuis le lundi, une preuve évidente de l'arrivée du beau temps.

Il rejoignit Groslouis et Jean-Philippe, le temps de les saluer et de déposer son sac, ensuite il se rendit au comptoir afin de commander un hamburger. À son retour, il commença en disant à Groslouis :

— Ne me laisse pas partir sans avoir payé ma quote-part pour le lunch de demain.

Gilles le regarda, surpris.

— Tu seras là ?

— J'ai reçu la permission. C'est quelque chose comme une indulgence pontificale.

Mieux valait crâner que de s'étendre sur ses sentiments mitigés à l'idée de côtoyer Charlotte à nouveau dans ce contexte. Jacques se demandait souvent ce qui se racontait dans le groupe sur son compte, en son absence – et en l'absence de Charlotte. Il devait y avoir un récit pour les oreilles masculines, et un autre pour les oreilles féminines.

Ou peut-être que cela n'intéressait absolument personne. Désireux de ne pas s'attarder plus longuement sur ce sujet, il reporta son attention sur Jean-Philippe et lui dit :

— Comment ça se passe, ton travail ?

— Bien. Maintenant, c'est vrai : je travaille à la fois pour moi, je veux dire pour mon doctorat, et pour Aubut, sans avoir l'impression de négliger quelque chose.

Il évoquait son mémoire de maîtrise. Son nouveau diplôme se trouvait dans sa chambre dans un porte-document rouge vif aux armes de l'Université Laval. Puis Groslouis murmura :

— Tiens, la duchesse de Langeais et sa demoiselle de compagnie.

Jacques suivit son regard pour voir qui il regardait. Plutôt qu'une incarnation de la *drag queen* de Michel Tremblay, il vit une très jolie rousse aux cheveux coupés court. Elle portait une robe soleil avec des bretelles aussi fines que des ficelles. Et à ses côtés, une fille du même âge, pas très grande, pas tout à fait mince, et aux cheveux bouclés.

Groslouis s'était levé à demi pour leur faire signe.

— Je pense que vous avez connu Jacques dans le cours de Dagenais, dit-il. Il étudie au doctorat.

— Oui, nous l'avons connu comme correcteur.

— Jacques, continua Groslouis, je te présente Béatrice Grenier et Ginette Perreault. Elles commenceront leur troisième année en septembre.

— Vous êtes inscrites à un cours d'été ? demanda Jacques.

— En histoire médiévale. C'est pour alléger un peu la prochaine année, expliqua la rousse.

— L'histoire des intellectuels au Moyen Âge, je parie.

Elle dit oui d'une inclinaison de la tête, un peu rieuse.

— Et puis ? s'enquit Jacques.

— Il nous a été conseillé par des étudiants qui l'ont suivi l'an dernier, et qui nous ont vendu le livre pour cinq dollars.

Le livre dont le professeur reprenait les chapitres l'un après l'autre.

— Ça convient très bien pour un cours donné en trois semaines au rythme de trois heures tous les jours, expliqua la demoiselle de compagnie.

Le sujet des cours faciles, et de ceux qui l'étaient moins, les occupa pendant un moment. Béatrice surveillait discrètement sa montre, pour dire bientôt en se levant :

— L'autobus sera là dans deux minutes. Alors, bonne soirée.

Quand elles marchèrent vers l'abribus, Jacques les suivit des yeux. C'était une très jolie fille, cette rousse.

— C'est tout de même curieux que je ne l'aie jamais remarquée jusqu'à maintenant, murmura-t-il.

— Pourtant, elle te connaît comme un correcteur sévère.

— Mais elle n'est pas venue se plaindre de sa note. Je ne l'aurais pas oubliée.

❀

Malgré un sol un peu humide et froid, l'ambiance s'avéra très agréable pendant le pique-nique. Cette fois, Jacques ne fit aucun effort pour s'asseoir près de Charlotte, une attitude réciproque. C'est donc près de Marie et d'un nouvel employé qu'il se retrouva, à parler littérature. La première se passionnait de plus en plus pour le théâtre, le second, Claude, avait publié un petit recueil de poèmes aux Éditions de la Basoche.

Pourtant, ce sujet très sérieux connut une éclipse. Jacques vit le regard de Marie s'attarder sur un jeune homme qui parcourait les allées au pas de course, torse nu.

— Lui, j'y ferais pas mal.

La remarque lui tira un sourire. Il s'agissait d'un athlète musclé, le ventre présentant un *six pack* très susceptible de faire honte à quatre-vingt-quinze pour cent de ses congénères. Le joggeur se trouvait à une vingtaine de pieds quand une voix se fit entendre :

— Marie, c'est à lui que tu ne ferais pas mal ?

Jules Garneau, l'un des trois nouveaux employés, avait parlé assez fort. Un grand escogriffe au sens de l'humour un peu décapant. Le coureur s'arrêta pour s'approcher et demander :

— Qui est Marie ?

Tous riaient franchement alors que les joues de la principale intéressée tournaient au cramoisi.

— C'est toi ?

— Ils sont incorrigibles, surtout celui-là, se défendit Marie.

Toutefois, elle n'arrivait pas à ressentir une véritable colère envers Jules.

— Tu viens marcher un peu ?

Marie accepta l'invitation et peu après, ils s'arrêtèrent sous un arbre pour poursuivre la conversation. Elle revint avec un sourire satisfait. La scène avait visiblement flatté son ego. Ensuite, les étudiants se dispersèrent. Charlotte ne quittait pas Jacques des yeux depuis un moment, alors il proposa :

— Nous pourrions nous approcher du fleuve.

— Ou aller chez moi ?

— Je préférerais un endroit neutre.

La jeune femme donna son assentiment d'un geste de la tête.

✿

Le parc des Champs-de-Bataille était traversé par des allées, certaines assez larges pour permettre le passage d'une voiture, les autres étroites, pour les piétons ou les bicyclettes. Ils s'assirent sur un banc face au fleuve et se placèrent de biais, afin de pouvoir se regarder.

— Tu connais le contexte de pauvreté dans lequel j'ai grandi...

— Tu penses vraiment que pour moi, ça fait une différence ? Que je méprise tous les gens qui sont nés en dehors de Sillery ?

— Non, je ne pense pas. Le problème, ce sont mes émotions à moi, pas les tiennes. J'en suis resté marqué. Je crains qu'à cause d'une seule seconde d'inattention, la moindre faute de goût me renvoie dans le fond de mon rang. C'est une source d'anxiété qui ne fait pas de moi un gai luron.

Mais était-ce si rebutant? Après tout, on ne comptait plus les films américains évoquant les *self-made-men*. Des femmes pouvaient même admirer le gars qui tentait de s'en sortir à la force de ses bras.

— Me laisser approcher, c'est laisser voir toutes les meurtrissures dues à mon passé. La pauvreté, pas juste matérielle, mais affective...

À ce rythme, ils seraient encore là dans trois jours. Il plongea :

— J'ai été élevé par un père qui violait ma sœur, et par une mère qui le laissait faire.

Charlotte demeura interdite, comme si quelqu'un lui avait jeté un seau d'eau froide en plein visage.

— Peux-tu imaginer le climat dans la maison? La tension dont je ne comprenais même pas la raison?

La jeune femme secoua la tête. Elle ne le pouvait pas. Il crut bon d'enfoncer son clou :

— Tu m'as plu dès le premier jour avec tes deux dessins. Je les ai toujours... Mais penses-tu qu'à la maison j'ai appris comment les choses se passent entre gens normaux? À force de craindre de faire un geste déplacé, je reste passif. Si tu avais pris les devants...

— Cette femme, elle a pris les devants?

Bien sûr, avec Diane, il ne s'était pas montré si timide. Depuis quand connaissait-elle son existence? Peut-être l'avait-elle aperçue au musée. Ou alors Groslouis la lui avait décrite.

— Non, elle n'a pas pris les devants, admit-il avec un sourire. Cependant, j'ai entendu une conversation qui m'a rendu un peu audacieux.

— Une conversation?

— C'était une indiscrétion de ma part. J'ai écouté aux portes.

Après un silence, il dit encore :

— Je sais, je suis ridicule. Je crains d'être meurtri au point d'être infréquentable. Parce que je n'aurais pas supporté que tu m'envoies au diable, je me suis tu. C'est un peu plus compliqué que l'histoire de la fille du notaire et du fils du forgeron.

Charlotte lui présentait de grands yeux noirs, sa lèvre inférieure tremblait légèrement.

— Je ne saurais pas comment être plus clair avec toi, à moins de te raconter ma vie par le menu. Après t'avoir dit ça, j'ai l'impression d'être une tortue sortie de sa carapace. Alors je vais te quitter parce que je me sens trop vulnérable pour continuer cette conversation.

Jacques attendit quelques secondes pour lui laisser la possibilité de dire quelque chose. Puis il se leva en murmurant : « Au revoir. » Sa démarche devait être étrange, car une part de lui voulait s'enfuir en courant, et une autre part l'incitait à préserver sa dignité en gardant un pas normal. Surtout, il ne voulait pas la regarder, afin de ne lire ni mépris ni pitié dans son regard.

Si Jacques ne ressentait pas un immense soulagement, au moins sa confession lui avait fait du bien. Mettre des mots sur son malaise lui permettait de mieux le circonscrire. C'était à la fois plus précis, et plus évocateur, que de répéter les mots souvent entendus dans la bouche de Paul, à l'intention d'Aline : « Si ça fait pas ton affaire, ramasse tes p'tits, pis scram. » Car maintenant, il comprenait le sens du « ça ». Paul mettait Aline au défi de mettre les enfants à l'abri de sa concupiscence. Et chaque fois, comme elle ne le faisait pas, il sortait vainqueur de l'épreuve de force.

Après un long arrêt à son appartement, il se sentit prêt à rejoindre Diane, dont la présence se faisait rare depuis quelques semaines. D'ailleurs, elle n'était jamais revenue sur le sujet d'une excursion à Ogunquit. Pourtant, les longs week-ends n'étaient pas si nombreux : la Saint-Jean, la fête du Canada et la fête du Travail. Peut-être parce qu'un divorcé souriant s'était présenté sur son chemin.

❁

Le lundi suivant, Jacques se rendit à nouveau directement à la bibliothèque de l'Assemblée législative. Comme lors du dîner du vendredi précédent aucun de ses employés ne lui avait exprimé un impérieux besoin de profiter de ses lumières, il préféra s'abstenir de se présenter au musée. Non pas qu'il ressentît une passion nouvelle pour les vieux journaux, mais il redoutait ce qu'il lirait dans le regard de Charlotte.

Sa conversation lui repassait dans la tête, comme un mauvais film. Pourquoi lui avoir dit tout ça ? Il aurait été infiniment moins gênant de lui présenter l'explication la plus simple : je suis pauvre, tu ne l'es pas, ça ne peut pas marcher. Elle aurait dit : « Non, non, non, ça ne me fait rien. » Et lui : « Oui, oui, oui, moi, ça me fait quelque chose. »

Depuis le mois de mai, il avait progressé dans sa lecture des journaux, au point de savoir qu'il en aurait terminé avant la fin du mois d'août. À l'heure du dîner, le plus souvent seul dans la salle de consultation, il prenait quelques vieux numéros du journal *Écho-Vedettes*, ou d'un autre périodique du même genre, pour les parcourir. Connaître les malheurs de Michèle Richard et les bonheurs de Renée Martel – ou vice versa – lui changeait les idées. Il existait toutefois un mauvais côté à cette façon de tuer le temps : le courrier du cœur arrivait à le convaincre de la platitude de son existence. Les autres vivaient et lui lisait des journaux à potins pour se distraire.

Le mardi, son sens du devoir l'emporta. Il quitta la bibliothèque de façon à entrer dans la salle de repos au moment où les membres de son équipe profitaient de la pause. Il les trouva tous autour de tables réunies. Peut-être que ces arrêts s'allongeaient indûment en son absence, mais au moins, personne n'osait rester tout bonnement chez lui.

— Heureux de vous voir, dit-il en s'approchant.

La conversation reprit lentement sur les derniers films à l'affiche. Marie paraissait avoir été séduite par *Les Moissons du ciel*, elle réussit à lui donner envie de le voir aussi.

Si quelques-uns voulurent bien réclamer ses sages conseils, cela ne l'occupa pas plus de vingt minutes. Quand il quitta la salle de consultation, il entendit dans son dos le bruit d'un pas rapide, pour découvrir avec une certaine déception qu'il s'agissait de Michèle.

— Jacques, tu viens avec nous, jeudi prochain?

Cette fois, la Saint-Jean tombait un dimanche. Ses employés profiteraient du congé férié le vendredi, donc le pique-nique se ferait le jeudi.

— Oui, avec plaisir.

Michèle demeura plantée devant lui un instant, pour tourner les talons en murmurant au revoir. Pas besoin d'être un grand devin pour comprendre qu'elle escamotait une partie de la conversation prévue. Était-elle la porteuse d'un message que, maintenant, elle préférait taire?

Le jeudi, Jacques les retrouva tous sous le même arbre. Une place était libre près de Charlotte.

— Je peux ? lui demanda-t-il en s'approchant.

Plutôt que de lui répondre, elle hocha la tête. La conversation reprit lentement. Ce fut Charlotte qui décida de s'approcher des aliments placés sur la couverture en l'interrogeant du regard. À son tour, il se contenta de hocher la tête pour accepter l'offre.

— Tu dois trouver ça ennuyant de te retrouver tout seul dans cette bibliothèque, lui dit Michèle.

— Au moins, quand je vais dans la salle de photocopie, je vois un peu de soleil.

L'aveu lui valut un petit sourire. Charlotte revint près de lui à cet instant.

— J'ai pris du fromage de chèvre au poivre. C'est produit quelque part dans le comté de Portneuf.

— Je veux bien essayer.

— On partage ?

Elle parlait de sa demi-bouteille de vin.

— Je ne voudrais pas t'en priver.

— Si je te l'offre...

Jacques sentait des regards plus ou moins discrets posés sur lui, et même des oreilles attentives. La reprise de contact entre Américains et Japonais, après les deux bombes atomiques de 1945, s'était accompagnée de la même prudence.

❀

— Les choses se passent mieux, fit remarquer Groslouis dans l'autobus numéro 11.

Comme la voix lui semblait dépourvue de toute trace d'ironie, Jacques consentit :

— Un peu, mais je n'irais pas jusqu'à parler de complicité entre de vieux amis.

— Tu en as beaucoup, toi, de ces vieilles amitiés où tout est simple ?

« Aucune », songea Jacques. Jamais il n'avait eu d'atomes crochus avec Monique : elle était l'amie de Diane, un point c'est tout. Avec Jean-Philippe, le ton était devenu emprunté au fil des ans. Quant à Diane, elle ne voulait pas plus que lui prendre l'initiative d'une conversation devenue nécessaire.

— Je vais descendre de cet autobus en me sentant beaucoup plus solitaire que quand j'y suis monté.

— Veux-tu souper avec moi à la terrasse, tout à l'heure ? On pourra se remonter le moral…

❀

Jacques passa deux heures dans son bureau à la bibliothèque, les yeux fixés sur la fenêtre large de dix pouces et haute de six pieds qui lui permettait de voir un bout du mur du De Koninck, en face. Charlotte paraissait désireuse de redonner une certaine normalité à leurs rapports. Une gentille initiative qu'il ne contrecarrerait pas.

À cinq heures trente, son sac de postier à l'épaule, il se dirigea vers le Pollack. Groslouis se trouvait déjà à une table, avec Beauregard, et un autre étudiant qu'il n'avait pas vu depuis un moment : Norbert Sénécal. Celui-ci gardait des yeux un peu globuleux, des dents mal plantées et un sourire avenant.

— Un revenant, dit Jacques en tendant la main. Tu es revenu d'Ottawa pour de bon ?

Sénécal avait accepté l'offre de Nelles, et effectué sa maîtrise à l'Université Carleton.

434

— Oui, puisque j'ai l'intention de demander à Robitaille de diriger mon doctorat.

« Un autre concurrent, songea Jacques, et talentueux, en plus. » À haute voix, il commenta :

— Tu as déjà un sujet de recherche ?

— Le même qu'au moment où nous suivions son cours, en première année : les Québécois émigrés en Nouvelle-Angleterre.

— En tout cas, il reconnaîtra ta persévérance.

— Toi, tu es avec Dumont ?

— Oui, sur l'enseignement technique. Si je vais chercher la spécialité de la maison, tu seras encore là à mon retour ?

Sénécal l'assura que ce serait le cas. Quand il revint avec un hot dog et un Coke, celui-ci demanda :

— Il paraît que toute la petite bande s'est inscrite aussi ?

Lui aussi devait se désoler de voir l'affluence de candidats au doctorat. Ensuite, il fut longuement question des projets de Jean-Philippe, Diane et Monique. Puis bientôt Sénécal les quitta en disant :

— Si je suis en retard pour le souper, je vais me faire chicaner par ma mère.

Son sourire disait que cela ne l'inquiétait pas du tout. N'empêche que son visage et son intonation laissaient parfois croire qu'il avait toujours douze ans. Après son départ, la conversation porta sur lui, et sur tous les étudiants absents dont le nom leur passa par la tête. Commérer demeurait l'activité favorite des étudiants du département d'histoire.

Chapitre 27

Après que Beauregard eut quitté la terrasse, Jacques vit apparaître une jolie tête rousse, cette fois sans dame de compagnie. « Béatrice Grenier », songea-t-il. Elle vint vers eux et s'attarda pour faire un brin de conversation.

Bientôt, Groslouis annonça à son tour :

— Je dois vous quitter. Moi aussi, ma mère m'attend pour le long week-end.

Les salutations furent brèves. Quand il se fut éloigné, Béatrice demanda, moqueuse :

— Fais-tu aussi partie de ces garçons qui sont attendus ?

— Oui, mais pas avant le dîner de dimanche. Veux-tu boire quelque chose ?

Jacques s'était levé, il la regardait en souriant.

— Je prendrais une bière, s'il te plaît.

En se rendant au comptoir afin de commander, Jacques affichait un sourire amusé. L'arrivée inopinée de la jeune femme et le départ de Groslouis faisaient penser à un scénario convenu d'avance.

Quand il revint en lui tendant sa bière, il dit :

— Ton cours d'été doit tirer à sa fin, maintenant.

— Je l'ai terminé aujourd'hui.

— Et pour célébrer, tu viens à la terrasse du Pollack ?

— À petit accomplissement, petite célébration.

Béatrice portait un bermuda et une chemisette verte qui faisait ressortir la couleur de ses yeux. Avec les cheveux roux venait une poussière de taches ambrées sur le nez et le haut des joues.

— Si tu souhaitais occuper un emploi cet été, ce ne sera pas facile. Même les étudiants du secondaire te feront la compétition.

Parce qu'un cours offert au rythme de trois heures par jour ne laissait vraiment pas le temps de faire autre chose.

— Pourtant, j'en ai déjà un depuis quelques années. Ma patronne a la gentillesse d'adapter mes heures de travail à la situation.

— Que fais-tu?

— Un peu de tout à la bibliothèque de la Ville de Québec.

— Au milieu des livres… C'est un bel environnement de travail…

— Toi aussi, tu travailles dans une bibliothèque cet été.

Son occupation avait fait l'objet d'une conversation entre elle et Groslouis.

— Au milieu des vieux journaux, à l'Assemblée législative. Il n'y a pas de livres dans le sous-sol.

Béatrice avala une gorgée de bière tout en le regardant un peu à la dérobée. Comme pour dresser un inventaire. Jacques demanda:

— Tu termines le premier cycle en avril?

Elle acquiesça d'un geste de la tête.

— Tu as une idée de ce que tu feras ensuite?

Il vit une petite crispation dans son sourire. Cette question mettait tout le monde mal à l'aise dans le programme d'histoire.

— J'ai pensé m'inscrire en bibliothéconomie, mais le programme se donne seulement à Montréal.

Il s'agissait de la formation de second cycle destinée à former des bibliothécaires. On s'y inscrivait après un premier cycle dans une autre discipline.

— Je te le souhaite. Avec le travail que tu fais déjà, tu aurais certainement une longueur d'avance sur les autres.

Cette fois, le sourire s'élargit. Jacques avait toujours une parole encourageante pour les projets professionnels des autres. Surtout pour les personnes de l'autre sexe présentant un charme certain. Il ajouta :

— J'ai même vu un poste disponible à la bibliothèque de Rimouski dans *Le Soleil* de samedi dernier.

— Tu as vu ça où ?

— Le cahier "Carrières et professions" figure parmi mes lectures de chevet.

La conversation porta un moment sur leurs angoisses respectives concernant la recherche d'emploi. Puis c'est après une hésitation qu'elle demanda :

— Es-tu du genre à te rendre sur les Plaines pour assister à un spectacle et contempler ensuite un feu d'artifices ?

— Honnêtement, je ressens une petite angoisse au milieu de dizaines de milliers de personnes, dont la plupart très ivres. Je pourrais la surmonter sans doute, mais samedi je serai chez ma sœur.

Le sourire se crispa sur le visage de son interlocutrice.

— Mais toi, es-tu du genre à t'enfermer dans un cinéma un vendredi soir d'été ?

— Pour un bon film, oui.

Ils s'entendirent sur un titre. Ensuite, Béatrice consulta sa montre en tentant de se faire discrète.

— Tu dois rentrer ? Où habites-tu ?

— Dans Saint-Jean-Baptiste, pas très loin de l'église.

— Si tu permets, je vais attendre le bus avec toi.

C'est assis sur un banc qu'ils réglèrent les derniers détails de leur sortie.

✿

Le lendemain, les deux jeunes gens se retrouvèrent un peu avant six heures devant le cinéma de Place Québec. En s'approchant, Jacques apprécia la silhouette de Béatrice, même si les jeans à pattes d'éléphant ne lui paraissaient pas le sommet du bon goût.

— Es-tu déjà venue ici ? demanda-t-il en s'approchant.

— C'est la première fois. Mais j'ai beaucoup fréquenté le Bijou et le Cartier.

— Moi, c'était le Ciné Campus et aussi le Cartier. J'ai élargi mes horizons quand j'ai commencé à corriger les copies des étudiants de Bernier.

— C'est si payant que ça ?

— Le Pérou.

Au guichet, quand il demanda deux billets, elle protesta à voix basse :

— Ce n'est pas ce que je voulais dire...

— Je sais. Viens.

Comme la représentation était à l'heure où les gens normaux passaient à table, ils purent choisir de bonnes places, en plein centre. Une fois assis, Jacques se tourna vers elle à demi pour dire :

— J'ai proposé cette sortie, alors je t'invite. Si tu n'es pas morte d'ennui ensuite, tu m'inviteras la prochaine fois.

Après des publicités et d'interminables *previews*, un Richard Gere âgé de tout juste trente ans partagea l'écran avec Brooke Adams et Sam Shepard. L'histoire du film *Les Moissons du ciel* était sordide. Un ouvrier de Chicago ayant tué son contremaître plus ou moins accidentellement fuyait ensuite avec sa maîtresse pour s'engager comme travailleur agricole au Texas. Un quiproquo amoureux le conduisait à tuer le propriétaire de la ferme. Un film sombre, mais aux images lumineuses.

Quand ils sortirent de la salle, ils se félicitèrent de leur choix. Après s'être éloigné un peu du va-et-vient des spectateurs, Jacques s'arrêta pour demander :

— As-tu un café ou un restaurant en tête ?

— Il y a un café près de chez moi, le Mille-Feuilles. Je n'y suis jamais allée, mais il est tenu par des épouses de professeurs du département d'histoire. Madame Robitaille est la plus assidue du groupe.

Ainsi, cette femme avait réalisé son rêve d'adolescente.

— Je suis curieux de voir ça.

L'endroit se trouvait au coin des rues Saint-Jean et De Claire-Fontaine, pas bien loin. La salle du Mille-Feuilles était magnifique, avec ses plafonds à caissons.

Ils s'installèrent à une table près de la vitrine, puis ils consultèrent le menu.

— Qu'est-ce qui te tente ? demanda Jacques.

— Il y a des sandwichs.

Ce serait son choix aussi. Il devait être près de dix heures quand Jacques raccompagna Béatrice jusque devant la porte de l'édifice où habitaient ses parents. Ils se firent face sur le trottoir, un peu mal à l'aise.

— Merci, commença-t-elle, ce fut très agréable.

— Nous pourrons recommencer ?

Elle hocha la tête en souriant.

— Alors bonne nuit et bon spectacle sur les Plaines, demain soir. Je te téléphonerai.

Il se pencha pour poser ses lèvres sur sa joue, puis la regarda marcher jusqu'à l'escalier conduisant à l'appartement. Bientôt, il regagna la rue Saint-Jean pour rentrer chez lui. Au passage, il remarqua la présence de la Mustang rouge devant le logement de l'avenue Chapdelaine. Il devait vraiment avoir une conversation avec Diane.

Dorénavant, chacune des visites de Jacques à Solange était l'occasion de faire le point sur sa vie sentimentale. Le scénario se répétait à l'identique dès qu'Alain avait regagné sa chambre. Seule changeait la boisson, selon la saison : froide ou chaude.

— Comment les choses se déroulent-elles maintenant, au travail ?

Jacques l'avait déjà entretenue de ses retrouvailles avec « cette fille qui me plaisait beaucoup, l'an dernier ». Cette façon très imprécise de décrire la situation ne la trompait pas : il évoquait la princesse de Sillery.

— Plutôt bien, en fait, si l'objectif est de prévenir les éclats de voix et les paroles déraisonnables.

— Mais tu ne veux pas t'en contenter…

— Quand je l'ai relancée pour qu'elle revienne dans le projet, je dois bien admettre que c'était pour la garder dans mon champ de vision.

— Sa présence rend les choses plus difficiles qu'elles ne l'étaient ?

— Ne dit-on pas : loin des yeux, loin du cœur ?

Pourtant, de la fin août 1978 jusqu'à la fin d'avril 1979, la distance n'avait pas fait disparaître ses sentiments. Il s'efforça de répondre à la question posée :

— Comme je tente de me faire discret à cause de sa présence, mes relations avec mon équipe n'ont pas le côté amusant de l'an dernier. Cependant, avec Charlotte, les choses vont en s'améliorant.

Le dernier dîner sur l'herbe avait amené une embellie, quelque chose comme le fromage de la paix, faute de calumet.

— Tu ne veux pas lui demander de reprendre ?

— En réalité, ça n'a pas commencé. Je lui ai expliqué les raisons de mon malaise. Si elle veut tenter sa chance avec un produit aussi avarié que moi, je serai aussi appliqué pour que ça marche que je le suis pour tout le reste. Mais elle doit me le dire.

La question des produits avariés, c'est-à-dire impropres à la consommation, avait fait les manchettes de tous les journaux quelques années plus tôt. Dans le cadre de la CECO – la Commission d'enquête sur le crime organisé –, la population québécoise avait appris que pendant longtemps, on lui avait vendu de la charogne pour de la viande saine.

— Avarié ! Tu as une façon de parler de toi…

— Bon, alors disons avec de légers défauts de fabrication. Tu sais, les produits qui sont soldés à moitié prix ?

Solange comprit surtout qu'il était prêt à tenter l'aventure, si la demoiselle se montrait bien disposée. Comme le silence se prolongea pendant longtemps, Jacques la relança :

— Je sais que tu n'en as pas terminé. Que veux-tu savoir ?

— Et cette amie dont tu partages le lit ?

— Ah ! Voilà une autre histoire. Actuellement, j'en entends parler seulement quand sa recherche d'un bon parti la déçoit.

— Tu ne vas pas accepter ce rôle, j'espère.

— Si j'y trouve mon compte, pourquoi pas ? Ce n'est pas comme si une demoiselle se languissait de moi.

Tout de même, à ce moment, un visage avec de jolies taches de rousseur se rappela à son bon souvenir. Il précisa :

— Notre entente, c'était jusqu'en France, aller-retour. Nous sommes revenus depuis longtemps.

Au fond, il ne reprochait à Diane que ses deux petites manifestations de jalousie. Comme si elle tenait à le garder à portée de main, en attendant une rencontre satisfaisante.

— Demain, penses-tu que je devrais rendre compte de tout ça à Aline dans le détail ? la taquina Jacques.

— Si elle se montre trop inquisitrice, je me chargerai moi-même de donner le signal d'un retour précipité à Trois-Rivières.

Cela risquait peu d'arriver. La vieille femme commençait à comprendre qu'il y avait un lien direct entre son comportement et la fréquence des visites de sa fille. Quant à celles de son fils, elle en avait un peu fait son deuil.

❁

Le lundi suivant, Jacques retrouva ses habitudes à la bibliothèque de l'Assemblée législative. Se déplacer au musée en fin d'après-midi faisait maintenant partie de la routine. Il arriva pendant la pause de façon à saluer tout le monde, pour ensuite passer une heure dans la salle de consultation, à aller de l'un à l'autre afin de répondre à leurs questions.

Il allait quitter la pièce quand il entendit Charlotte l'appeler. Pour la première fois depuis le début mai – presque huit semaines plus tôt –, elle manifestait le désir de recevoir ses lumières.

— Peux-tu m'aider ? Je ne suis pas certaine de bien lire.

Elle déplaça un contrat de construction de maison rédigé en 1832 pour qu'il puisse mieux voir. Il se plaça à sa gauche et se pencha sur le document. En suivant l'index de la jeune femme, il murmura tous les mots qu'elle lui indiquait. Le texte n'était pas particulièrement mal écrit, Charlotte en avait déjà déchiffré de plus difficiles.

— Ce mot, perche, c'est une unité de mesure ?

Cette fois, elle se trahissait : le sujet avait fait l'objet de discussions entre eux l'été précédent, dès la seconde semaine de son embauche. Jacques la regarda dans les yeux.

— Oui, d'une longueur de dix-huit pieds. La difficulté, c'est que le pied français était un peu plus long que le pied anglais. Mais en 1832, à Québec, il est bien probable que tout le monde se référait au pied anglais.

— Merci. Je dois avoir la tête ailleurs, aujourd'hui. Ce sont pourtant des choses que je sais.

— Samedi, tu as trop fêté sur les Plaines ? Les cigarettes ne devaient pas être toutes légales.

— Pourtant, j'ai été très sage.

En se relevant, il lui effleura l'épaule du bout des doigts, une façon inédite de lui dire au revoir.

❁

Depuis quelques semaines, Jacques communiquait surtout avec Diane par le biais de messages sur le répondeur. Ils s'étaient revus parfois, mais à l'évidence, la jeune femme tenait à ne pas s'engager à l'avance pour un week-end, préférant sans doute se garder disponible pour une invitation venue d'ailleurs.

Toutefois, alors qu'il rentrait à la maison après son échange avec Charlotte, la sonnerie retentit.

— Tu t'es bien amusé chez ta famille, à la Saint-Jean ? demanda-t-elle.

— Tu sais bien que je ne vais pas vraiment voir ma mère pour m'amuser.

Un silence suivit sa répartie. Quand Diane reprit la parole, ce fut sur un ton vaguement inquiet :

— As-tu envie que nous fassions quelque chose ce soir ?

— Non, pas vraiment. Mais je suis tout de même content de t'avoir au bout du fil. Je disais justement à ma sœur que nous étions revenus de France depuis un bon moment. En plus, bientôt, tu obtiendras ton divorce, ça deviendra possible pour toi de fréquenter pour le bon motif. Il serait temps que je le fasse aussi.

Cette fois, il y eut un long silence, puis elle reprit, franchement inquiète :

— Et que se passera-t-il, en ce qui concerne notre collaboration pour le doctorat ?

— Je ne comprends pas pourquoi tu poses cette question. Pourquoi arrêter de nous voir à ce sujet ? Ça nous a bien servis jusqu'ici, non ?

— Oui, tout à fait.

— Pour moi, le doctorat est sur pause, mais si tu désires que nous tenions une séance de travail, je suis d'accord. Pas besoin d'attendre au mois de septembre pour ça. Ce sont les à-côtés qui deviennent... superflus.

Même si Diane adopta un ton de circonstance pour évoquer la fin d'une relation si gratifiante, Jacques la sentit soulagée. Le quiproquo commençait à lui peser aussi.

❁

Le jeudi, en fin de matinée, Jacques était penché sur un numéro d'*Écho-Vedettes* vieux de deux ans. Il tuait le temps en attendant d'aller rejoindre les autres sur les Plaines pour le dîner hebdomadaire. Un léger bruit de pas attira son attention. En relevant la tête, il vit Charlotte. La voir à cet endroit le prit totalement par surprise.

— Bonjour, dit-il. Je peux t'aider ?

— Non. Je voulais juste te dire un mot. Quand tous les autres sont là, ce n'est pas la même chose.

Il lui désigna la chaise voisine de la sienne. Après un silence, elle dit :

— Tu dois vraiment lire *Écho-Vedettes* pour le travail ?

— Non. Actuellement, j'en suis au *Journal de Québec*, celui publié de 1842 à 1889.

De la main, il lui désigna un grand livre dans lequel les numéros du début de l'année 1870 avaient été reliés ensemble.

— Tu me surprends en pleine délinquance. Comme je n'ai accès à aucun espace vert où aller profiter du soleil pendant mes pauses, je reste dans cette cave pour enrichir ma culture personnelle. Ce journal est parfait pour apprendre comment gérer les problèmes de cœur.

Il déplaça le périodique pour lui faciliter la lecture. Un article était coiffé du titre « Aujourd'hui, la jeune fille veut faire l'amour ». Elle montra un sourire contraint et respira profondément avant de dire :

— Je voudrais me retrouver il y a un an pour me reprendre, pour te dire que j'aimerais passer du temps avec toi, en tête à tête.

Peut-être même l'aurait-elle fait à ce moment, le jour où elle lui avait demandé d'aller dîner dans un café de la rue Cartier. Malheureusement, Michèle leur avait imposé sa présence.

— Quand tu es venue ici, pensais-tu que nous pourrions manger ensemble aujourd'hui ?

— Je ne savais pas trop comment je serais accueillie…

Comme elle tenait son porte-document à la main, il comprit qu'elle venait tout droit du musée.

— C'est vrai que même si nous nous tenons loin les uns des autres, un pique-nique sur les Plaines n'offre guère d'intimité.

— Ce ne sera pas plus intime chez moi…

Devant son regard interrogateur, Charlotte balbutia :

— Tu sais, je n'habite pas seule.

Même s'il ne l'avait jamais croisé, son frère partageait le même appartement.

— Aimerais-tu aller dans un café des environs de la rue Cartier, ou même à la terrasse du Pollack ?

— D'accord.

— Si je m'approche et que je t'embrasse, te sentiras-tu à l'aise ?

Comme elle lui sourit, Jacques s'avança. Le contact ressembla d'abord à un effleurement. Quand il s'éloigna un peu, ce fut pour esquisser une caresse sur sa joue. Elle inclina la tête pour la poser contre sa paume. Cela ressemblait à tendre l'autre joue, alors il y posa les lèvres et les laissa glisser jusque sous l'oreille.

Ensuite, son regard chercha le sien. Charlotte avait les lèvres légèrement entrouvertes, offertes. Il toucha doucement celle du haut avec le bout de son pouce, puis se redressa tout à fait.

— J'ai tenu mes distances pendant des mois pour éviter de faire ça. Ne baisse pas les yeux, car tu sauras l'effet que tu me fais.

Elle les releva tout de suite, comme après une indiscrétion.

— Et même en évitant de te toucher, je me suis retrouvé dans cet état régulièrement, pendant nos dîners ou chez toi, quand tu piquais un petit somme. Souhaites-tu toujours que nous allions dîner ensemble ?

— Bien sûr !

Jacques se leva pour mettre ses choses dans son sac de postier. Ensuite, il tendit la main en disant :

— Je vais porter ton porte-document.

— Ce n'est pas nécessaire…

— Je pense que oui, sinon le gardien pourrait soupçonner que je porte une arme sur moi.

Cette fois, elle pouffa de rire, faisant tomber la tension entre eux. En montant l'escalier, elle murmura :

— J'avais vu. C'était tellement déstabilisant.

— Ça l'était pour moi aussi.

Ils couvrirent la distance jusqu'à la rue Saint-Jean. Jacques la guida vers un café situé juste après la porte. Pour donner un cours plus léger à la conversation, il demanda :

— En septembre, commenceras-tu la dernière année du programme d'architecture ?

❁

À la fin du repas, Jacques lui dit :

— Tu sais que je n'ai pas du tout envie de te quitter. Pas tout de suite après t'avoir retrouvée.

Il eut droit à un charmant sourire.

— Veux-tu venir chez moi ? Mais si tu ne te sens pas absolument à l'aise…

— Je t'accompagne.

Après avoir réglé l'addition, ils se dirigèrent vers la place D'Youville.

— Nous allons prendre l'autobus numéro 7.

— C'est vrai, tu n'habites plus en résidence.

— Je soupçonne que des pans entiers de mon existence sont dévoilés par Groslouis.

En montant dans l'autobus, Jacques posa sa main sur la hanche de la jeune femme.

— Tu sais que j'habite au pavillon Montcalm ?

— C'est un beau projet de reconversion de bâtiment. Quand j'ai vu des articles dans *Le Soleil* à ce sujet, j'ai eu envie d'aller visiter.

Pendant le trajet, il fut question de divers projets immobiliers. Ils ne se connaissaient pas encore assez pour que les longs silences demeurent confortables.

Chapitre 28

En entrant dans le hall, Charlotte laissa entendre quelques commentaires admiratifs. Dans l'appartement, elle murmura un petit « Oh ! ».

— Il y a vingt ans, tu aurais vu une trentaine d'adolescents apprendre l'anglais dans cette pièce.

— Tu me permets de visiter ?

— Si tu veux bien fermer les yeux sur tout ce qui traîne. Avant de partir ce matin, jamais je n'aurais imaginé que tu serais ici cet après-midi.

Même si son ton demeurait badin, Jacques se demandait vraiment si une paire de sous-vêtements ne traînait pas quelque part. Pendant qu'il alla allumer la chaîne stéréo pour chercher une station radio diffusant de la musique, elle ouvrit la garde-robe, puis la porte de la salle de bain. L'examen de la cuisine lui demanda tout au plus dix secondes, celui du salon, guère plus.

— Je peux aller voir la chambre ?

Il la regarda gravir les marches. La petite robe bleue lui permit d'admirer ses jambes. Bientôt, elle redescendit en disant :

— C'est très bien, et tu es plutôt ordonné, si j'oublie le lit défait.

Pendant un instant, ils se regardèrent, puis il murmura :

— Je peux ?

Charlotte avança d'un pas. Cette fois, le baiser se fit rapidement langoureux, puis il explora encore son cou de ses lèvres et descendit jusqu'au trapèze. Elle respira profondément avant de murmurer :

— Je n'utilise aucun moyen contraceptif.

— Je te promets de me défendre de toutes mes forces si tu essaies de faire quelque chose pouvant te mettre enceinte, lui dit-il à l'oreille.

Elle se recula pour le regarder, l'esquisse d'un sourire sur les lèvres. Puis elle se retrouva dans ses bras de nouveau. Cette fois, les mains de Jacques parcoururent tout son dos. La droite descendit jusqu'aux fesses pour la rapprocher encore. Elle se raidit.

— Ça va trop vite ? demanda-t-il en reculant. Ce n'est pas grave, c'est aussi bien très lent. Je vais te montrer.

Jacques se déplaça vers sa bibliothèque et chercha dans une pile de documents pour trouver deux morceaux de carton réunis ensemble avec du ruban gommé.

— Regarde, dit-il en les plaçant sur sa table de travail.

La jeune femme les sépara, pour trouver entre eux les deux dessins remis à Robson, l'année précédente.

— Tu les as vraiment gardés…

— Oui, je voulais garder quelque chose du premier jour où je t'ai vue.

Charlotte garda ses yeux dans les siens.

— Je peux bien t'offrir un verre, mais je ne pense pas que ça te mettrait plus à l'aise. Alors faisons comme chez toi.

Il l'entraîna vers le canapé et prit l'un des coussins pour s'en servir comme oreiller, puis il lui demanda de s'étendre. Ensuite, il s'assit sur le plancher, sa tête reposant sur ses cuisses. Du bout des doigts, il caressa sa joue et ses cheveux.

— Tu dois me trouver…

— Chut, fit-il en mettant son index sur ses lèvres. Je te trouve parfaite.

Comme pour l'en convaincre, il se releva à demi pour poser ses lèvres sur son front. Après quelques minutes, Charlotte se tassa pour lui faire de la place près d'elle. Le visage placé au creux de son épaule, elle abandonna tout son dos à ses caresses. Après une vingtaine de minutes, il prit la tirette de la fermeture éclair à la hauteur des omoplates en disant : « Autant l'enlever, car elle sera toute chiffonnée. » La précaution agréa à sa compagne.

Le lendemain matin, malgré une nuit passablement écourtée, Jacques se retrouva les yeux grands ouverts à l'heure habituelle. Un moment, il regarda le corps recroquevillé près de lui. Même nue, Charlotte réussissait à présenter une image pudique, enroulée dans le drap de la poitrine jusqu'aux genoux.

Sachant ne pouvoir résister bien longtemps à la tentation de tendre la main vers elle, il quitta le lit en multipliant les précautions, ramassa un papier mouchoir dans lequel se trouvaient des condoms utilisés et le short d'entraînement qui lui servait de vêtement d'intérieur, puis il descendit.

Après un passage dans la salle de bain, il ramassa les vêtements abandonnés la veille sur le plancher pour les plier tant bien que mal et les déposer sur sa table de travail. Ensuite, un livre dans les mains, il occupa son unique fauteuil. Deux heures plus tard, il entendit du bruit à la mezzanine. Bientôt, la jeune femme apparut, toujours enveloppée dans le drap.

— Je reviens tout de suite, dit-elle en descendant.

Elle paraissait intimidée, mais ne donnait pas l'impression d'avoir des regrets. Quand elle ressortit après quelques minutes, il lui tendit la main et l'amena à s'asseoir sur ses genoux pour l'embrasser.

— Tu m'as laissée seule.

— Tu dormais bien, et moi j'avais du mal à retenir mes mains.

Après un autre baiser, elle commença :

— Tu sais, Jacques...

Une nouvelle fois, il posa son index sur ses lèvres.

— Ne me dis pas que je gagne à être connu. Mais je suis prêt à écouter tout le reste.

— D'accord, mais au fond, ça revient au même. Je suis arrivée ici morte de trac. Et très vite, je me suis sentie très bien. Après tes confidences...

— Tu t'attendais à me voir très anxieux ou désagréable ?

Comme elle ne répondit pas, il expliqua :

— Seul avec toi que j'estime beaucoup, qui parais contente d'être là, je me sens très bien aussi. Quand nous sortirons de l'appartement, régulièrement, je me dirai que tu pourrais trouver sans mal quelqu'un qui a plus de talent que moi pour le bonheur.

— Laisse-moi juger de ça, d'accord ?

Après une pause, elle demanda :

— As-tu un programme pour la journée ?

— Comme j'ai un tout petit chauffe-eau, nous pourrions prendre une douche ensemble et regarder si j'ai de quoi faire un déjeuner convenable. Ensuite, je serai heureux d'être avec toi aussi souvent et aussi longtemps que tu seras bien en ma présence.

— C'est tout un engagement.

— Prends-moi au mot.

Dans son regard, il eut l'impression de lire que le défi lui plaisait. Charlotte quitta ses genoux, posa le drap sur le canapé et alla vers la salle de bain en disant :

— Il est si petit, le chauffe-eau ?

— Oui, mais nous pourrons toujours nous réchauffer l'un l'autre, répondit-il en lui emboîtant le pas.

❁

Les cheveux mouillés et vêtue de sa robe, Charlotte posa les fesses sur la première des deux marches permettant d'accéder au salon en disant :

— Je peux faire virer les frais, tu sais.

— Ce n'est vraiment pas nécessaire.

— Tu comprends, je ne veux pas rentrer tout de suite et comme ils doivent arriver demain...

L'honorable juge Morin viendrait visiter ceux qui, parmi sa progéniture, habitaient Québec. Et d'autres membres de la famille élargie.

— Je comprends. Mon téléphone est à ta disposition. Préfères-tu que je sorte ?

— Voyons, pourquoi ça ?

Charlotte tira le téléphone vers elle et composa le numéro à Montréal. Elle commença d'une voix joyeuse :

— Maman, tu vas bien ?... Oui, très bien... Je suis chez lui, maintenant. Tu avais raison, parfois s'expliquer permet de mieux se comprendre.

Ces gens avaient élevé une jeune fille sage, mais visiblement sans la priver de sa part d'autonomie. Après avoir écouté un moment, la jeune femme se tourna à demi pour dire, rieuse :

— Il m'a interdit de le lui dire, mais il gagne vraiment à être connu.

Jacques comprit qu'il devrait s'habituer à ce commentaire, finalement.

— Avec toute la tribu ? Non. Mieux vaut qu'il prenne les Morin à petite dose… Oui… Attends, je le lui demande.

Cette fois, c'est avec un visage sérieux qu'elle se retourna, en posant sa main sur l'émetteur du combiné.

— Demain, accepterais-tu de manger avec mes parents au restaurant ?

C'était ça aussi, faire de la place à quelqu'un dans sa vie. Il ne s'agissait pas juste de lui donner accès à son téléphone. Les notables de Sillery désiraient voir quel type d'homme leur fille avait déniché dans le chemin du Petit-Montréal.

— Oui, avec plaisir.

— Il accepte ! s'exclama Charlotte.

Cette fois, c'est sans couvrir le combiné qu'elle s'adressa de nouveau à lui :

— Sam Wong, ça te tente ? On y allait quand j'étais petite.

— Ça sera parfait.

Il imaginait déjà y retourner à quatre, avec Solange et Alain. Sa sœur avait parlé de venir passer quelques jours à Québec pour les vacances. Cette fois, il pourrait même les recevoir à coucher.

La jeune femme échangea encore quelques phrases, puis raccrocha. C'est en se déplaçant sur ses genoux et ses mains qu'elle vint vers lui, pour poser ses deux bras sur ses cuisses. Ses cheveux encore mouillés paraissaient ondulés.

— Je sais que je t'en demande beaucoup, mais ça les rassurera.

Jacques esquissa une caresse sur ses épaules en disant :

— Tu as raison.

— Papa nous invitera.

— Je pense que papa devrait inviter sa femme, et moi sa fille.

Comme Charlotte ouvrait de grands yeux, il expliqua :

— Au moins pour cette première fois.

— D'accord. Si je rentre chez moi seulement demain soir avec eux, ça te convient ? Dimanche, je dînerai chez mes grands-parents.

— Bien sûr.

Jacques savait déjà que le lendemain soir, il trouverait l'appartement terriblement vide à son retour du restaurant.

Encore un mot

Si vous désirez garder le contact entre deux romans, vous pouvez le faire sur Facebook à l'adresse suivante :

Jean-Pierre Charland auteur

Au plaisir de vous y voir.

Jean-Pierre Charland